LA GUERRE DES VOLCANS

DU MÊME AUTEUR

AUX PRESSES DE LA CITÉ

Les Tigres de Tasmanie, 2003
La Dame d'Australie, 2004
La Fille de la pierre, 2006
Princesse maorie, 2006
La Louve de Cornouaille, 2007
L'Appel de l'Orient, 2008
La Prophétie des glaces, 2009, Prix du roman populaire 2010
Les Enfants du volcan, 2010
Les Amants de feu, 2010
L'Odyssée d'une femme amoureuse, 2012

AUX ÉDITIONS CALMANN-LÉVY

Le Lys et les Ombres, 2011
La Fille de l'île longue, 2012
L'Amazone de Californie, 2013

AUX ÉDITIONS ALPHÉE

Le Carrefour des Ombres, 2009
Epuisé en format papier, mais disponible en numérique sur Kindle Amazon

AUX ÉDITIONS DU ROCHER
CYCLE DE PHÉNIX

Phénix, 1986, prix Cosmos 1987, prix Julia Verlanger 1987
Graal, 1988
La Malédiction de la Licorne, 1990
La Vallée des neuf cités, 2008

CYCLE LES ENFANTS DE L'ATLANTIDE

Le Prince déchu, 1994
L'Archipel du Soleil, 1995
Le Crépuscule des Géants, 1996
La Terre des Morts, 2003

CYCLE LA PREMIÈRE PYRAMIDE

La Jeunesse de Djoser, 1996
La Cité sacrée d'Imhotep, 1997
La Lumière d'Horus, 1998

(suite en fin d'ouvrage)

Bernard Simonay

LA GUERRE
DES VOLCANS

Roman

PRESSES
DE LA CITÉ

© Presses de la Cité, 2013
ISBN 978-2-258-07996-0

Presses
de   un département **place des éditeurs**
la Cité

place
des
éditeurs

PERSONNAGES PRINCIPAUX

Ly-Rah : fille de Khrent et de Loo-Nah, descendante de Noï-Rah la Bienveillante
Khrent : père de Ly-Rah, chef des gardes
Loo-Nah : mère de Ly-Rah et reine des Renards
Mahl-Kahr : rheun (chef) des Renards
Thol-Rok : chaman des Renards
Ham-Khal : chef des scribes de la tribu des Renards
Brahn-Hir : frère de Ly-Rah
La-Nah : sœur de Ly-Rah
Si-Khi : sœur de Ly-Rah
Lo-Kahr : garde du corps de Ly-Rah. Guerrier d'élite.

Tribus des Montagnes de feu
Mohn-Kaï : chef des Aigles
Nessah : sœur de Mohn-Kaï
Kehrry-Lann : reine des Tigres
Haar-Thus : chef des Grands Cerfs
Bahr-Kynn : chef des Aurochs

Tribus de Pehr-Goor
Ken-Loh : jeune guerrier
Gristan : chef des Palkawans
Krigs : chef des Mohondos

Les lecteurs curieux trouveront en fin d'ouvrage une liste plus complète des lieux et personnages du roman, ainsi que quelques informations complémentaires.

1

La prophétie

Depuis plus de quatre cents soleils, la tribu des Renards vivait à la frontière occidentale du pays des Montagnes de feu. Même si les anciens affirmaient qu'autrefois les colères des dieux volcans étaient plus fréquentes, chacun des membres adultes de la nation avait assisté au moins une fois dans sa vie à l'une d'elles. Le sol se mettait à trembler et des grondements effrayants se faisaient entendre au loin. Puis d'épais nuages de cendre envahissaient le ciel pendant plusieurs jours. La nuit s'installait, ne cédant la place que quelques heures à un jour crépusculaire. Le monde se couvrait d'une couche de poussière fine. Lorsque les dieux envoyaient enfin la pluie, la poussière retombait et se transformait en une boue grasse et noire. Puis, peu à peu, la lumière revenait et chassait les ténèbres. Les récoltes qui suivaient les colères des volcans étaient souvent plus abondantes. A tel point que l'on pouvait se demander pourquoi les dieux avaient besoin de se fâcher si c'était pour offrir ce présent à leurs enfants. Les anciens se posaient la question et en palabraient pendant des heures. Sans jamais trouver de réponse. Les Renards connaissaient bien ces colères et ils avaient appris au fil des générations à ne pas les redouter.

Cette fois pourtant, rien ne pouvait expliquer le phénomène étrange qui frappa les Montagnes de feu, ce jour-là, vers le milieu de la matinée.

Ly-Rah avait quitté le village de No'Si'Ann à l'aube, en compagnie de sa mère, Loo-Nah, reine de la nation des Renards. C'était une belle journée d'automne. L'air restait doux, presque tiède bien que l'on fût à la saison des feuilles rousses. La forêt avait pris des teintes où dominaient les rouges et les jaunes, à tel point qu'on aurait pu la croire dévorée par un incendie silencieux. Bientôt, les arbres se dépouilleraient de leurs frondaisons magnifiques et la neige recouvrirait le monde de son linceul blanc. Mais les dieux semblaient avoir décidé d'accorder un répit aux hommes en maintenant un temps exceptionnellement clément. Des odeurs enivrantes montaient des sous-bois, faites des parfums des dernières fleurs, de l'humus, des relents de champignons, des effluves humides du lac. Une rumeur sourde parvenait du village de No'Si'Ann qui s'étirait sur ses rives. Les appels clairs et les rires des enfants gardant les troupeaux se mêlaient aux voix plus graves des hommes qui travaillaient dans les champs. Le temps était idéal pour cueillir les simples et les champignons nécessaires à la préparation des potions et onguents avec lesquels on soignait les malades.

Un ciel limpide surplombait les hauts reliefs dominant la vallée des Aurochs, ainsi nommée en raison de l'important troupeau de ces animaux qui vivait sur la rive occidentale du lac. Les Renards étaient installés dans cette vallée depuis l'époque de Noï-Rah la Bienveillante, dont on disait qu'elle était la fille du dieu volcan Pa'Hav. Elle était avant tout la mère de la nation.

Ly-Rah et Loo-Nah portaient chacune un grand sac de cuir pourvu de plusieurs poches afin de séparer les produits de leur cueillette. Il ne fallait surtout pas mélanger les champignons, dont certains regorgeaient de poisons, mais dont on pouvait cependant extraire des potions. Toutes deux étaient armées de poignards et d'arcs au cas où un ours ou une meute de loups belliqueux se seraient montrés. Mais c'était une précaution superflue. A cette époque de l'année, le gibier abondait dans les collines bordant le massif, et les grands fauves ne s'attaquaient aux humains qu'en dernier ressort, lorsque la faim les tenaillait à la fin d'un hiver trop long. De plus, elles étaient escortées par Lo-Kahr, le vieux guerrier que Mahl-Kahr, le *rheun* – le chef – de la nation, avait nommé garde du corps de la reine. Malgré son âge, soixante soleils, Lo-Kahr demeurait – avec Khrent, le père de Ly-Rah – l'homme le plus fort du village. Il mesurait plus de deux mètres et était de taille à affronter les ours eux-mêmes. Outre sa longue lance, son arc et son poignard de silex, il portait une lourde massue de bois massif capable d'assommer un aurochs d'un seul coup.

Tout semblait calme. Et pourtant...

Ils s'apprêtaient à revenir vers le village après une bonne récolte lorsque, soudain, le monde parut se transformer. Cela commença par une augmentation rapide de la lumière, comme si un second soleil s'était allumé d'un coup dans le ciel. Pétrifiés, ils levèrent les yeux vers le firmament. Un point lumineux venait d'apparaître en direction du couchant, qui se rapprochait dans un silence effrayant.

— Maman ! Qu'est-ce que c'est ? gémit Ly-Rah.

— Je ne sais pas, ma fille. Je ne sais pas.

Autour d'eux, l'air devint étouffant. Lo-Kahr les rejoignit, le regard inquiet.

— Je crois qu'une étoile tombe du ciel, dit Loo-Nah, le visage blême.

L'astre inconnu se dirigeait droit sur eux. Dans le village, on s'était rendu compte de ce qui se passait. Une clameur de panique monta de la vallée. Au loin, Ly-Rah vit des gens courir en tous sens. Sur l'autre rive du lac, les aurochs semblaient pris de folie. Ils se bousculaient, se piétinaient, ne sachant dans quelle direction fuir. Inexorablement, le volume de l'étoile augmentait. Une couronne de flammes gigantesques l'environnait. Elle paraissait se déplacer lentement, mais la traîne de lumière et de nuées ardentes qu'elle laissait derrière elle démentait cette impression. Sa taille devait être énorme, sans doute plus importante encore qu'une montagne. Le plus inquiétant était l'absence totale de bruit qui accompagnait le phénomène.

Pétrifiée, Ly-Rah ne pouvait détacher ses yeux de l'astre embrasé. Une terrible sensation de résignation s'empara d'elle. Il n'y avait nul endroit où se réfugier. Elle aurait voulu hurler, mais aucun son ne put sortir de sa gorge. Pourtant, au moment où elle crut que l'étoile allait s'écraser sur la vallée, celle-ci se contenta de traverser le ciel très loin au-dessus des montagnes, en direction du levant. Quelques instants après son passage, un vacarme assourdissant explosa, semblable à la charge de milliers d'aurochs. Tous trois hurlèrent de terreur. Puis un vent venu de nulle part se leva d'un coup, balayant la forêt et la vallée avec une violence inouïe. Ils furent projetés au sol. Loo-Nah rampa jusqu'à sa fille et la protégea dérisoirement de son corps.

Là-bas, la boule de feu poursuivit sa trajectoire au-delà des volcans, puis échappa à leurs regards. Le grondement infernal s'atténua. Ly-Rah leva les yeux vers le ciel, où subsistait une longue traînée qui reflétait les rayons du soleil. Peu à peu, la lumière déclina et des cohortes de nuages sombres et tourmentés envahirent le ciel. Les bourrasques redoublèrent d'intensité. Tant bien que mal, Ly-Rah et sa mère se relevèrent, tremblant de tous leurs membres, soutenues par Lo-Kahr. Autour d'elles, le monde était plongé dans une demi-nuit étrange. Titubant à cause de l'étrange ouragan, ils reprirent la direction du village où les gens avaient gagné le refuge de leurs chaumières malmenées par les rafales.

Arrivés en lisière de la forêt, un nouveau phénomène se produisit. A travers les nuages sombres, des boules de feu se mirent à pleuvoir. Des sifflements venus d'outre-espace leur déchirèrent les tympans. Des nappes de flammes explosèrent partout, embrasant la forêt et plusieurs maisons. Bientôt, un rideau de flammes se dressa devant eux, leur interdisant de regagner le village qui se transformait peu à peu en brasier. Blottie contre Loo-Nah, Ly-Rah n'osait plus faire un geste. Chercher à fuir n'aurait servi à rien ; il n'y avait aucun endroit où s'abriter.

Et soudain eut lieu un phénomène encore plus extraordinaire. Ly-Rah se retrouva seule. Loo-Nah et Lo-Kahr avaient disparu comme s'ils s'étaient évanouis dans le néant. Pourtant, Ly-Rah ressentait une présence. Elle se retourna lentement et resta pétrifiée. Debout au centre d'un cercle de feu, une femme mystérieuse, à la longue chevelure rousse, la fixait intensément de son regard vert. Un arc long était passé en travers de sa poitrine. Dans sa main droite, elle brandissait un sceptre de bois sculpté à la ressemblance d'une tête de renard, et orné de quatre plumes de paon. Avec stupéfaction, Ly-Rah constata que son corps revêtu d'une robe de lin blanc paraissait translucide. Elle avait affaire à un esprit. Tout autour, les boules de feu continuaient à tomber, mais le vacarme s'était dissipé. Il n'en subsistait que l'écho d'une rumeur lointaine et étouffée. La femme inconnue lui sourit et se mit à parler. Sa voix était douce et claire.

— Ecoute-moi, Ly-Rah. L'étoile que tu viens de voir ne frappera pas directement le monde. Mais bientôt, de grands bouleversements se produiront. Des esprits mauvais sèmeront la discorde entre les nations des Montagnes de feu. Derrière eux se dressera l'ombre d'un démon sans visage dont le but est de détruire ce que les tribus ont bâti depuis des centaines de soleils. La soif de pouvoir et la cupidité mèneront certains chefs à s'affronter dans des guerres fratricides. Il s'ensuivra des jours sombres, au cours desquels nombre d'hommes et de femmes périront. Ce chaos déchaînera la colère des dieux du ciel. Un grand froid régnera au pays des dieux volcans. Pourtant, les hommes, dans leur folie, ne tiendront pas compte de leurs avertissements et continueront de se battre, quitte à mener les nations vers l'anéantissement. Les Renards seront en grand danger. C'est à toi qu'il reviendra de préserver mon peuple. Si tu échoues, il sera exterminé.

Pétrifiée, Ly-Rah aurait voulu parler, mais cela lui était impossible. Peu à peu, la silhouette de la femme s'effaça, puis le cercle de feu disparut. Alors, une foule d'images toutes plus effrayantes les unes que les autres se succédèrent dans son esprit. Elle poussa un cri et s'écroula sur le sol sans connaissance.

Lorsqu'elle revint à elle, les visages inquiets de Loo-Nah et de Lo-Kahr étaient penchés sur elle. Ly-Rah se jeta dans les bras de sa mère.

— Que s'est-il passé ? demanda-t-elle en sanglotant.

— Je ne sais pas, ma fille, répondit Loo-Nah. Tu t'es arrêtée d'un coup, comme si tu étais changée en pierre. Je t'ai parlé, mais tu ne m'entendais plus. Et puis, tu t'es effondrée.

— Mais où est passé le feu ? Et cette étoile est tombée du ciel ?

— Quel feu ? Quelle étoile ?

Ly-Rah regarda autour d'elle, effarée. Il n'y avait plus rien. Les boules incandescentes avaient disparu. Au loin, le village était tout à fait calme. Les hommes continuaient leur travail des champs et les enfants jouaient en surveillant les bêtes. Personne ne courait, personne ne hurlait. Et surtout, la saison n'était pas l'automne, mais le printemps. Un vent léger apportait les parfums nouveaux des fleurs et de la végétation. Pourtant, tout à l'heure, c'était bien l'automne…

Ly-Rah crut qu'elle était devenue folle. Puis la vérité lui apparut. Lorsqu'elle avait quitté le village à l'aube, c'était un magnifique matin de printemps. L'automne n'avait existé que dans son rêve. S'il s'agissait bien d'un rêve…

— Je ne comprends pas, balbutia-t-elle. J'ai vu…

Elle se tourna vers sa mère :

— … j'ai vu une étoile tomber du ciel. J'ai cru qu'elle allait s'écraser sur le village, mais elle est passée au-dessus de nous, très haut. Le ciel s'est couvert, puis des boules de feu se sont mises à pleuvoir.

— Tu as peut-être fait un mauvais rêve, suggéra Loo-Nah sans conviction.

— Je ne dormais pas, maman. Tout était si réel... On était en automne. Et puis, il y avait cette femme...

— Quelle femme ?

— Elle avait à la main un bâton de commandement avec une tête de renard et elle était... transparente. Elle se tenait debout au centre d'un cercle de feu. Ses cheveux étaient roux, comme les miens. Elle me ressemblait un peu. Elle m'a parlé. Elle a dit que de grands dangers menaçaient la nation des Renards. Et que... c'était moi qui devrais la protéger. Elle a dit : « mon peuple ».

Loo-Nah contempla sa fille avec une vive émotion.

— Ce n'est pas la première fois que tu as ce genre de visions. Tu possèdes le même don qu'elle...

— Qui ?

— Noï-Rah, la mère de notre nation, et notre ancêtre à toutes les deux. C'est d'elle que tu tiens le don de prédiction. C'est elle que tu as vue.

2

No'Si'Ann s'étirait le long des rives du lac des Aurochs. Jusqu'à flanc de colline, s'étendait une mosaïque de champs cultivés et de prés au milieu desquels se dressaient des petits groupes de maisons recouvertes de toits de chaume. Au loin, de l'autre côté du lac, on devinait les silhouettes noyées de soleil d'un important troupeau d'aurochs. Il n'avait jamais quitté les lieux depuis l'époque de Noï-Rah.

Au cœur de cette agglomération où s'étaient dessinées, au fil des siècles, des artères de circulation de terre battue, se dressait une vaste enceinte haute comme trois hommes. Depuis l'époque de Noï-Rah, on entretenait cette vieille muraille de pierres et de rondins qu'elle avait fait édifier pour protéger les Renards des attaques. Cette précaution s'était révélée utile quelques dizaines d'années auparavant, lorsqu'un envahisseur venu de l'est avait lancé une guerre meurtrière contre les nations des Montagnes de feu. Nombre d'habitations se situaient hors de la muraille, mais celle-ci était assez grande pour abriter la totalité de la population en cas de danger. Un réseau de tours de guet disséminées dans les forêts et en bordure du lac permettait de surveiller les alentours pour prévenir de l'arrivée de toute troupe suspecte. Les guetteurs communiquaient entre eux par un langage sifflé utilisé à l'origine par les chasseurs.

A l'intérieur de l'enceinte, on trouvait une grande place ombragée où les membres de la tribu avaient coutume de se réunir lorsque le chef avait une communication importante à faire, ou pour écouter les voyageurs qui apportaient des nouvelles des autres nations. Sur cette place s'ouvraient les échoppes des artisans et les étals des colporteurs qui voyageaient de tribu en tribu. Depuis l'époque de Noï-Rah, l'organisation du travail avait subi de profondes modifications. Autrefois, tous les membres de la tribu œuvraient aux mêmes tâches : la chasse, la cueillette, l'élevage, les semailles et les moissons. Avec le temps, des hommes et des femmes s'étaient spécialisés dans le domaine qu'ils maîtrisaient le mieux. Des métiers étaient apparus. On rencontrait ainsi un boulanger qui fabriquait, avec ses aides, des galettes de froment pour toute la population. Un tisserand confectionnait des chemises et des robes de lin. Plus loin, c'était un tailleur qui fabriquait des vêtements à partir du cuir fourni par un tanneur installé à l'extérieur de l'enceinte... en raison des odeurs quelque peu envahissantes de son activité. L'un créait des outils pour travailler la terre. Un autre s'était spécialisé dans l'élaboration de pommades et d'onguents dont les secrets se trouvaient dans la bibliothèque. Il y avait également un armurier, habile à faire arcs et flèches, lances et poignards de silex à manche de cuir finement décoré. Les temps avaient bien changé depuis l'époque de Noï-Rah, où toutes ces activités n'en étaient qu'à leurs balbutiements.

On salua la reine avec familiarité lorsqu'elle traversa la place. Loo-Nah descendait en ligne directe de Noï-Rah. Tous connaissaient la légende de la fondatrice de la nation, que l'on considérait désormais comme une divinité bienfaisante. L'affection que lui portaient les Renards se reportait sur ses descendantes.

La vie des peuples des Montagnes de feu s'était grandement améliorée depuis la venue de Noï-Rah. Grâce à elle, on avait appris à conserver plus efficacement la nourriture, à élever de nouveaux animaux, à cultiver de nouvelles plantes, de nouveaux arbres fruitiers, à mieux lutter contre les blessures et les maladies. Elle avait aussi instauré des relations pacifiques entre les différentes nations.

En son temps, Noï-Rah avait été la reine de la nation des Renards, qu'elle avait fondée à partir des membres d'autres tribus sauvés par elle. A l'âge de quarante soleils, elle avait abandonné son titre à sa fille, Neelah, qui elle-même l'avait transmis à sa fille. Il en était ainsi depuis plus de quatre siècles. Ly-Rah, par le biais de l'aînée des filles, descendait, à la vingt-troisième génération, de la fondatrice. Elle devait un jour succéder à sa mère, lorsque celle-ci rejoindrait le Grand Esprit, ou bien déciderait elle-même de lui confier sa charge parce qu'elle serait trop fatiguée. Par tradition, l'héritière de la reine était toujours l'aînée.

Cependant, les reines ne dirigeaient pas la tribu. Leur titre était purement honorifique et symbolisait la connaissance apportée par Noï-Rah. Une connaissance qui avait engendré tellement de bienfaits que les autres tribus, au fil du temps, avaient adopté le mode de vie des Renards. Ils avaient désiré avoir leur propre reine. Ces reines, également issues de la descendance de la fondatrice, à travers les filles cadettes, étaient considérées comme sacrées. On les vénérait comme les représentantes de la divinité bienveillante. Dès leur plus jeune âge, les futures reines recevaient un enseignement particulier, transmis par le biais de ce qui avait été sans doute l'invention la plus extraordinaire de Noï-Rah : l'écriture. Elle avait créé les signes sacrés qui permettaient de transmettre le savoir. Celui-ci était conservé dans des livres écrits sur des feuilles d'écorce de bouleau, que l'on protégeait dans les bibliothèques et que l'on se transmettait pieusement d'une génération à l'autre. Toutes petites, les reines apprenaient la signification de ces caractères et pouvaient ainsi déchiffrer la connaissance renfermée dans les manuscrits. Ainsi les découvertes de la fondatrice s'étaient-elles transmises au fil des siècles, continuant à apporter la prospérité à la nation des Renards, mais aussi aux vingt-trois autres tribus des Montagnes de feu.

Les reines ne possédant qu'un pouvoir symbolique, les tribus étaient dirigées par un rheun, un chef élu parmi les hommes les plus sages. Parfois même, ce chef était une femme, comme c'était le cas pour la tribu des Fils du Tigre, une nation alliée des Renards dont le territoire se situait à trois jours de marche vers le nord. Une loi interdisait au rheun et à la reine d'une tribu de se marier ensemble. Les reines se succédant de mère en fille et les rheuns bien souvent de père en fils, cela aurait obligé les jeunes chefs à épouser leur propre sœur, ce qui était considéré comme une abomination. Loo-Nah était mariée avec le plus puissant guerrier des Renards, Khrent, qui alliait la force et une grande sagesse. Mahl-Kahr, leur rheun, avait fait de lui son conseiller le plus proche, avec le chaman, Thol-Rok.

Comme toujours, Ly-Rah ne manqua pas d'attirer l'attention des jeunes hommes lorsqu'elle traversa la place du village. Elle avait dix-huit ans. Il se dégageait d'elle une sensualité troublante. Elle portait une longue chevelure d'un roux foncé qu'elle laissait flotter librement sur ses épaules ; son visage aux traits fins s'illuminait d'un regard émeraude, à l'image que les légendes donnaient de son ancêtre. Depuis des temps immémoriaux, les cheveux roux constituaient le signe de la protection des dieux volcans, parce qu'ils reflétaient la couleur de la lave qui s'en écoulait parfois.

Pour beaucoup, Ly-Rah était considérée comme la réincarnation de Noï-Rah. Elle n'y avait jamais accordé d'importance avant ce jour. Mais la femme qui lui était apparue au cours de sa vision ressemblait d'une manière frappante à son reflet du lac. Quand le vent ne soufflait pas, la surface des eaux devenait parfaitement lisse et les filles en profitaient pour y saisir cette image fugace, qui se dissipait à la moindre brise. Le jeu consistait à entrer dans l'eau tout doucement sans provoquer la moindre vaguelette. Il avait la particularité d'attirer aussi les garçons, mais pas pour les mêmes raisons. Tandis que les filles se défaisaient de leurs vêtements, les garçons se cachaient derrière les buissons pour les surprendre au bain dans le plus simple appareil. Les filles avaient conscience de leur manège et s'en amusaient beaucoup, ne se privant pas de rivaliser de coquetterie, comparant leurs formes et la couleur de leur peau. Jusqu'au moment où une mère surprenait les garnements et les délogeait, provoquant des cris faussement effarouchés de la part des demoiselles. Cependant, les mœurs étaient très libres à No'Si'Ann. Depuis l'époque de Noï-Rah, les femmes bénéficiaient des mêmes droits que les hommes.

La vision avait confirmé à Ly-Rah qu'elle ressemblait beaucoup à son ancêtre. Et cela la troublait profondément, tout autant que la prophétie terrifiante transmise par la fondatrice.

Après avoir traversé la place, Ly-Rah et Loo-Nah se dirigèrent vers leur maison, située près de la demeure de Mahl-Kahr. Cette dernière était une bâtisse de grandes dimensions. Outre les pièces d'habitation, elle comportait une salle où se réunissaient, une fois par lune, les anciens et les membres importants de la tribu. Elle accueillait également le conseil des mères, présidé par la reine. On l'appelait le *ho'mah*, la maison principale.

Revenues chez elles, la mère et la fille furent accueillies par des cris joyeux. Ly-Rah avait eu cinq frères et sœurs, dont trois avaient survécu. C'était beaucoup à une époque où les enfants mouraient encore souvent en bas âge. Mais cette mortalité était encore plus importante avant l'avènement de Noï-Rah. Les remèdes dont on conservait la mémoire dans la bibliothèque avaient permis de sauver beaucoup de monde, non seulement parmi les enfants, mais aussi parmi les adultes.

Ly-Rah dut subir les reproches de son frère, Brahn-Hir, qui avait un an de plus qu'elle. Elle ne l'avait pas réveillé à l'aube avant de se rendre dans la forêt et il s'était inquiété pour elle.

— Tu ronflais comme un aurochs enrhumé, lui rétorqua-t-elle.

— Il fallait me secouer ! Tu sais bien que je n'aime pas te savoir seule dans les collines.

— Je n'étais pas seule. Maman était avec moi. Et Lo-Kahr nous protégeait.

Il grommela encore pour la forme. En réalité, il aurait aimé les accompagner afin de se livrer à son activité favorite : la chasse. Mais Loo-Nah estimait qu'il avait une fâcheuse tendance à écraser les plantes sans discernement lorsqu'il traquait un gibier et elle préférait éviter sa présence encombrante quand elle cueillait des simples.

Ly-Rah essuya ensuite les chamailleries de ses deux petites sœurs, La-Nah, treize ans, et Si-Khi, onze ans, qui se ressemblaient comme des jumelles malgré leur différence d'âge. Elles s'adoraient et se détestaient tout autant. Aussi rousses que leur mère et leur sœur aînée, elles étaient déjà de beaux brins de filles, qui suivaient toutes deux le même enseignement que Ly-Rah, dispensé par leur oncle Ham-Khal, le chef des scribes de la bibliothèque.

Devant la maison, Khrent, le père de Ly-Rah, bavardait avec le chaman, Thol-Rok. Khrent était un colosse qui dépassait tous les hommes de la tribu d'une bonne tête. Il émanait de lui une sensation de puissance qui contrastait avec la douceur de son regard bleu. Il était le seul à pouvoir lutter à armes égales avec le géant Lo-Kahr, qui avait été son maître dans l'art du combat. Cette force de la nature n'était que douceur pour son épouse, qu'il adorait, et pour ses enfants, qu'il vénérait. Cependant, il savait aussi faire preuve d'une autorité incontestable lorsque cela se révélait nécessaire. Khrent était âgé de trente-huit soleils. Lors des joutes amicales qui opposaient les hommes au moment de l'assemblée des rheuns, qui avait lieu tous les ans, il remportait immanquablement tous les concours de lutte. Ly-Rah n'était pas peu fière de son père.

Celui-ci remarqua immédiatement que quelque chose n'allait pas dans le regard de sa fille, même si celle-ci tentait de dissimuler son émotion. Mais il lui suffisait d'un coup d'œil pour s'en rendre compte. Depuis toujours, Ly-Rah avait entretenu une grande complicité avec lui. Il la connaissait trop bien.

— Il t'est arrivé quelque chose…

Ce n'était pas une question.

— Oui. Je dois t'en parler. Et aussi à Thol-Rok et Mahl-Kahr.

Mahl-Kahr, âgé de soixante-deux ans, était le chef de la tribu des Renards depuis plus de trente soleils. Malgré son âge, il bénéficiait encore d'une grande force physique. Veuf depuis une dizaine d'années, il n'avait jamais repris d'épouse et n'avait pas d'enfants, ce qui inquiétait un peu les Renards. Lorsque serait venu pour lui le temps de rejoindre les dieux dans les étoiles, le problème de sa succession se poserait.

Thol-Rok, le chaman, cinquante ans, possédait une grande réputation de sagesse et un savoir immense, qu'il tirait des livres de la bibliothèque. De taille plutôt modeste, il compensait par une silhouette trapue, aux muscles noueux, des membres aux attaches solides. Son regard vif et pénétrant impressionnait ses interlocuteurs. Il parlait peu, écoutait beaucoup. On le craignait et on le respectait. En tant que sorcier de la tribu, son rôle consistait à communiquer avec les dieux. Pour cela, il utilisait des potions mystérieuses grâce auxquelles il entrait en transe et parvenait à déchiffrer leur langage.

Lorsque tous furent réunis dans le ho'mah, Ly-Rah décrivit sa vision. Quand elle eut terminé, Thol-Rok secoua la tête. Lui que rien jamais ne semblait émouvoir paraissait bouleversé. Les yeux brillants, il déclara de sa voix rauque :

— C'est bien notre mère Noï-Rah que tu as vue, Ly-Rah. Le bâton de commandement à tête de renard était son insigne. Et elle était également connue pour être la meilleure archère de la tribu. Cet arc le prouve.

— Mais alors... ce n'était pas un rêve. Et cela signifie que ce qu'elle m'a dit va se réaliser !

— Noï-Rah possédait le don de prédire certains événements. A travers les générations, rares furent ses descendantes à en hériter. Ta mère ne l'a pas. Ta grand-mère ne l'avait pas non plus. C'est un don très rare. Mais d'après les écrits sacrés, tout ce que Noï-Rah avait annoncé s'est réalisé. Ce qui veut dire que le pays des Montagnes de feu va traverser des épreuves difficiles. Nous devons nous y préparer.

— Cette étoile... qu'est-ce que c'est ?

— J'ignore ce qu'elle signifie. Les boules de feu qui tombaient autour de toi peuvent traduire la colère d'un dieu volcan. Il arrive parfois que de petites étoiles s'allument très vite dans le ciel, surtout lors de la saison chaude. Elles s'éteignent aussitôt. Il existe aussi d'autres étoiles qui voyagent. Nous les appelons les vagabondes. Elles se déplacent un peu comme la lune. Mais ce que tu décris est différent. Ta vision est un avertissement.

— Que devons-nous faire ? demanda Mahl-Kahr.

— Noï-Rah a dit qu'un grand froid s'abattra sur le pays. Nous devons donc engranger le plus de nourriture possible en prévision de la famine. Mais je crains que nous n'ayons à faire face à d'autres dangers.

Ly-Rah confirma :

— Noï-Rah a dit que certains chefs de tribus déclencheraient des guerres. Mais je ne comprends pas. Cela fait des générations que les nations des Montagnes de feu vivent en paix. Pourquoi certains rheuns voudraient-ils briser cette paix ?

— La paix n'est jamais acquise, Ly-Rah, répondit Mahl-Kahr. Depuis que la déesse bienveillante a rejoint les dieux, il y a eu de nombreux conflits. Parfois, ils ont opposé les tribus des volcans entre elles, parfois, nos peuples devaient lutter contre des tribus belliqueuses venues de l'extérieur. Les livres qui content notre histoire en font mention. Le plus grave s'est déroulé il y a soixante soleils, lorsqu'un peuple venu d'orient, les Molgohrs, a tenté de s'emparer de notre pays. A l'époque, le rheun des Renards, le puissant Atham-Kahr, a su rassembler toutes les tribus autour de lui et il les a vaincus. Son souvenir reste dans toutes les mémoires et les livres chantent ses exploits. Il reste admiré par tous les peuples des Montagnes de feu. Les Molgohrs furent presque exterminés et seule une poignée parvint à s'échapper. Mais rien ne dit que d'autres peuples agressifs ne chercheront pas à nouveau à envahir le pays. Et je ne sais pas s'il se trouvera ce jour-là un rheun assez puissant pour unifier les tribus.

Le vieux chef marqua un temps d'arrêt et son front devint soucieux.

— Qu'y a-t-il, Mahl-Kahr ? demanda Ly-Rah.

— Il a toujours régné un climat d'entente entre les nations depuis la guerre contre les Molgohrs. Pourtant, l'année dernière, j'ai eu la sensation que cette belle entente s'était fissurée. Lors de la dernière assemblée des rheuns, j'ai constaté que des tensions nouvelles existaient entre certaines nations, pour des questions de territoires, des histoires de tributs non payés, des promesses de mariage non tenues. Ce n'est pas nouveau, mais cette fois, les tensions étaient très fortes. J'ai bien cru que nous ne parviendrions pas à les apaiser. Comme si des esprits invisibles prenaient un malin plaisir à dresser les peuples les uns contre les autres. J'ai senti l'odeur de la haine. Les défis que se lançaient les jeunes de certaines tribus n'avaient rien d'amical. Plusieurs joutes ont dû être arrêtées sous peine de se terminer par la mort de l'un ou l'autre combattant. Les rheuns eux-mêmes se lançaient défis et insultes. Il a fallu toute la sagesse des anciens pour ramener le calme. La vision envoyée par Noï-Rah semble confirmer tout cela.

— Noï-Rah a évoqué un démon sans visage dont le but est de détruire les nations des Montagne de feu. Crois-tu que des esprits mauvais rôdent dans le pays ?

— On a parlé à l'époque d'ombres qui se déplacent dans les montagnes, mais personne n'a jamais pu les approcher. Elles disparaissent sans laisser de traces. Et il y a autre chose. Dans deux tribus, des femmes se sont volatilisées. On a d'abord pensé qu'elles avaient été emportées par des ours ou des loups. Puis des chasseurs ont retrouvé leurs cadavres. Elles étaient défigurées et éventrées, comme si on s'était acharné sur elles. Jamais un animal n'agirait ainsi. Elles ont été agressées par autre chose. Une chose non humaine.

3

Territoire des Faucons...

La nation des Faucons vivait au nord du pays des Montagnes de feu, en un lieu où, près de cinq siècles plus tôt, les deux volcans qui dominaient leur village étaient entrés en éruption en même temps. Noï-Rah la Bienveillante et la tribu des Ours noirs, dans laquelle elle vivait à l'époque, avaient failli être englouties par le fleuve de lave qui s'était échappé des cratères. Cela avait été la dernière colère de ces dieux jumeaux, qui depuis s'étaient endormis. Les lacs de feu, au cœur des volcans, s'étaient éteints et la végétation avait envahi les flancs des deux montagnes.

Tout comme à No'Si'Ann, la saison des feuilles vertes était celle où les reines et les chamans parcouraient les forêts pour récolter les fleurs nouvellement écloses et les plantes médicinales. Depuis l'aube, Shi-Nah, la reine des Faucons, avait entraîné sa fille Ty-Loh au cœur des combes élevées qui dominaient la vallée profonde où la tribu avait installé son village. La petite, qui n'avait que neuf ans, écoutait avec attention l'enseignement de sa mère. Une mère qu'elle admirait plus que tout car elle était capable de déchiffrer les signes mystérieux inscrits dans les livres épais de la bibliothèque. Elle-même avait commencé à les apprendre, sous la houlette du scribe

Jon-Tah. Il était indispensable qu'une reine les connaisse. Ty-Loh trouvait cet apprentissage très difficile, pourtant il lui tardait de savoir lire, car ces ouvrages contenaient de bien belles histoires, celles de la nation des Faucons, mais aussi les légendes de grands personnages des temps anciens, comme la déesse Noï-Rah, ou encore le grand roi guerrier Atham-Kahr, que son arrière-grand-père avait bien connu puisqu'il avait combattu à ses côtés et en parlait volontiers.

Ty-Loh aimait ces moments de complicité partagés avec sa mère à laquelle, comme toutes les filles aînées, elle était appelée à succéder un jour. Lorsqu'elles étaient au village, elle devait s'occuper de ses quatre frères et sœurs. Pourtant, depuis un moment, sa mère ne parlait plus. Elle s'arrêtait parfois pour scruter l'épaisseur des sous-bois, puis reprenait son chemin, l'air inquiète. Ty-Loh regardait à son tour, mais ne distinguait rien. Peut-être craignait-elle la venue d'un ours ou d'une meute de loups. A cette évocation, Ty-Loh frémit. Elle avait en mémoire la vision d'un enfant à demi dévoré par des carnassiers, l'hiver précédent. Elle toucha le petit poignard de silex pendu à sa ceinture. Mais elle savait qu'il constituerait une arme dérisoire face aux crocs des fauves. Heureusement, sa mère était armée d'une hache solide, d'une longue lance et d'un arc.

Sans un mot, Shi-Nah fit signe à sa fille de se rapprocher d'elle. Depuis le milieu de la matinée, une angoisse indéfinissable lui broyait les entrailles. Son intuition lui soufflait de retourner au village au plus vite. Il faisait pourtant un temps magnifique et tout semblait calme. Une brise légère soufflait. Après les grands froids de la saison blanche, une tiédeur nouvelle avait pris possession de la forêt. De subtils parfums de fleurs flottaient dans l'air, en harmonie avec la vie nouvelle qui bouillonnait dans le sang de Shi-Nah. Mais, sans pouvoir expliquer pourquoi, elle sentait que cette paix était trompeuse. Quelque chose de mauvais rôdait aux alentours. Elle nota que les oiseaux s'étaient arrêtés de chanter, comme s'ils avaient eux aussi perçu le danger.

Humant longuement l'air printanier, elle tenta de déceler la présence d'un possible prédateur. Mais il n'y avait rien. De plus, à cette époque du renouveau, il était rare que les grands fauves s'attaquent à l'homme, beaucoup trop dangereux. Alors, pourquoi était-elle si nerveuse ?

Ty-Loh se rapprocha d'elle en silence. Elle connaissait les dangers de la forêt. Même si elles n'étaient pas très loin du village, il valait mieux faire preuve de prudence. Shi-Nah demeura un long moment immobile, scrutant les sous-bois avec anxiété. Mais le feuillage tendre revenu bouchait la vue à peu de distance. Elle secoua la tête. Sans doute se faisait-elle des idées. Elles reprirent leur quête, tout en gardant un œil sur les profondeurs de la forêt.

Les pensées de Shi-Nah se portèrent sur son mari, Paï-Kahn. D'habitude, il les accompagnait. Mais il s'était blessé stupidement la veille. Un homme de la garde du chef Mahn-Ry avait laissé tomber par maladresse une énorme bûche sur son pied. L'autre s'était excusé, mais Paï-Kahn serait incapable de marcher pendant plusieurs jours. Or, la cueillette des simples ne pouvait attendre. Il avait demandé à Mahn-Ry d'adjoindre deux hommes à Shi-Nah, mais le chef avait refusé. Il avait besoin de tout le monde pour le travail des champs. Il avait fait valoir que la forêt ne présentait aucun danger à cette époque de l'année et qu'elles seraient de retour avant la fin de la matinée. Il n'avait donc aucune raison de s'inquiéter. Shi-Nah avait estimé cette réponse singulière. Jamais l'ancien chef de la tribu, Hor-Kahn, n'aurait laissé la reine s'aventurer seule dans la forêt. Bien sûr, le danger était quasi inexistant à proximité du village. Mais depuis l'avènement de ce nouveau chef, l'année dernière, elle n'était plus considérée de la même manière.

Hor-Kahn ne prenait jamais aucune décision sans prendre conseil auprès d'elle, comme cela se faisait dans les tribus des Montagnes de feu depuis le règne de Noï-Rah. Mais chez les Faucons, les choses avaient changé. Son savoir était remis en cause. Ni Mahn-Ry ni Lo-Khi le chaman ne sollicitaient plus son avis. Si, dans les faits, elle n'avait aucun pouvoir réel, la tradition voulait qu'aucune décision importante fût prise sans consulter la reine et le conseil des mères. A l'origine, ce conseil avait été institué à l'initiative de la reine Noï-Rah, plus de quatre cents soleils auparavant. La tradition s'était perpétuée et jamais personne ne l'avait remis en cause. Cette assemblée se réunissait régulièrement pour parler de la vie de la nation, des troupeaux et des cultures. Après délibération, les mères faisaient part au chef de leurs conclusions, lesquelles étaient toujours écoutées.

Jusqu'à ces derniers temps...

Dans le village de Loz'Ann, le conseil des mères, qu'elle présidait en tant que reine, comptait sept femmes, toutes âgées et pleines d'expérience. La tribu ne comportait pas plus de trois cents personnes. C'était peu en regard d'autres nations comme celle des Renards, qui dépassait les trois mille membres.

Autrefois, avant le règne de Noï-Rah, les nations vivaient différemment. Des guerres les opposaient. Des hommes jeunes mouraient, les femmes étaient soumises à la volonté des vainqueurs. Les livres parlaient de ces conflits de jadis. Mais la sagesse de Noï-Rah y avait mis fin en amenant les tribus à partager leurs connaissances et leurs richesses. Si les conflits n'avaient pas totalement disparu, ils étaient devenus beaucoup plus rares. Désormais, chaque tribu faisait partie d'une nation plus importante qui les regroupait toutes : le peuple des Montagnes de feu.

Chaque tribu avait conservé ses dieux et ses traditions, mais elle en avait accueilli d'autres, amenés par les unions entre membres de nations différentes, que Noï-Rah avait encouragés. Ces mariages, destinés à souder les relations entre les différentes communautés, étaient souvent décidés lors de l'assemblée des rheuns. Celle-ci avait lieu tous les ans, à la fin de la saison des feuilles vertes. A cette occasion, les rheuns et les reines se réunissaient et l'on réglait les conflits, on partageait les informations, les connaissances nouvelles. On se livrait à de grands échanges commerciaux, auxquels participaient également des tribus venues de l'extérieur.

Shi-Nah se demandait parfois s'il ne fallait pas craindre ces étrangers, dont on ne parlait pas la langue et avec lesquels les relations n'étaient pas toujours faciles. La puissance des nations des volcans suffisait à dissuader les envahisseurs possibles, mais ce n'était pas toujours le cas. Personne n'ignorait la légende du roi Atham-Kahr, qui avait repoussé une attaque de la part d'un peuple féroce venu de l'est. Son propre grand-père avait participé à la bataille. Depuis cette époque, les tribus des dieux volcans vivaient de nouveau en paix, mais le danger n'était pas écarté pour autant. Qu'en était-il des autres nations, celles dont les territoires se situaient au-delà des montagnes ? Un nouvel envahisseur ne risquait-il pas de briser cette paix ? On ignorait ce qu'il y avait à l'extérieur. Même les colporteurs, qui voyageaient d'une nation à l'autre, quittaient rarement les montagnes.

Parfois, de petites tribus traversaient le pays, cherchant un endroit où s'installer. Il arrivait qu'elles demeurent un temps sur place, accueillies par l'une ou l'autre nation. Mais la plupart du temps, elles poursuivaient leur errance. Toutes fuyaient un ennemi qui les avait massacrées pour s'emparer de leurs territoires. Leurs récits faisaient souvent froid dans le dos.

On ne pouvait donc exclure qu'un nouveau danger puisse venir de ces contrées lointaines. Les reines en parlaient parfois lors de l'assemblée des rheuns. On évoquait alors la possibilité d'envoyer des émissaires vers ces nations inconnues, afin de connaître leurs intentions. Mais la décision n'était jamais suivie d'effet, car chaque tribu rechignait à se séparer de ses hommes pour organiser une expédition commune. On avait trop besoin de leurs bras pour chasser ou cultiver la terre. Aussi, on ignorait ce qu'il y avait en dehors du pays. Les Renards entretenaient depuis toujours des relations avec des tribus vivant dans un pays situé très loin vers le couchant. La légende prétendait qu'un grand chaman était venu de ce pays autrefois, et qu'il avait sauvé la vie de Noï-Rah. Ces gens participaient chaque année aux échanges commerciaux de l'assemblée des rheuns, mais ils baragouinaient un langage incompréhensible et peu d'entre eux parlaient la langue des montagnes. Seuls les Renards étaient capables de communiquer avec eux. Mais les Renards étaient la nation de Noï-Rah. Ils savaient beaucoup de choses. Shi-Nah était fière de charrier dans ses veines un peu du sang de la fondatrice, même si elle ne descendait pas d'elle par les filles aînées.

Soudain, un bruit attira son attention. Aussitôt, elle fut sur ses gardes. Mais ses pensées avaient trompé sa vigilance. Avec horreur, elle vit Ty-Loh s'effondrer. Elle hurla. Un autre bruit la fit se retourner. Trois silhouettes monstrueuses s'étaient matérialisées dans la pénombre des sous-bois, à plusieurs dizaines de pas. Avant qu'elle ait pu réagir, elle ressentit une douleur aiguë à la poitrine, comme la piqûre d'un insecte. Elle voulut appeler au secours, mais aucun son ne put sortir de sa bouche. Un vertige la saisit. Elle tenta de se porter au secours de sa fille, mais ses jambes lui refusaient tout soutien. Sa respiration se fit plus difficile. Puis elle bascula au sol. Comme dans un cauchemar, elle vit les silhouettes avancer vers elle à pas lents.

Avant de sombrer dans l'inconscience, elle eut le temps de voir qu'elles n'avaient pas figure humaine.

4

La vision prophétique avait beaucoup impressionné Ly-Rah. Tout avait l'air réel, y compris cette sensation incompréhensible d'être au cœur de la saison des feuilles rousses, alors que l'on était au début du printemps. Les traits de Noï-Rah demeuraient gravés dans sa mémoire. Ses paroles, le son de sa voix lui paraissaient aussi précis que ceux de ses proches.

Ce n'était pas la première fois que l'avenir se dévoilait ainsi à elle. A différentes reprises, Ly-Rah avait entrevu des choses qui avaient résonné en elle comme des avertissements. Cette faculté était apparue lorsqu'elle avait perdu son premier sang, à l'âge de douze ans. Elle avait vu clairement un vieil ours solitaire s'attaquer à des chasseurs. Il avait tué deux d'entre eux et en avait grièvement blessé un troisième. Cela ressemblait à un cauchemar, pourtant elle était parfaitement éveillée lorsque le phénomène s'était produit. Elle en avait parlé immédiatement à sa mère. Mais ses parents ne s'étaient pas étonnés. Loo-Nah lui avait expliqué que, depuis Noï-Rah, plusieurs reines avaient possédé le don de percevoir les événements avant qu'ils ne se produisent. Elle avait prévenu le chaman, qui lui avait demandé de décrire son rêve avec précision, ce qu'elle avait fait. Elle conservait le souvenir des visages des chasseurs et de l'endroit où l'attaque devait avoir lieu. Ceux-ci avaient été mis en garde.

Quelques jours plus tard, ils s'étaient trouvés face à un gigantesque plantigrade. Cependant, grâce à la prédiction de Ly-Rah, ils avaient renforcé leur groupe. Aucun chasseur n'avait été blessé et l'on avait ramené une superbe peau d'ours que l'on avait offerte à la jeune fille en remerciement.

Il y avait eu ainsi plusieurs manifestations, qui, à chaque fois, avaient permis d'éviter des accidents et des morts. Cependant, jamais ces visions n'avaient été aussi précises que la dernière. Elle était désormais persuadée que l'esprit de Noï-Rah veillait sur elle. Mais cela signifiait aussi que le spectacle apocalyptique dont elle avait été témoin allait se réaliser ; et cette fois, il lui était impossible d'agir pour s'opposer à sa réalisation. Comment aurait-elle eu le pouvoir d'arrêter la course d'une étoile ? Elle n'avait pas vu l'astre s'écraser sur la terre, mais son passage avait été suivi d'une pluie de boules de feu. Et Noï-Rah l'avait avertie qu'un grand froid s'abattrait sur le pays des volcans et que des chefs de guerre déclencheraient des conflits.

Mais surtout, elle lui avait clairement dit qu'il lui reviendrait de sauver son peuple. Cela voulait dire... qu'elle serait devenue reine et que ses parents auraient disparu. Lorsqu'elle y songeait, son estomac se nouait. Depuis six ans qu'il s'était manifesté, elle avait toujours considéré ce don comme une bénédiction qui lui avait permis d'épargner des vies. Pour la première fois, elle se sentait impuissante à changer le cours des choses. A quoi lui servirait-il dans ces conditions ? Elle ne savait même pas quand aurait lieu le passage de cette étoile. En désespoir de cause, elle avait recherché des réponses dans les livres.

La bibliothèque était formée d'un ensemble de bâtisses solides, érigées sur des murets de pierre atteignant presque la hauteur d'un homme et protégées par des toits de chaume dont on prenait grand soin. Un groupe de sept scribes dirigés par son oncle Ham-Khal, frère de Khrent, travaillait sans relâche à recopier scrupuleusement les ouvrages. Le support utilisé, l'écorce de bouleau, restait fragile et il fallait les reproduire régulièrement afin de conserver les précieuses informations qu'ils renfermaient. Les livres étaient constitués de longues bandes collées entre elles. On les enroulait avec mille précautions et on les stockait sur des étagères où ils étaient classés en fonction de leur catégorie et de leur ancienneté. On entretenait au centre de chaque bâtiment un feu destiné à combattre l'humidité et à chasser les insectes parasites. Mais il fallait être très prudent, car la moindre étincelle pouvait tout anéantir. Pour cette raison, les scribes se relayaient pour, de jour comme de nuit, surveiller l'état des foyers.

Le rôle des scribes ne s'arrêtait pas à la copie et à la conservation des manuscrits. Ils avaient aussi pour tâche de prodiguer l'enseignement aux enfants. Ainsi l'avait souhaité Noï-Rah, qui avait remarqué que les jeunes apprenaient beaucoup plus vite que les adultes. Les livres constituaient la fierté de la nation des Renards. Au cours du temps, ils s'étaient multipliés, et le savoir qu'ils contenaient avait intéressé les autres tribus. Les Renards avaient alors proposé de partager cette connaissance. Ils avaient accueilli les membres curieux des autres nations, qui avaient suivi l'enseignement des scribes, puis l'avaient transmis à leur tour dans leurs tribus. Chaque village des Montagnes de feu avait désormais sa propre bibliothèque, veillée et entretenue par sa propre équipe de scribes. Ces bibliothèques constituaient une richesse qui cimentait l'unité des nations. En son temps, Noï-Rah avait encouragé la recherche et l'étude, l'expérimentation de nouveaux remèdes, de nouvelles plantes, de nouveaux outils. Lors de l'assemblée des rheuns, les scribes échangeaient leurs informations afin que tous puissent en bénéficier. Cette tradition avait perduré.

Ly-Rah aimait particulièrement la bibliothèque de No'Si'Ann, qui restait la plus importante de toutes.

Comme tous les enfants de la tribu, elle avait appris à déchiffrer les signes sacrés dès l'âge de sept ans. Ly-Rah avait très vite mémorisé les caractères et s'était plongée dans la lecture des manuscrits. Elle avait découvert ainsi l'histoire de la tribu des Renards. Depuis plus de quatre siècles, tout avait été soigneusement consigné : traités d'alliance, colère des dieux volcans, épidémies, catastrophes, mais aussi mariages, lignées ancestrales. La bibliothèque contenait toutes sortes de livres utiles, comme ces recueils de remèdes contre les maladies ou encore les soins aux blessés. Dans d'autres, on avait couché par écrit les légendes que se transmettaient autrefois oralement les anciens. On apprenait dans ceux-ci les exploits de Noï-Rah et de certains grands guerriers, notamment le roi Atham-Kahr, arrière-grand-père de Ly-Rah.

D'autres manuscrits contenaient des renseignements sur le mouvement des étoiles et de ces astres qui bougeaient différemment des autres dans le ciel, ceux que Thol-Rok appelait les vagabondes. Au fil du temps, on avait remarqué que, malgré leur mobilité étrange, elles suivaient des trajectoires identiques selon les saisons et l'on avait appris à les utiliser pour déterminer les moments des semailles et des moissons. Brahn, le fils de Noï-Rah, avait rapporté de ses voyages quantité d'informations étonnantes. Ainsi, dans un pays très lointain situé vers le couchant, les gens dressaient de lourdes pierres en alignement, qui leur permettaient de repérer plus facilement l'emplacement des vagabondes dans le ciel. Chaque peuple avait ses dieux propres, et rendait hommage à ses morts de différentes manières. Ici, on les brûlait, parfois en sacrifiant un esclave dont l'esprit était censé accompagner son maître dans le monde des défunts. Ailleurs, on les enterrait. Plus loin, on recouvrait leurs corps de lourdes pierres. Brahn ne jugeait pas. Il comparait, étudiait, s'informait et tissait avec ses hôtes des liens d'amitié. Les livres qu'il avait écrits ensuite étaient de loin les plus passionnants de la bibliothèque.

Ly-Rah retrouva son oncle Ham-Khal, frère aîné de son père. Il avait dépassé les cinquante soleils, tout comme le chaman, et son savoir était immense. Il accueillit Ly-Rah avec un large sourire.

— Comment va ma nièce aujourd'hui ?

Elle fit la moue.

— Je suis inquiète, Ham-Khal. J'ai peine à dormir depuis la vision de l'autre matin. Je ne peux pas croire qu'une telle catastrophe soit sur le point de s'abattre sur le monde.

Le scribe poussa un soupir.

— Ce que tu as vu est effrayant, en effet. Mais, hélas, le don que tu possèdes ne peut être remis en cause. Tout ce que tu as prédit jusqu'à présent s'est réalisé.

Il marqua un court silence, puis demanda :

— Thol-Rok m'a dit que tu avais vu Noï-Rah ?

— Elle portait un bâton de commandement avec le signe du renard. Elle était rousse et un grand arc était passé en travers de sa poitrine. J'ai vu distinctement son visage. Elle me ressemblait beaucoup.

— Le sang de Noï-Rah coule en toi, Ly-Rah. Vos noms sont proches. Le sien veut dire : « celle qui apporte la Lumière », c'est-à-dire la Connaissance. Le tien signifie : « celle qui garde la Lumière ». Il te reviendra de conserver le savoir accumulé depuis des siècles.

— Je voudrais que tu me parles d'elle, Ham-Khal.

Il s'étonna :

— Tu as déjà lu son histoire.

— Je n'ai pas lu tout ce qu'on a écrit sur elle. Toi, tu l'as fait.

— Oh, j'ai même recopié plusieurs fois tous les livres qui lui sont consacrés.

Ils prirent place sur un tronc d'arbre renversé qui faisait office de siège.

— Noï-Rah n'a pas écrit de livre sur elle-même. De son vivant, son histoire a été racontée par ses proches, notamment son fils Brahn, à partir des souvenirs dont elle lui faisait part. Quand elle est née, le monde était partagé entre deux sortes de nations. Certaines pratiquaient déjà l'élevage et l'agriculture, mais d'autres se contentaient de chasser et de cueillir les fruits, les légumes et les tubercules qu'elles trouvaient. Elles ignoraient beaucoup de choses, comme l'arc. Elles utilisaient un engin de jet qu'on appelait un propulseur. Plus personne ne chasse ainsi de nos jours. Et personne encore n'avait eu l'idée d'inventer l'écriture.

Ly-Rah frémit. Comment les hommes de cette époque avaient-ils pu se passer des signes sacrés ?

— Noï-Rah est née dans un village de pasteurs cultivateurs, mais elle fut enlevée très jeune par une tribu de chasseurs qui en firent leur esclave. Mais tu connais déjà cette histoire par cœur.

— Je sais qu'elle a fondé la nation des Renards en réunissant des hommes et des femmes issus de tribus appartenant aux chasseurs et aux cultivateurs.

— Et elle est devenue leur reine. C'était la première fois depuis l'aube du monde qu'une femme était choisie pour tenir ce rôle. Mais elle avait déjà accompli tant d'exploits que pas un homme n'aurait songé à lui disputer sa place. Elle était devenue la Mère de la nation des Renards. Lorsqu'elle atteignit l'âge de quarante soleils, elle faillit mourir d'une vilaine blessure reçue au cours d'une bataille précédente. Mais un chaman venu de très loin, d'une contrée que nous appelons le pays des Roches pâles, a réussi à la sauver. Son fils Brahn, qui voyageait déjà beaucoup, était allé le chercher. C'est depuis cette époque que nous entretenons des liens d'amitié avec les nations de ce pays, dont le vrai nom est Pehr-Goor. Mais ils sont vraiment très éloignés. Il faut voyager pendant presque une lune pour les rejoindre. C'est pourquoi nos relations restent limitées. Ils ne connaissent pas l'écriture, même si quelques chamans curieux sont venus étudier les signes sacrés à No'Si'Ann.

« Après avoir survécu à cette opération, Noï-Rah a transmis son titre de reine à sa fille Neelah. Son fils avait refusé de lui succéder. Il estimait qu'il serait plus utile à suivre les pistes. Pour cela, il avait hérité de son père qui passait le plus clair de son temps à parcourir les forêts et les montagnes. Mais il allait beaucoup plus loin qu'Ar'ham. C'est ainsi qu'il avait lié des contacts avec les tribus de Pehr-Goor. Il avait appris leur langage. Mais il a aussi noué des liens avec d'autres nations dans d'autres pays, dans toutes les directions. Malheureusement, personne, même parmi ses fils, n'a eu le courage de poursuivre ses voyages. Et il est probable que les nations qu'il a rencontrées à l'époque ont beaucoup changé depuis. Quant à Noï-Rah, elle a consacré le reste de sa très longue existence à imaginer toutes sortes de choses pour améliorer la vie de ses Renards.

« D'après les livres, elle a vécu jusqu'à l'âge incroyable de cent quatre soleils. Ses propres enfants et une bonne partie de ses petits-enfants ont rejoint le monde des esprits avant elle, même si certains ont vécu très vieux. A tel point qu'on avait fini par la croire immortelle. Mais un jour, elle fut rappelée par les dieux, et depuis, elle est considérée comme une divinité bienfaisante descendue parmi les hommes pour leur enseigner un savoir qui appartenait jusqu'alors aux dieux seuls. Les voyageurs venaient de très loin pour la consulter.

« Toute sa vie, elle a continué à perfectionner son système d'écriture. Puis elle a formé les premiers scribes, qui reçurent pour mission de protéger le savoir. C'est ainsi que l'on a connaissance encore aujourd'hui de choses qui se sont passées il y a plus de quatre cents soleils. Jamais auparavant cela n'avait été possible.

Il montra les rouleaux soigneusement empilés sur les rayonnages de bois.

— On conserve dans ces écrits le souvenir de personnes qui ont existé et dont la mémoire aurait disparu pour toujours sans eux. L'écriture fut le plus extraordinaire cadeau que les dieux firent aux hommes par l'intermédiaire de leur fille Noï-Rah. Mais elle a aussi apporté d'autres choses. C'est elle qui a créé le conseil des mères. Avant elle, les femmes n'étaient pas respectées comme aujourd'hui. Les hommes les traitaient bien souvent à peine mieux que des esclaves. On les battait, on les violait sans qu'elles puissent se plaindre. Aujourd'hui, ces actes sont considérés comme des crimes et punis comme tels.

— Les hommes de cette époque n'ont pas dû accepter facilement de revoir leur suprématie remise en cause.

— Cela ne s'est pas fait sans heurt, bien sûr. Mais la personnalité de Noï-Rah était telle qu'ils ont fini par admettre qu'elle avait raison. Elle nous a appris à nous écouter mutuellement, à nous respecter, à recevoir les étrangers comme des amis, et non comme des ennemis. Elle nous a fait comprendre que c'est bien souvent la peur des autres qui engendre les conflits. Elle a amené les nations des Montagnes de feu à se connaître. Il existait deux langues autrefois à No'Si'Ann, celle des chasseurs et celle des pasteurs. Avec le temps elles n'en ont plus formé qu'une seule, qu'elle a enseignée aux autres nations. De même, elle a noué des contacts avec des tribus vivant en dehors des montagnes. Et elle les a encouragées à participer à l'assemblée des rheuns pour le troc.

« Mais Noï-Rah a fait plus encore. Elle nous a inculqué le sens de l'honneur, la loyauté, le respect de la parole donnée. Et surtout la solidarité. Elle avait instauré un système qui obligeait chaque famille, chaque clan à verser chaque année la dixième partie de ses richesses à la tribu. Cette richesse était constituée de nourriture, viande et poisson séché, graines pour les semailles, mais aussi de peaux, de vêtements, de poteries, de pièces de lin, selon les possibilités de chacun. Tout était stocké dans des silos particuliers et ce qu'ils contenaient appartenait à toute la tribu. En cas de mauvaises récoltes, on pouvait puiser dans cette richesse commune pour aider les plus démunis. Elle était également bien utile pour acheter à d'autres nations des objets que l'on ne savait pas bien fabriquer à No'Si'Ann. Cette pratique s'est révélée tellement efficace qu'elle fut adoptée par bon nombre d'autres tribus.

« Cette solidarité s'appliquait également aux vieillards. Autrefois, avant l'arrivée de Noï-Rah, lorsqu'une personne âgée devenait trop faible et qu'elle n'avait pas d'enfants pour la nourrir, certaines tribus avaient coutume de l'abandonner en forêt à l'entrée de la saison blanche.

— C'est monstrueux !

— Si elle tentait de revenir, elle était impitoyablement massacrée. Noï-Rah avait assisté à cette pratique cruelle. Elle a changé tout cela. Depuis son règne, les vieux sont recueillis dans d'autres familles. Ils s'occupent des enfants. Et ils connaissent de belles histoires. Noï-Rah a aussi apporté des changements à l'assemblée des rheuns. Jadis, seuls les chefs avaient le pouvoir de décider. Aujourd'hui, les reines et les conseils des Mères peuvent faire entendre leurs voix. Ces voix sont importantes, car ce sont les femmes qui gèrent les richesses de chaque tribu et qui, bien souvent, empêchent les conflits.

Ham-Khal eut un léger sourire.

— Cela ne convient pas toujours à certains hommes, mais ils sont bien obligés de se soumettre, car la vie est beaucoup plus facile et plus juste depuis que l'on applique les lois de Noï-Rah. Aujourd'hui, elles ont été adoptées par toutes les nations des dieux volcans. Elles nous semblent évidentes, mais elles étonnent grandement les visiteurs venus d'ailleurs. A l'extérieur, ce sont toujours les hommes qui décident ; les femmes n'ont pas droit à la parole. Mais ils s'étonnent encore plus lorsqu'ils constatent que nous sommes beaucoup plus prospères qu'eux. Et ils se posent des questions.

— Comment Noï-Rah a-t-elle réussi à imposer la paix entre les vingt-quatre tribus du Pays de feu ?

— Elle a organisé un réseau de colporteurs appartenant aux différentes nations. Ces colporteurs voyageaient d'une tribu à l'autre en pratiquant le commerce. Mais ils avaient aussi pour fonction de faire circuler les nouvelles d'un territoire à l'autre. Les membres de chaque tribu ont appris à mieux se connaître. Elle a donné aux habitants des Montagnes de feu le sentiment d'appartenir à un même peuple. Elle a aussi développé l'assemblée des rheuns en organisant des joutes amicales, des jeux au cours desquels les champions de chaque nation s'affrontaient à la lutte, au tir à l'arc, au lancer de pierre et bien d'autres choses. Les hommes aimaient se battre ? Elle les a obligés à s'opposer amicalement, dans un esprit d'honneur et de respect de l'adversaire. Et les hommes se sont pris au jeu. Les vainqueurs étaient récompensés par des prix, et chaque champion avait à cœur de s'entraîner d'une année sur l'autre pour gagner. De nombreuses vies ont été épargnées grâce à ces joutes amicales. Elles perdurent aujourd'hui.

L'assemblée des rheuns avait lieu au moment des jours les plus courts. Ensuite, ce serait la période chaude, puis viendrait la saison des feuilles rousses... Cette pensée déclencha un malaise dans le cœur de Ly-Rah. Elle laissa passer un silence, puis demanda :

— Ham-Khal, penses-tu qu'il soit possible qu'une étoile traverse le ciel à l'automne prochain ? Et est-ce qu'elle ne risque pas de tomber sur nous, même si je ne l'ai pas vu ainsi ?

— Personne ne peut le dire, ma belle. Mais tu dois prendre les paroles de Noï-Rah au sérieux. Car je crains qu'il ne se passe des choses terribles dans l'avenir. Et je ne parle pas seulement de ta vision. Des bruits alarmants nous arrivent des autres nations. Un voyageur en provenance de Loz'Ann, le village de la tribu des Faucons, nous a appris que la reine Shi-Nah et sa fille ont disparu il y a quelques jours. On n'a retrouvé aucune trace d'elles, comme si elles avaient été enlevées par des esprits.

5

Territoire des Chauves-souris...

Dans le sud du pays des volcans, la petite vallée encaissée de la rivière des Loutres faisait depuis des temps immémoriaux l'objet d'un conflit entre la tribu des Chauves-souris et celle des Chouettes. L'une et l'autre étaient vassales de deux tribus suzeraines différentes, les Fils de la Nuit pour les Chauves-souris, et les Aurochs pour les Chouettes. Malgré les efforts réalisés par Noï-Rah en son temps, et perpétués par les conseils des rheuns et des reines, les chefs de tribu qui s'étaient succédé au fil des siècles n'avaient jamais voulu céder, ni d'un côté ni de l'autre.

Trohn-Haar et son petit groupe de chasseurs avaient quitté leur village de Shav'Ann à l'aube. A cette époque de l'année, on évitait de tuer les femelles et les nouveaux petits. On traquait plutôt les vieux solitaires et les animaux malades. Il fallait pour cela être rusé et patient, car les bêtes avaient, elles aussi, acquis de l'expérience avec l'âge et savaient éviter les pièges. Tuer des jeunes aurait été plus facile, mais la tribu aurait risqué de compromettre l'abondance du gibier pour l'année suivante. Aussi, au printemps, on n'envoyait que des chasseurs chevronnés comme Trohn-Haar. Il connaissait toutes les pistes, tous les sentiers tracés par les animaux de cette vallée qui serpentait entre deux montagnes élevées couvertes de forêts denses. Il y avait aussi moins de dangers de rencontrer un parti ennemi, car à cette époque les Chouettes chassaient plus souvent près du Cynheir, un petit lac lové dans son écrin de montagnes, bien plus à l'ouest.

Ils venaient d'abattre un vieux sanglier agressif lorsque leur attention fut attirée par une odeur de charogne. Ils étaient alors à flanc de colline. La rivière coulait en contrebas, à quelques dizaines de pas au-dessous. Moo-Khi, l'un de ses compagnons, se dirigea vers une sorte de dépression cernée par des rochers qui semblaient avoir déboulé des hauteurs, bien longtemps auparavant. Soudain, il poussa un cri de stupeur. Les autres le rejoignirent et se pétrifièrent à leur tour. Au creux de la dépression gisaient trois corps couverts de sang noirci. A leur arrivée, les oiseaux charognards s'envolèrent, dévoilant les cadavres. Malgré les dégâts provoqués par les nécrophages, ils réussirent à identifier trois membres de leur tribu.

— Peer-Kahn, Brohn et Gaal-Hyun, déclara Moo-Khi d'une voix blanche.

Les trois hommes étaient partis pêcher deux jours plus tôt et n'avaient pas regagné le village. Personne ne s'en était inquiété. A cette époque, il n'était pas rare que pêcheurs et chasseurs s'absentent plusieurs jours d'affilée. Ils eurent tôt fait de constater que leurs compagnons avaient été massacrés par des êtres humains et non attaqués par des carnassiers. Ils avaient été égorgés, puis abandonnés au creux de cette combe. La trace d'un couteau de silex dans leur chair ne laissait planer aucun doute. Le premier moment de surprise passé, la colère s'empara des chasseurs.

— Qui a pu faire ça ? rugit Trohn-Haar.

— Le crime est signé, dit alors Moo-Khi. Regarde !

A quelques pas des cadavres, il ramassa un objet singulier qu'il présenta à Trohn-Haar. Une barrette en os utilisée pour attacher les vestes de chasse en cuir.

— C'est une barrette de la tribu des Chouettes ! s'écria-t-il. Il n'y a que ces chiens pour les travailler de cette manière.

— Et là ! explosa un autre.

Il montra une fine cordelette de cuir colorée.

— Une preuve de plus, gronda Trohn-Haar. Les Chouettes retiennent leurs cheveux avec des lanières de couleur. Ils sont les seuls à le faire.

Pris d'une fureur noire, ils fouillèrent les alentours. Mais tout était calme. Les crimes avaient été commis deux jours plus tôt, et les assassins s'en étaient allés. Mais ils ne perdaient rien pour attendre. Les morts seraient vengés !

Après avoir fabriqué à la hâte des travois pour ramener les corps, on reprit le chemin du village, le cœur empli de colère.

Ils furent accueillis par leur chef, Huhl-Drak. La nouvelle de la mort des trois pêcheurs se répandit immédiatement. La tribu se rassembla sur la place du village, où se dressaient la bibliothèque, le ho'mah et la demeure du chaman, Feidre. La rage s'empara de tous lorsque Trohn-Haar brandit les preuves accablantes qui accusaient les Chouettes. Certains parlèrent de prendre aussitôt les armes pour courir massacrer l'ennemi. Mais on abandonna cette idée. Les Chouettes étaient de taille à se défendre, et surtout, ils étaient vassaux des Aurochs, l'une des plus puissantes tribus du pays. Les Chauves-souris, vassaux des Fils de la Nuit, doutaient de pouvoir compter sur l'appui de leur nation suzeraine. Son chef, Hokh-Thar, n'avait pas une réputation de guerrier. Il préférait la négociation. Huhl-Drak décida malgré tout de lui rendre visite pour demander justice.

On alla se coucher avec un désagréable sentiment de frustration. Seules la reine So-Ohn et les femmes du conseil des mères songèrent à consoler les veuves et leurs enfants.

Plus tard, restée seule, So-Ohn tenta de comprendre ce qui avait pu se passer. Ce triple crime était inexplicable. Il arrivait parfois que des chasseurs des deux tribus se retrouvent face à face dans cette maudite vallée des Loutres, revendiquée par les deux nations. En général cela se traduisait par des insultes et des menaces, plus rarement quelques coups de poing, avec à l'appui dents cassées et yeux pochés. Mais jamais depuis près de trente années qu'elle régnait sur les Chauves-souris on n'avait eu à déplorer de morts. Bien sûr, les hommes avaient mis la main sur des indices compromettant les Chouettes, mais cela ne prouvait rien. Ils avaient été retrouvés trop facilement. Un ennemi qui aurait voulu déclencher un conflit entre les deux tribus ne s'y serait pas pris autrement. Elle avait cherché à faire entendre sa voix, mais personne ne l'avait écoutée. Lorsque la colère tenait les hommes, ils devenaient sourds à la raison. De toute façon, depuis quelque temps, on ne sollicitait plus son avis. Pas plus que celui du conseil des mères. Les hommes de la tribu des Chauves-souris avaient une fâcheuse tendance à oublier les préceptes de Noï-Rah. Les reines de quelques autres nations avaient fait la même constatation. Elles en avaient parlé à la dernière assemblée des rheuns, mais les hommes s'étaient étonnés de cette remarque. Certains semblaient sincères, d'autres avaient éludé le sujet. Jamais il n'en avait été ainsi depuis la fondation du Pays de feu.

Alors, que se passait-il pour que leur attitude change de cette manière ?

6

Loz'Ann, village des Faucons…

Cela faisait à présent près de quinze jours que Shi-Nah et Ty-Loh avaient disparu. Au début, Mahn-Ry avait ordonné à ses guerriers de fouiller les environs, dans les endroits où la reine avait l'habitude de récolter ses simples. Sans succès. On ne comprenait pas ce qui avait pu se passer. Si la reine et sa fille avaient été capturées par des guerriers, ceux-ci possédaient à la perfection l'art de se dissimuler. Ils n'avaient laissé aucune empreinte, aucune trace de pas. Et puis, quels hommes des Montagnes de feu auraient osé s'attaquer à une reine ? Même si elles appartenaient à une autre tribu, avec laquelle on n'entretenait pas de bonnes relations, elles étaient sacrées. Toutes descendaient de Noï-Rah la Bienveillante, et l'on redoutait trop de provoquer sa colère et celle des dieux volcans.

On avait fini par conclure que Shi-Nah et Ty-Loh avaient été victimes des démons de la forêt, ennemis invisibles de Noï-Rah et des dieux volcans. Dans ce cas, on ne les retrouverait jamais, à moins que la déesse ne décide d'intervenir elle-même. Mais cela ne s'était jamais produit. En désespoir de cause, on arrêta les recherches. La mort dans l'âme, le mari de la reine, Paï-Kahn, erra encore quelques jours, remontant la moindre piste suspecte. En vain.

Aussi les villageois furent-ils surpris lorsqu'un matin ils virent apparaître Shi-Nah à l'orée de la forêt. On se précipita à sa rencontre. La reine avançait à pas lents, le regard fixe. Elle avait maigri. Elle ne paraissait pas avoir subi de violences. On chercha Ty-Loh des yeux, mais Shi-Nah était seule. Paï-Kahn la serra longuement contre lui. Elle se laissa faire sans émotion. Il eut l'impression qu'elle ne reconnaissait personne, pas même lui. Elle croisait les visages anxieux tournés vers elle comme si elle ne les voyait pas. Soudain, elle sembla s'éveiller ; elle regarda autour d'elle, frissonna, puis demanda d'une voix sourde :

— Où est Ty-Loh ?

Paï-Kahn répondit d'une voix douce pour ne pas l'effrayer. Visiblement, elle n'était pas dans son état normal.

— Elle était avec toi. Est-ce que tu sais ce qu'elle est devenue ? Tu l'as peut-être laissée quelque part...

Shi-Nah secoua la tête comme si elle tentait de se rappeler quelque chose. Sur un signe de leur chef, quelques hommes pénétrèrent dans la forêt pour rechercher la fillette. Mais ils ne trouvèrent personne. Soucieux de la soustraire à la curiosité des autres, Paï-Kahn s'isola avec son épouse, Mahn-Ry et Lo-Khi le chaman. Shi-Nah conservait un regard lointain. Paï-Kahn lui demanda ce qui s'était passé. Elle ne sembla pas comprendre et répondit par la question qu'elle ne cessait de poser depuis son retour :

— Où est Ty-Loh ?

Paï-Kahn soupira. Il était partagé entre la colère et la peur. Les yeux de Shi-Nah n'avaient plus rien d'humain.

— Ty-Loh était avec toi, Shi-Nah. Qu'est-elle devenue ?

Enfin, elle parut entendre.

— Je... je ne sais pas. Je suis partie ce matin pour cueillir des plantes. J'étais avec Ty-Loh. Où est-elle ?

— Ty-Loh n'est pas là. Et tu n'es pas partie ce matin. Cela fait plusieurs jours que tu as disparu.

Elle le regarda d'un air absent, puis répéta d'une voix monocorde :

— Je suis partie ce matin. Ty-Loh était avec moi. Où est-elle ?

— Elle n'est pas là, répondit Païe-Kahn avec patience. Que s'est-il passé dans la forêt ? Pourquoi es-tu restée absente si longtemps ?

— J'ai faim, éluda Shi-Nah.

— Nous allons t'apporter de quoi manger. Mais dis-nous ce qui s'est passé depuis que tu es partie.

Nouveau silence. Lo-Khi n'avait pas encore prononcé une parole. C'était un personnage sombre, aux yeux perçants, enfoncés dans leurs orbites.

— N'insiste pas, dit-il à Païe-Kahn. Il lui faut du repos. Elle doit dormir. Demain, elle ira sans doute mieux et nous racontera ce qui lui est arrivé.

Païe-Kahn hocha la tête. C'était la solution la plus raisonnable. Dans l'état actuel de son épouse, il semblait impossible de lui arracher la moindre explication. Mahn-Ry et Lo-Khi quittèrent la maison.

Païe-Kahn allongea Shi-Nah sur sa couche. Elle se laissa faire sans réagir. Elle s'endormit très vite. Inquiet, il la contempla longuement. Il ne faisait aucun doute qu'une créature infernale s'était emparée de son esprit. Dans ce cas, comment la chasser ? Il aurait voulu pouvoir compter sur le chaman. Mais Lo-Khi n'avait pas manifesté la moindre intention de la soigner. Cela n'étonnait qu'à moitié Païe-Kahn. Lo-Khi avait été choisi comme sorcier à la mort de son prédécesseur, deux ans plus tôt. Cependant, à l'inverse du vieux sorcier Thal-Wegh, qui entretenait avec Shi-Nah une véritable complicité, Lo-Khi gardait ses distances avec elle, comme si le fait de partager son savoir avec une femme le dérangeait. Païe-Kahn pensait même qu'il en était jaloux, car grâce aux livres les connaissances de Shi-Nah étaient supérieures aux siennes. Lo-Khi savait lire, mais il n'avait jamais manifesté un grand intérêt pour les manuscrits de la bibliothèque. Pas plus que Mahn-Ry, qui avait été élu à peu près au même moment, lorsque l'ancien chef, Hor-Kahn, avait rejoint les esprits. Tous deux avaient amené des changements dans la tribu. Mahn-Ry, guerrier admiré par les plus jeunes, parlait volontiers de batailles et de conquêtes, toutes choses qui n'avaient plus cours dans le Pays de feu depuis l'époque du grand Atham-Kahr. Mahn-Ry disait parfois que le pays devenait trop petit parce que la population augmentait. Il prétendait qu'il fallait s'emparer de nouveaux territoires pour y installer de nouveaux villages. Lorsqu'on lui faisait remarquer que des tribus vivaient déjà sur ces terres, il répondait qu'elles devraient être réduites en esclavage.

— Nous avons besoin d'un roi aussi puissant que l'était Atham-Kahr, un roi qui saurait étendre les frontières du Pays de feu. Nous sommes des guerriers, pas des cultivateurs.

Ces paroles agressives trouvaient un écho auprès des jeunes hommes. Mais elles inquiétaient beaucoup les anciens. Païe-Kahn se demanda d'où pouvaient venir ces idées. Les nations des Montagnes de feu vivaient en paix depuis des siècles et n'avaient jamais éprouvé le besoin de se lancer dans une guerre de conquête. Bien sûr, la population s'accroissait, mais les vallées des dieux volcans étaient bien assez vastes pour nourrir toutes les tribus. Pourtant, Mahn-Ry n'était pas le seul à défendre ces idées belliqueuses. Le chef de la nation suzeraine des Aigles, Mohn-Kaï, les partageait.

Perplexe, Païe-Kahn sortit de la chaumière. L'absence de Ty-Loh le taraudait. Devant l'échec des recherches menées après leur disparition, il s'était résigné et avait commencé à faire son deuil. La mort était chose courante. Le retour de Shi-Nah lui avait redonné espoir, mais un espoir bien mince en raison de l'attitude étrange de sa femme. Son intuition lui soufflait qu'il était arrivé malheur à la fillette. Quelques amis fidèles s'étaient rassemblés autour de lui. Après un long silence, il déclara :

— Shi-Nah ne risque plus rien à présent. Toute la tribu veille sur elle. Je vais partir à la recherche de ma fille. Elle n'est peut-être pas loin.

— Nous allons avec toi ! répondit l'un d'eux.

Les autres acquiescèrent. Ty-Loh était leur future reine. Il convenait de la protéger. Si sa mère était revenue, pourquoi pas elle ? Quelques instants plus tard, Païe-Kahn et une douzaine de guerriers solidement armés quittaient Loz'Ann en direction des montagnes.

Jon-Tah, le scribe, somnolait. Cette nuit, c'était lui qui avait la charge de veiller sur le foyer de la bibliothèque. On était au printemps et le temps se maintenait au beau depuis plusieurs jours. Aussi le feu était-il modeste. Le plus grand danger à cette époque reposait sur le vent, qui pouvait s'engouffrer à l'intérieur de la bâtisse et emporter des escarbilles incendiaires. Mais seule une brise légère soufflait. Ce qui expliquait le relâchement de sa surveillance.

Plongé dans un demi-sommeil, il n'entendit pas la silhouette qui s'introduisit silencieusement à l'intérieur de la bibliothèque. Ce fut la lumière qui le réveilla. Une lumière étrange qui surgit d'un coup du néant. Engourdi, il ne comprit pas immédiatement ce qui se passait. Puis il découvrit la reine, dont le regard était plus fixe que jamais. Elle avait attisé le feu, ce qui expliquait la lumière.

L'esprit embrumé, il se demanda ce qu'elle faisait dans la bibliothèque au cœur de la nuit. Soudain, il la vit verser sur elle un liquide épais et odorant. De l'huile ! Elle ruissela sur son corps vêtu seulement d'une chemise de lin blanc. Avant qu'il ait pu réagir, il la vit s'emparer d'un brandon et enflammer le bas de sa robe, qui s'embrasa instantanément. Un long hurlement jaillit des lèvres de Shi-Nah, tandis que ses traits se déformaient sous l'effet de la souffrance terrible qu'elle s'était infligée. Jon-Tah voulut la saisir pour l'entraîner vers l'extérieur, mais il était déjà trop tard. Avec horreur, il vit la torche vivante se précipiter vers les précieux livres. Les flammes se propagèrent très vite aux rouleaux, puis à la bâtisse. Il vit la reine s'effondrer au milieu du brasier. Il n'y avait plus rien à faire. Toussant et crachant à cause de la fumée, il n'eut que le temps de se jeter au-dehors.

Après la chaleur intense de l'incendie, le froid de la nuit lui mordit la peau. Autour de lui, les Faucons sortaient de leurs masures. On se précipita, mais il était impossible d'arrêter les flammes. Les livres en écorce de bouleau séchée constituaient un excellent combustible. On se contenta d'asperger les habitations proches afin d'éviter la propagation de l'incendie.

Hébété, Jon-Tah tenta d'expliquer ce qu'il avait vu. Mais la vérité était tellement incroyable...

Au matin, il ne restait plus de la bibliothèque qu'un amas de cendres encore fumantes. On en avait extrait le squelette noirci de Shi-Nah. On avait essayé de comprendre ce qui s'était passé. Personne n'avait pu fournir d'explication, sinon qu'un démon s'était emparé de l'âme de Shi-Nah et l'avait amenée à se détruire en même temps que les livres sacrés. Mais pourquoi ?

Le désespoir s'était abattu sur le village. La bibliothèque avait toujours constitué l'orgueil de la nation. Grâce à la curiosité des reines et des scribes depuis de nombreuses générations, elle était l'une des plus riches des Montagnes de feu. Bien que la tribu des Faucons fût l'une des plus modestes, elle avait mis un point d'honneur à posséder le maximum de livres, tentant d'imiter celle de No'Si'Ann. Les scribes faucons n'hésitaient pas à faire le voyage jusqu'aux territoires des Renards pour aller recopier ce qui leur manquait. Ils étaient à chaque fois accueillis avec hospitalité, selon les règles de partage de la Connaissance établies par Noï-Rah. C'était aussi l'occasion de bavarder avec les érudits de la nation, d'échanger des points de vue autour de repas copieux.

Tout était à recommencer.

Mais il y avait plus grave. Jamais de mémoire humaine les esprits mauvais ne s'étaient ainsi attaqués à une reine. On avait le sentiment qu'un terrible sacrilège avait été commis. La reine, la protectrice, avait disparu. Et la nation des Faucons se sentait orpheline, à la merci des forces infernales qui semblaient avoir pris possession de la forêt.

Ce ne fut que trois jours plus tard que Païÿ-Kahn et ses compagnons découvrirent le cadavre de Ty-Loh, à demi dévoré par les charognards. Fou de douleur, son père constata qu'elle avait été torturée de manière abominable avant d'être livrée aux nécrophages. Sa tête avait été coupée, ses yeux crevés et son ventre vidé de ses entrailles. Qui avait pu commettre un tel crime? Les Faucons n'étaient en conflit avec personne, que ce fût dans le pays des volcans ou à l'extérieur.

Désespéré, Païÿ-Kahn ramena le corps de Ty-Loh au village, où il apprit ce qui s'était passé.

— La reine est devenue folle, conclut Lo-Khi.

Effondré, Païÿ-Kahn essaya de comprendre. Jamais Shi-Nah n'aurait pu accomplir un tel sacrilège. A ses yeux, les livres étaient sacrés, car ils représentaient le travail de toutes les générations de Faucons depuis l'époque de Noïÿ-Rah. Détruire cette somme de savoir était blasphématoire. Mais Shi-Nah n'était plus elle-même depuis son retour.

Alors, une autre idée, encore plus exécrable, frappa Païÿ-Kahn. Se pouvait-il que l'esprit démoniaque qui s'était emparé d'elle l'ait poussée à tuer sa fille elle-même?

Mais qui pouvait être cet esprit démoniaque?

7

Haly'Ann, village de la nation souveraine
des Fils de la Nuit...

Huhl-Drak n'attendait pas une grande aide de son suzerain, Hokh-Thar. C'était un homme âgé dont le père avait participé à la grande bataille livrée par Atham-Kahr contre les Molgohrs. Son enfance avait été nourrie par les récits des combats terribles qui s'étaient déroulés à l'époque. Il en conservait surtout le souvenir des morts et des agonisants, la chair à vif des brûlés, les yeux crevés, les membres atrophiés de ceux qui avaient perdu un bras ou une jambe au cours des batailles. Lorsqu'il avait succédé à son père, il s'était juré de tout faire pour éviter que de telles abominations se reproduisent.

Comme Huhl-Drak le redoutait, le vieux chef refusa l'idée d'envoyer une expédition punitive.

— Les Chouettes ne sont pas nos ennemis, déclara-t-il. Je connais le différend qui les oppose aux Chauves-souris depuis toujours. Cette vallée des Loutres est pourtant suffisamment giboyeuse pour les deux nations.

— Elle nous appartient, Hokh-Thar, affirma Huhl-Drak d'un air buté.

— C'est aussi ce que prétendent les Chouettes. Lorsque deux groupes de chasseurs se retrouvent là-bas, cela se termine parfois en bagarre. Mais jamais il n'y a eu de morts à ma connaissance.

— Jusqu'à présent. Mais cela a changé. Les trois hommes qui ont été assassinés n'étaient même pas des chasseurs. C'étaient trois paisibles pêcheurs, des hommes jeunes qui avaient chacun une femme et des enfants. On ne peut pas laisser ces meurtres impunis.

— Es-tu bien sûr qu'il s'agisse là de l'œuvre des Chouettes ?

— Nous avons retrouvé des indices accablants : une barrette en os et une lanière de cuir de couleur, comme seuls les Chouettes en utilisent pour nouer leurs cheveux.

— Avez-vous eu du mal à trouver ces indices ?

Huhl-Drak hésita.

— Non, mais cela ne veut rien dire.

— Cela change tout au contraire, mon ami. Il peut s'agir d'une ruse utilisée par un ennemi inconnu pour dresser les Chauves-souris et les Chouettes les uns contre les autres.

— Comment ça ?

— Cette ruse a déjà servi à l'époque de Noï-Rah pour faire accuser une tribu de crimes qu'elle n'avait pas commis. Tu le saurais si tu avais étudié les livres de la bibliothèque.

— Bah ! De vieilles histoires.

— Ce ne sont pas de vieilles histoires. Il ne fait aucun doute qu'un ennemi dangereux rôde dans le pays. Mais il faut d'abord savoir qui il est avant de nous lancer dans un conflit hasardeux, contre un ennemi qui n'est peut-être pas le bon. En déclarant la guerre aux Chouettes, nous ferions le jeu de cet ennemi inconnu. Je ne peux pas autoriser ta nation à entrer en conflit avec les Chouettes, et encore moins y engager ma propre tribu.

— Parce qu'il te faudrait affronter les Aurochs, persifla Huhl-Drak.

— Ils sont plus puissants que nous, il est vrai. C'est pourquoi je refuse de tomber dans un piège aussi grossier.

— Il peut s'agir d'une provocation délibérée de la part des Chouettes, riposta le chef des Chauves-souris.

— Raison de plus pour ne pas y répondre. L'assemblée des rheuns est proche. Tu obtiendras justice auprès d'eux. Nous exigerons des explications de la part des Chouettes devant le conseil des chefs et devant celui des reines.

— Les reines... commença Huhl-Drak sur un ton sceptique.

— Ne blasphème pas, mon ami. Les reines nous apportent la sagesse et tempèrent les ardeurs belliqueuses des hommes. Grâce à elles, de nombreuses batailles ont pu être évitées au fil du temps. Et de nombreuses vies ont été épargnées.

Na-Pahl, reine des Fils de la Nuit, qui assistait à l'entretien, intervint. C'était une jeune femme de vingt-trois ans, au caractère pondéré, qui venait d'accoucher d'une petite fille qui dormait contre son sein. Malgré sa récente parturition, elle assumait pleinement son rôle.

— Ecoute, Huhl-Drak, nous avons déjà suffisamment à faire pour lutter contre la famine, le froid, les maladies, les blessures infligées par les grands carnassiers. Nos vrais ennemis, les voilà. Si tu avais lu les livres, tu le saurais. Mais tu préfères passer ton temps à traquer le cerf et le sanglier, et tu n'écoutes guère la reine So-Ohn. Une guerre entre les Chouettes et les Chauves-souris n'amènerait rien de bon, même s'ils étaient vraiment responsables de ces crimes. Elle risquerait de déclencher un conflit beaucoup plus grand, qui compromettrait la paix dans tout le pays des volcans.

Elle marqua un court silence, puis ajouta :

— Ly-Rah, la fille de la reine des Renards, a émis une prophétie, envoyée par la Bienveillante. Cette prophétie met en cause des chefs ambitieux et inconscients, plus préoccupés par leur propre gloire que par le bien-être de leurs tribus. Ne sois pas l'un de ceux-là. Garde l'esprit froid. C'est à l'assemblée des rheuns que les morts de ta tribu recevront justice. Pas sur un champ de bataille incertain et meurtrier.

Huhl-Drak baissa la tête. Il détestait devoir se plier à la décision d'une femme. Même si celle-ci était une reine. Il se redressa, s'inclina, puis se retira en ruminant sa frustration. Car Na-Pahl avait beau dire, le sang appelait le sang. Et les Chouettes avaient tout intérêt à ne pas commettre de nouveaux crimes. Car alors, il n'attendrait pas l'avis de son vieux suzerain pour aller mettre le feu à leur village.

8

Ayd'Ann, village des Aigles…

Païe-Kahn n'aimait pas Mohn-Kaï. De par les anciennes
lois, bien antérieures à la venue de Noï-Rah, les Faucons
étaient les vassaux des Aigles, et même la déesse bienveillante n'avait pas réussi à abolir ce système qui
contraignait les tribus inféodées à verser un tribut à leur
nation suzeraine. A l'époque de Noï-Rah, les Renards
avaient refusé d'exercer une quelconque ascendance sur
d'autres nations, quand bien même celles-ci la réclamaient pour bénéficier de sa protection. Une seule tribu
avait réussi à s'extraire de ce système de dépendance : les
Tigres, ainsi nommés à cause de ces félins impressionnants aux longs crocs qui ne survivaient plus que sur leur
territoire. Autrefois assujettis à la nation des Grands Cerfs,
ils avaient rejeté toute vassalité à l'époque de la déesse,
avec l'appui de cette dernière. Bien que les Tigres fussent
peu nombreux – à peine plus de trois cents –, les Grands
Cerfs avaient évité de discuter leur décision en raison de
la présence des grands fauves qu'ils avaient apprivoisés et
dressés à la chasse et au combat. L'alliance entre les
félins géants et les hommes garantissait à ces derniers
une indépendance que personne n'avait songé à remettre
en question depuis quatre siècles. Les Tigres bénéficiaient
en outre de la protection désintéressée des Renards du

fait des liens d'amitié qui unissaient les deux peuples depuis toujours.

Les Faucons, en revanche, étaient vassaux des Aigles. Cela n'avait guère posé de problème avec les anciens chefs, qui mettaient un point d'honneur à respecter les lois édictées par Noï-Rah. Malheureusement, depuis l'avènement de Mohn-Kaï, cinq ans auparavant, ces lois étaient bafouées sans aucun scrupule par le nouveau chef. Les tributs exigés étaient chaque année plus importants, et Mohn-Kaï refusait qu'ils soient inscrits dans les livres, comme le voulait la coutume. Le conseil des rheuns l'avait plusieurs fois rappelé au respect des accords, mais cela n'avait eu aucun effet ; chaque année il se montrait plus avide. Il n'avait que mépris pour les manuscrits de la bibliothèque et savait à peine lire. Mais son autoritarisme et la fascination qu'il exerçait sur les jeunes guerriers lui avaient permis d'imposer sa loi sur sa nation et sur les tribus féales.

Mohn-Kaï était un personnage imbu de lui-même, doté d'une grande force physique qu'il se plaisait à affirmer avec une extrême violence lorsque quelqu'un avait l'audace de contester ses décisions injustes. Il aimait imposer la terreur et se montrait volontiers provocateur. Toutefois, s'il était peu instruit, il était intelligent et rusé. Il savait faire preuve de conciliation avec des hommes comme Khrent, dont la force physique était supérieure à la sienne. Roué et manipulateur, il possédait l'art de dresser les membres de sa propre tribu les uns contre les autres afin d'asseoir sa tyrannie. Ses yeux mobiles observaient tout, scrutaient les visages, jaugeaient sans cesse ses interlocuteurs. Il maniait avec un art consommé récompenses, réprimandes et promesses. Subjuguant les uns, terrorisant les autres, il prenait plaisir à jouer de son pouvoir.

Seules deux personnes osaient lui tenir tête. La reine des Aigles, la belle Lynn, avait le courage de se dresser contre son despotisme. On devinait qu'il aurait bien aimé se débarrasser d'elle, mais il ne devait pas y compter. Une reine était sacrée. Même les jeunes guerriers qui admiraient et redoutaient Mohn-Kaï n'auraient pas accepté qu'il lui manquât de respect. Il aurait ainsi perdu tout crédit. Et il était assez fin pour savoir où se situaient les limites de son pouvoir. Tant qu'elle serait en vie, il ne serait pas le maître absolu de la nation. Pour cette raison, il haïssait Lynn, d'autant qu'elle protégeait sa sœur, l'indomptable Nessah, âgée de seize ans, qui, elle, savait lire et écrire et aurait pu devenir reine à la place de Lynn. Toutes les deux étaient liées par une grande complicité contre laquelle il se sentait désagréablement désarmé.

Mohn-Kaï observait de son œil calculateur les hommes qui se tenaient devant lui. Après les morts incompréhensibles de Shi-Nah et de Ty-Loh, Mahn-Ry avait décidé de rendre compte des événements à son suzerain. Païe-Kahn l'avait suivi, en compagnie de Lo-Khi et de quelques guerriers. Il ne se faisait aucune illusion sur la manière dont Mohn-Kaï accueillerait la nouvelle. Lorsqu'il constata le désintérêt total du chef des Aigles, il ne fut pas étonné. Mais un élément le surprit. Pour avoir partagé la vie d'une reine, il avait appris auprès d'elle à percer à jour les sentiments des hommes en scrutant attentivement leur visage, les mouvements de leur corps, leur regard. Païe-Kahn parlait peu, mais observait beaucoup. Non seulement Mohn-Kaï n'avait pas manifesté la moindre émotion lorsque le chef des Faucons lui avait narré le drame, mais il n'avait pas semblé autrement étonné de la nouvelle. *Comme s'il s'y attendait.*

Une vive émotion avait envahi Païe-Kahn. Se pouvait-il que Mohn-Kaï et les Aigles aient quelque chose à voir avec la mort de Shi-Nah ? C'était impossible. Même s'il en avait eu l'intention, Mohn-Kaï ne possédait pas le pouvoir suffisant pour s'emparer de l'esprit d'une reine et l'amener à commettre un acte aussi effroyable que le suicide par le feu. Il devait se tromper. Mais un souvenir lui revint, qui le laissa encore plus perplexe. La veille du jour où Shi-Nah devait aller cueillir des plantes, un guerrier proche de Mahn-Ry avait laissé tomber une bûche sur son pied. Païe-Kahn avait alors demandé à son chef d'adjoindre deux hommes pour escorter la reine à sa place, mais Mahn-Ry n'avait rien voulu savoir. Il avait argué que Shi-Nah ne risquait rien. Cette décision l'avait étonné sur le moment, mais il n'avait pas osé se dresser contre l'autorité du rheun. A présent, le doute s'était emparé de lui. S'agissait-il de coïncidences malheureuses, ou bien Mahn-Ry avait-il volontairement voulu attirer Shi-Nah dans un piège ? Avait-il partie liée avec Mohn-Kaï ? Et surtout, pourquoi ce complot ? Comment deux chefs de tribus des Montagnes de feu auraient-ils pu commettre un tel sacrilège ? La vie des reines était sacrée.

En proie à la plus grande confusion, Païe-Kahn trouva refuge auprès de Lynn, qui lui apporta le réconfort de sa douceur et de sa sagesse. Lynn avait dépassé les trente-cinq soleils, ce qui représentait un âge relativement avancé. Mais elle conservait sa beauté. Elle vivait seule depuis la mort de son compagnon, quelques années auparavant. Celui-ci avait péri au cours d'une partie de chasse en compagnie du nouveau chef. A l'époque, Païe-Kahn s'était posé des questions sur les circonstances troubles de cet accident, mais il n'appartenait pas à la tribu des Aigles et cette affaire ne le concernait pas.

— La mort de Shi-Nah est une perte immense pour nous tous, déclara Lynn de sa voix apaisante. Elle était comme une jeune sœur pour moi. Je l'aimais beaucoup. A moi aussi elle va manquer.

— Penses-tu qu'un démon de la forêt ait pu prendre possession de son esprit ?

Lynn observa un moment de silence. Enfin, elle répondit :

— Cela fait plus de quatre cents soleils que les livres relatent les différents événements qui se sont déroulés dans le pays des Montagnes de feu. Je les ai tous lus, aussi bien ici que dans les autres bibliothèques. Il n'existe aucun récit qui décrive un drame similaire à celui qui a frappé Shi-Nah. Si les démons font partie des croyances de nos tribus depuis des temps immémoriaux, on n'a jamais assisté à la moindre manifestation de leur part depuis plus de quatre siècles. De là à douter de leur existence...

— Mais comment expliquer alors le comportement de Shi-Nah ?

— Je la connaissais bien. Et tu la connaissais encore mieux que moi. Jamais elle n'aurait commis un tel acte dans son état normal. Tout comme je refuse de croire qu'elle ait pu assassiner sa fille, surtout après l'avoir torturée d'une manière aussi ignoble.

— Si ce n'est pas un démon qui s'est emparé de son âme, qu'a-t-il pu se passer ?

— Je l'ignore, Païf-Kahn. Mais je sais qu'il existe des substances que l'on tire des plantes, qui peuvent modifier le comportement de l'être humain.

— Ceci pourrait donc être l'œuvre d'un chaman ?

— Peut-être. C'est la seule explication qui me vienne à l'esprit. Cependant...

Elle baissa la voix et ajouta :

— Je te conseille de n'en parler à personne.

— Pourquoi ?

— Depuis quelques années, le respect que l'on doit aux reines s'estompe. Les Aigles me révèrent et me consultent toujours autant. Mais Mohn-Kaï et Nhis-Try le chaman contestent souvent mes décisions, comme moi les leurs. Autrefois, une véritable complicité me liait à l'ancien chef et au vieux sorcier. Tout cela a disparu. Shi-Nah m'avait confié que c'était aussi le cas chez les Faucons. J'ai constaté la même chose dans d'autres tribus. Les reines perdent de leur crédit, un peu plus chaque année. Notre attitude n'a pourtant pas varié. Mais notre pays change doucement et les jeunes chefs qui remplacent les anciens n'ont plus pour nous le même respect que leurs prédécesseurs. J'ignore pourquoi. Nous apportons toujours autant de bienfaits à nos tribus, ainsi que le voulait Noï-Rah.

Païï-Kahn ne put qu'approuver. Il avait remarqué lui aussi les tensions existant entre Shi-Nah et Lo-Khi.

— Les nouveaux sorciers seraient-ils jaloux des connaissances des reines ?

— Depuis l'époque de la Bienveillante, les sorciers et les reines se sont toujours respectés et leurs connaissances se sont complétées dans l'intérêt des nations. Les chamans ont pour tâche d'entretenir les relations entre les dieux et les hommes. Comme tu le sais, chaque tribu a ses propres dieux. Jamais les reines n'ont remis cette idée en question. Leur travail consiste à apporter leur aide aux malades et aux blessés. Avec les sorciers, elles déterminent les dates des semailles et des moissons grâce à l'observation du ciel et des étoiles. Elles veillent aussi à ce que les droits de chaque membre de la tribu soient respectés. Les peuples des Montagnes de feu vivent ainsi depuis plus de quatre cents soleils. Je ne vois pas pourquoi tout cela change aujourd'hui. Aussi, il vaut mieux rester prudent. J'ignore ce qui se passe, mais je crains que la vie d'autres reines ne soit en danger.

— La tienne, peut-être.

— Les Aigles m'aiment beaucoup parce que je soulage leurs douleurs. Je suis en sécurité parmi eux. Mais je ressens une certaine hostilité de la part de quelques jeunes guerriers. Quant à Mohn-Kaï et Nhis-Try, je sais qu'ils me détestent parce qu'ils sont obligés de partager le pouvoir avec moi. Mohn-Kaï est un ambitieux qui rêve de batailles. Nhis-Try est un homme secret, qui parle peu. J'ai peine à le cerner. Il a beaucoup voyagé avant d'être élu chaman en remplacement de l'ancien. Notre dieu totem est l'aigle Hokaar. L'aigle plane très haut dans les airs et son regard est perçant. Autrefois, le sorcier utilisait des décoctions à base de champignons sacrés pour entrer en communion avec l'esprit de Hokaar. Notre dieu aigle lui envoyait des visions bénéfiques pour la tribu. Nhis-Try ne pratique plus cette communion. J'ai l'impression qu'il n'accepte plus notre dieu totem, même s'il tente de donner le change.

La réflexion de Lynn intrigua Païe-Kahn.

— J'ai le même sentiment pour notre sorcier, Lo-Khi, dit-il. Et lui aussi a voyagé. Auraient-ils rencontré d'autres dieux pendant leurs pérégrinations ?

— Nhis-Try n'en parle jamais.

— Lo-Khi non plus. Mais il s'est passé une chose étrange la veille de la disparition de Shi-Nah.

Il lui fit alors part de ses soupçons.

— C'est curieux en effet, conclut Lynn. On aurait voulu t'écarter d'elles que l'on n'aurait pas agi autrement.

Ils restèrent un moment silencieux. Puis la reine déclara :

— Ce ne sont peut-être que des coïncidences. Mais cela peut signifier autre chose. Et je redoute qu'un ennemi ne soit en train de s'infiltrer dans les Montagnes de feu.

— Les nations des dieux volcans sont puissantes. Elles ont déjà vaincu les Molgohrs.

— Cet ennemi-là est sans doute plus dangereux, car il n'attaque pas de front. Il reste invisible et frappe là où on ne l'attend pas. Et il semblerait qu'il soit parvenu à manipuler certains chefs et certains chamans. C'est extrêmement grave. Je vais en parler lors de la prochaine assemblée des rheuns, car tout cela confirme la vision de Ly-Rah. Et Mohn-Kaï est sans doute l'un de ces chefs ambitieux évoqués par la déesse Noï-Rah dans sa prophétie. Nous devons nous tenir sur nos gardes. Si la vie des reines a cessé d'être sacrée aux yeux de certains, nous sommes en danger. Quant à toi, sois vigilant.

Le lendemain, les Faucons quittèrent Ayd'Ann sous le regard soucieux de Mohn-Kaï. Près de lui, Lynn l'observait discrètement, intriguée. Elle se doutait qu'il n'aurait eu aucun scrupule à se débarrasser d'elle s'il avait eu l'occasion de le faire sans être soupçonné. Elle le connaissait assez pour savoir que la mort de Shi-Nah ne l'émouvait pas le moins du monde. Pourtant, son attitude trahissait la perplexité. S'il avait été pour quelque chose dans la disparition de la reine des Faucons, il aurait manifesté de la satisfaction, aussi discrète fût-elle. Mais visiblement, il ne comprenait pas ce qui avait pu se passer et il détestait cela. Il aimait tout maîtriser, tout commander, tout diriger à sa manière et ne supportait pas de voir les événements lui échapper. D'une certaine façon, cela la rassura. Il n'avait peut-être pas de responsabilité dans la mort de Shi-Nah. Mais qu'en était-il de Nhis-Try le chaman ?

La veille, lors de la réunion, elle avait suggéré que la tribu des Faucons accueille une nouvelle reine issue de la descendance de Noï-Rah. De même, les scribes pouvaient reconstituer une nouvelle bibliothèque en recopiant auprès des autres les livres les plus importants. Mohn-Kaï avait donné son accord sans aucune conviction. Ce projet lui était tout à fait indifférent. Mais la réaction la plus inattendue était venue du sorcier des Faucons, Lo-Khi, qui avait déclaré sans détour que sa tribu pouvait se passer de bibliothèque. Son entretien prenait trop de temps et l'on n'avait rien à faire de tout le fatras qu'elle contenait. Lui-même connaissait les remèdes suffisants pour soigner les maladies et les blessures. Mahn-Ry avait abondé dans son sens. Les scribes emploieraient mieux leur temps à cultiver la terre ou soigner les animaux qu'à recopier des livres. Quant à une nouvelle reine, ni l'un ni l'autre n'en voyaient l'utilité.

— Nous n'avons pas besoin de reine ! avait clamé Lo-Khi d'un ton péremptoire.

Nhis-Try l'avait approuvé. Puis il l'avait regardée avec un air de défi. Elle avait préféré ne pas répondre. Ces réactions insolites occupaient depuis son esprit. Elles confirmaient le désintérêt que certains chefs de tribus éprouvaient vis-à-vis des reines et de ce qu'elles apportaient. Mais étaient-ils capables d'aller jusqu'à les éliminer, surtout d'une manière aussi atroce ?

Finalement, ce n'était pas une bonne idée de donner une nouvelle reine à la tribu des Faucons. Elle n'y serait pas en sécurité.

Lynn avait vu juste : Mohn-Kaï était perplexe. Bien sûr, ni la mort de Shi-Nah et de sa fille, ni la disparition de la bibliothèque des Faucons lui importaient. Il n'avait aucune considération pour les reines, et les livres l'ennuyaient à mourir. Il avait été élu chef à la disparition de son père, Perehn-Kaï, en raison de sa force exceptionnelle, qui lui valait l'admiration et le soutien de tous les jeunes hommes de la nation. Il avait appris à lire et à écrire comme tous les enfants des Montagnes de feu, mais gardait une profonde rancune au maître des scribes, Graff, qui ne ménageait pas les coups de badine devant son indolence. Devenu chef, il s'était promis de se venger du vieil homme, mais il avait renoncé. Une telle attitude l'aurait discrédité aux yeux même de ses guerriers. Cependant, Graff ne perdait rien pour attendre. Mohn-Kaï était patient. Il trouverait un moyen.

La disparition de la reine des Faucons le contrariait pour une autre raison : il ne comprenait pas ce qui avait pu se passer. Et il avait cela en horreur. Il ne croyait guère aux démons qui hantaient la forêt et prenaient possession de l'esprit des humains. Il y avait certainement une autre explication, comme l'action d'un ennemi inconnu bien décidé à envahir le Pays de feu. L'usage aurait voulu qu'il en parlât avec la reine. Mais il la détestait trop pour accepter de reconnaître devant elle son inquiétude. Et puis, Mohn-Kaï estimait que les hommes n'avaient pas à rendre de comptes aux femmes. Celles-ci étaient faites pour obéir et élever les enfants que les hommes leur faisaient. Il en était ainsi autrefois, avant l'arrivée de cette prétendue déesse, Noï-Rah, qui avait bouleversé la façon de vivre des hommes des volcans. Il souffrait de devoir partager son pouvoir avec la reine. Bien qu'elle n'eût que six ans de plus que lui, il émanait d'elle une autorité naturelle contre laquelle il se sentait incapable de lutter. Et de cela plus que tout il lui tenait rigueur.

Aussi s'écarta-t-il ostensiblement d'elle pour regagner sa demeure, où son épouse, sur laquelle il exerçait sa tyrannie sans difficulté, l'accueillit avec les yeux baissés, ainsi qu'il convenait, selon lui, à toutes les femmes. Son conseiller, Nor-Gül, l'avait suivi.

— Laisse-nous ! grogna-t-il à l'adresse de sa compagne, qui s'effaça craintivement.

Les deux hommes observèrent un long silence. Mohn-Kaï réfléchissait. L'autre respecta sa méditation, comme il avait l'habitude de le faire, avec obséquiosité.

— Je suis persuadé que la mort de cette reine n'a rien à voir avec les esprits de la forêt, déclara enfin Mohn-Kaï. Un ennemi rôde aux alentours ; un ennemi qui vient de l'extérieur. Et nous ne pourrons rien faire contre lui si les nations des Montagnes de feu n'acceptent pas d'élire un roi qui les dirigerait toutes. Un roi comme le fut Atham-Kahr.

— Je partage tout à fait ton avis, puissant Mohn-Kaï. Il est grand temps pour les peuples des Montagnes de feu de choisir ce roi. Et tu es le seul qui puisse supporter la comparaison avec le grand Atham-Kahr. Cependant...

— Cependant ? Parle ! Dis le fond de ta pensée.

— Tous n'accepteront pas de t'élire roi. Nombreux sont ceux qui estimeront qu'ils n'ont aucun besoin d'un souverain. Le chef des Renards refusera. Et d'autres le suivront.

Mohn-Kaï s'affala sur un amas de peaux d'ours, le visage perplexe.

— C'est vrai.

— D'autres encore penseront que ce titre devrait leur revenir. Tu ne seras pas seul à le revendiquer.

— Ceux-là, je suis prêt à les affronter !

Il caressa le manche de sa hache de silex au tranchant acéré. Nor-Gül eut un léger sourire.

— Tu es capable de les vaincre, ô grand Mohn-Kaï. Mais tu dois voir la vérité en face. Si tu veux devenir roi, il te faudra le devenir par la force. Il faut préparer tes hommes et tes vassaux au combat.

Mohn-Kaï ne répondit pas. L'idée le séduisait, mais elle signifiait la rupture des accords de paix entre les nations des volcans. Et cela l'inquiétait un peu. Les Aigles constituaient une nation puissante, mais il y en avait d'autres. Ne fût-ce que les Renards. Nor-Gül poursuivit :

— Il va te falloir des armes. Il serait judicieux de commencer à les faire fabriquer.

Mohn-Kaï hocha la tête d'un air satisfait.

— Tu as raison.

Le chef des Aigles contempla son conseiller avec satisfaction. Nor-Gül disait vrai. Les Montagnes de feu avaient besoin d'un souverain puissant et respecté, capable de lutter contre les ennemis extérieurs et d'imposer sa loi aux autres chefs des Montagnes de feu. Atham-Kahr l'avait fait en son temps et avait mené l'ensemble des guerriers des Montagnes à la victoire. Bien sûr, il avait péri au cours de l'ultime combat, en affrontant une vingtaine de Molgohrs à lui seul. Il avait succombé, mais il avait eu le temps de trancher la tête du roi ennemi, geste glorieux qui avait décidé de la victoire. Hélas, un guerrier molgohr l'avait lâchement frappé par-derrière d'un coup de poignard. Atham-Kahr avait encore trouvé la force de lui ouvrir le crâne d'un coup de hache. Ses hommes l'avaient rejoint et écarté des combats pour tenter de le sauver, mais il était trop tard. Ses blessures étaient nombreuses et la dernière lui avait été fatale. Cependant, il n'était pas mort immédiatement. Il avait eu la satisfaction d'apprendre que l'ennemi était en déroute et qu'il commençait à refluer. On l'avait installé sous un grand chêne d'où il avait pu contempler son armée pourchasser les

Molgohrs. Sa volonté inébranlable lui avait permis de repousser la mort pour voir la fin des troupes ennemies, dont seule une poignée était parvenue à fuir. Ses capitaines, les chefs des autres tribus, étaient venus lui conter la défaite des assaillants. Alors seulement, il avait laissé les dieux le reprendre, non sans avoir reçu un dernier hommage de ceux dont il avait fait ses vassaux. Car tous lui obéissaient.

Bien qu'Atham-Kahr n'appartînt pas à la nation des Aigles, Mohn-Kaï lui vouait une admiration sans borne. S'il avait vécu, l'ensemble des tribus aurait été unifié. Et l'on aurait pu déjà à l'époque envisager de mener une guerre de conquête, comme l'avaient fait les Molgohrs. Evidemment, certains affirmaient que telle n'était pas la volonté d'Atham-Kahr, qu'il n'avait rassemblé les tribus que pour défendre plus efficacement le pays. Ils disaient aussi qu'Atham-Kahr avait le désir de rendre son indépendance à chaque nation après les combats. Mais Mohn-Kaï ne pouvait s'empêcher de rêver. Ce qu'Atham-Kahr n'avait pu réaliser, lui se sentait capable de l'accomplir. Il était fort, résistant à la douleur, assez puissant pour lutter contre les ours des montagnes qu'il n'hésitait pas à affronter armé de sa seule massue, taillée dans le tronc d'un chêne et incrustée d'éclats de silex.

Malheureusement, Nor-Gül voyait juste. Les autres chefs n'accepteraient pas aussi facilement d'être soumis à un roi. Mohn-Kaï escomptait bien proposer son projet à la prochaine assemblée des rheuns, mais il se doutait de leur réaction. Le vieux Mahl-Kahr, chef des Renards, s'y opposerait. Et surtout, il était à craindre que d'autres chefs de nations puissantes, comme Bahr-Kynn, des Aurochs, ne se posent en concurrents. Ses terres se situaient loin dans le sud, au-delà des grandes montagnes, et il ne constituait pas un danger immédiat. Mais ce chien était tout aussi capable d'avoir eu la même idée que lui. Tôt ou tard, il se dresserait devant lui. Aussi, il importait de conclure des alliances avant de se lancer dans une guerre destinée à soumettre les tribus les plus proches. Mohn-Kaï savait pouvoir compter sur la fidélité de ses quatre tribus vassales, les Faucons, les Belettes, les Hermines et les Lynx. Bien sûr, une partie de leurs populations se montrerait réticente, mais les jeunes chefs nouvellement élus, comme Mahn-Ry, sauraient bien contraindre les récalcitrants.

Le seul vrai problème viendrait des reines, et particulièrement de celle des Aigles, cette maudite Lynn qui avait bien compris quelles étaient ses intentions. Combien de fois n'avait-il pas eu envie de la supprimer discrètement pour rester le seul maître de son peuple. Malheureusement, Lynn était très aimée des siens. Et à moins que les esprits de la forêt ne se décident à la faire disparaître comme ils l'avaient fait pour Shi-Nah, il était à craindre qu'elle userait de tout son pouvoir pour l'empêcher d'atteindre son but. De plus, il avait été élevé dans le respect des reines et il ne pouvait s'empêcher de penser qu'un tel acte resterait un sacrilège.

Comme s'il avait suivi ses pensées, Nor-Gül ajouta :

— Il est tout de même dommage que certaines personnes ne comprennent pas le destin que les dieux t'ont tracé. J'ai interrogé les os sacrés ; ils m'ont clairement montré le signe de la victoire sur toi. La victoire, et plus que cela encore. Le respect, la vénération de tout un peuple. Un grand peuple.

Mohn-Kaï acquiesça lentement de la tête. Ce Nor-Gül était un homme précieux et avisé. Il avait fini par oublier qu'il n'appartenait pas au peuple des Aigles à l'origine. Il l'avait rencontré au cours d'une assemblée des rheuns, cinq ans auparavant. Nor-Gül était un modeste colporteur venu proposer les objets de terre peinte fabriqués par sa tribu, une petite nation située à plusieurs jours de marche vers le soleil levant. Nor-Gül lui avait dit toute l'admiration qu'il éprouvait pour le peuple des Aigles et pour son nouveau chef, qu'il avait vu combattre au cours des joutes amicales. Amusé par ce personnage qui connaissait le secret des poteries décorées – et qui savait si bien lui faire compliment –, Mohn-Kaï lui avait offert de vivre à Ayd'Ann. Nor-Gül avait accepté avec reconnaissance. Ni femme ni enfants ne l'attachaient à sa nation et il avait suivi les Aigles à la fin de l'assemblée. Depuis, il avait su si bien s'intégrer à la tribu que l'on avait peine à se rappeler qu'il venait d'une nation extérieure. La grande admiration qu'il portait à Mohn-Kaï avait amené ce dernier à le nommer son conseiller secret. Nor-Gül possédait la qualité rare de penser de la même manière que lui, précédant même ses propres raisonnements. Il ne regrettait nullement de l'avoir choisi pour confident. Un confident qui le confortait dans son projet grandiose : devenir le roi des Montagnes de feu. A cette pensée, une exaltation formidable s'emparait de lui. Ce n'est plus un peuple, certes puissant, qui s'inclinerait devant lui, mais l'ensemble des nations de ce pays. Et plus tard, d'autres tribus ploieraient l'échine à sa vue. Car les Aigles étaient un peuple de guerriers. Et le monde ne tarderait pas à le savoir. Mais tant d'obstacles se dressaient devant lui...

Il soupira :

— L'ennemi est sur le point d'envahir les Montagnes de feu et cette maudite reine prône la paix. Si je parvenais à unifier toutes les tribus des volcans en une seule, nous serions invincibles. Je pourrais agrandir le royaume en m'emparant des terres des nations étrangères.

— Tout le mal vient de cette femme, noble Mohn-Kaï. Comme de toutes les femmes d'ailleurs. Dans ma tribu, il n'y a pas de déesse. Nos dieux sont des mâles et aucun n'accepterait d'être soumis à une déesse femelle. Chez moi, les femmes obéissaient docilement aux hommes. Et il en est ainsi dans toutes les nations que j'ai visitées au cours de mes voyages. Il n'y a que dans ce pays étrange que j'ai rencontré des reines détenant le pouvoir sur les chefs eux-mêmes. Et l'on en voit le résultat : les guerriers n'y sont pas considérés à leur vraie valeur.

— Les reines prétendent que les conflits doivent être évités car ils engendrent des morts inutiles. Lorsque deux nations ont un différend, elles exigent qu'une solution pacifique soit trouvée ! Pacifique ! Alors, comment pourraient-elles comprendre le grand dessein qui vit en moi ? Nous devons étendre nos terres au-delà des montagnes, imposer notre domination aux peuples situés à l'extérieur.

— C'est le destin que j'ai vu pour toi, Mohn-Kaï, renchérit Nor-Gül.

— Un jour, je le réaliserai, gronda le chef des Aigles en serrant les poings.

— Ce jour-là, je serai à tes côtés, seigneur. C'est pour cette raison que je ne suis pas reparti dans ma tribu. Il y a cinq ans, j'ai fait parler les os sacrés à ton sujet. Ils te prédisaient un destin exceptionnel et de grandes victoires. Jamais depuis ils n'ont varié.

Mohn-Kaï hocha la tête. Nor-Gül n'était pas le seul sur lequel il pouvait compter pour asseoir son autorité. Nhis-Try approuvait son projet et lui apportait son soutien. Lui non plus n'acceptait pas de devoir partager son pouvoir chamanique avec une femme. Il détestait cordialement Lynn. Mais il était assez habile pour ne jamais s'opposer directement à elle.

Décidément, cette maudite Lynn devenait vraiment gênante.

9

No'Si'Ann, village des Renards...

L'alliance entre les Renards et les nations du pays des Roches pâles remontait à l'époque où Brahn, fils d'Ar'ham et de Noï-Rah, voyageait bien au-delà des frontières des Montagnes de feu. Tout comme son père, il ne tenait pas en place. Mais là où Ar'ham se contentait des tribus des dieux volcans et de quelques nations à la périphérie, Brahn ne se fixait aucune limite. Accompagné par trois guerriers aussi curieux ou inconscients que lui, il disparaissait ainsi pendant des lunes, puis revenait au moment où on ne l'attendait plus, les travois chargés d'objets et de nourritures inconnus, tels ces poissons, fumés pour la conservation, qui, disait-il, vivaient dans un fleuve sans rives, et dont l'eau était salée. De ses voyages, il rapportait aussi quantité d'anecdotes toutes plus extraordinaires les unes que les autres, et parfois difficilement croyables. Comme cette histoire de fleuve sans fin. Qui aurait pu imaginer une chose pareille ? A chacune de ses expéditions, il établissait des contacts avec des tribus ignorées, avec lesquelles il communiquait par signes, et dont il apprenait très vite le langage grâce à sa mémoire prodigieuse. Pour cela, il tenait de sa mère.

Un jour, il avait ramené d'un lointain voyage un chaman réputé pour sa grande connaissance de la médecine, et qui avait accepté de le suivre pour rencontrer Noï-Rah, dont la renommée avait depuis longtemps franchi les limites des Montagnes de feu. Elle souffrait d'une blessure reçue à la tête au cours d'une bataille. Elle avait remis sa vie entre les mains du sorcier, qui avait pratiqué une opération étrange, au cours de laquelle il avait ouvert le crâne de la reine pour en extraire un caillot de sang responsable de ses maux. Et Noï-Rah avait été guérie. Les Renards en avaient témoigné une grande reconnaissance à ce chaman, et des liens avaient été tissés entre les deux pays. Depuis, malgré un voyage qui durait presque une lune, les hommes des Roches pâles participaient à l'assemblée des rheuns. Cette année, leur venue revêtait un caractère particulier, car Mahl-Kahr avait décidé de leur parler de la prophétie de Ly-Rah, afin que leurs tribus puissent se préparer à affronter le cataclysme.

L'arrivée des « Roches pâles », comme on les appelait, fournissait une occasion de plus d'organiser des réjouissances dans le village de No'Si'Ann. Ils apportaient toujours toutes sortes de cadeaux pour le chef et la reine, peaux tannées, couvertures de fine laine de mouton ou de chèvre tissée, poteries diverses, poignards de silex gainés de cuir, lances, arcs et flèches. Ainsi que des viandes fumées aux goûts différents. Aussi les attendait-on avec impatience. Lorsque les guetteurs annoncèrent l'apparition sur la piste du sud d'une troupe importante, la moitié du village se porta à leur rencontre, Ly-Rah en tête.

Les nouveaux venus furent accueillis à bras ouverts, comme il était de coutume depuis des siècles. Mahl-Kahr retrouva avec plaisir les chefs des sept tribus qui effectuaient régulièrement le déplacement. Avec le temps, on avait appris les langues des uns et des autres, et la communication ne posait pas de problèmes. Les visiteurs, au nombre d'une centaine, furent reçus à l'intérieur de l'enceinte où devaient avoir lieu les festivités. Une haie enthousiaste s'était formée sur leur passage. Au côté de sa mère, Ly-Rah, en tant que future reine, devait participer à la réunion qui allait suivre. On y parlerait des derniers événements, des semailles et des récoltes. Ly-Rah devait aussi leur faire part de sa vision, dont les chefs étrangers étaient déjà informés. Mais il leur tardait d'entendre la chose de sa bouche même.

Le conseil se tint le lendemain, après que les voyageurs se furent remis de la fatigue de leur longue marche. Gristan, chef de la tribu des Palkawans, la nation la plus importante, parlait au nom des six autres. Il remercia tout d'abord les Renards pour leur chaleureuse hospitalité, qui ne s'était jamais démentie au fil des centaines de soleils qui les séparaient de l'époque de Noï-Rah. Puis on procéda à l'échange des cadeaux, tradition respectée depuis qu'avaient commencé les relations entre les deux pays. Parmi les présents se trouvaient des flèches dont la pointe était faite d'une matière inconnue, très dure, d'un gris étrangement brillant.

— Nous l'appelons « pierre des étoiles », expliqua Gristan. Nous l'avons trouvée au cœur d'une roche tombée du ciel. Il faut être très prudent en la travaillant, car elle est particulièrement tranchante. Ces pointes sont meilleures que celles de silex. Malheureusement, elles se couvrent d'une couche rougeâtre qui les ronge et finit par les détruire. C'est pourquoi il faut les entretenir régulièrement avec de l'huile[1].

— C'est là un présent somptueux, Gristan, remercia Mahl-Kahr.

Ly-Rah aimait le parler chantant de ces gens volubiles et démonstratifs. Elle remarqua la présence, à côté de Gristan, d'un jeune homme à la longue chevelure noire nouée par un lacet de cuir en une queue-de-cheval. Son visage aux traits fins était illuminé par un regard d'un bleu très pâle et un sourire aux dents blanches. Ly-Rah

---

1. Il s'agit de fer météoritique, seule forme sous laquelle on connaissait ce métal à la Préhistoire.

sentit son cœur se mettre à battre plus vite dans sa poitrine. Elle ne l'avait jamais vu auparavant. C'était la première fois qu'il faisait le voyage.

Après l'échange des cadeaux, Mahl-Kahr prit la parole :

— Comme chaque année, nous nous réjouissons grandement d'accueillir nos frères du pays de Pehr-Goor. Soyez remerciés de votre générosité. Nous aurons tout le temps d'échanger des nouvelles des uns et des autres dans les jours qui viennent, avant notre départ pour l'assemblée des rheuns. Cependant, nous devons avant tout vous faire part d'une information grave, un avertissement qui nous a été envoyé par notre déesse, Noï-Rah. Vous savez qu'elle possédait le don de prévoir les événements. Depuis, peu de ses descendantes ont hérité de ce pouvoir étrange. Notre reine Loo-Nah ne l'a pas. Mais sa fille, Ly-Rah, le possède. Par les filles aînées, elle descend de Noï-Rah. A plusieurs reprises par le passé, elle nous a prévenus contre des accidents que nous avons pu éviter. C'est le sens de ces avertissements. Cette fois, Noï-Rah elle-même lui est apparue, et la vision qu'elle lui a transmise est si effrayante que nous estimons de notre devoir de vous la communiquer.

Il se tourna vers la jeune fille.

— Ly-Rah, approche.

Elle se leva, impressionnée. Dans la salle du conseil, un grand silence s'était fait, tant à cause de l'inquiétude qui s'était emparée des chefs étrangers aux paroles de Mahl-Kahr qu'à cause de la beauté éblouissante de la jeune fille. A l'approche de l'été, elle portait une robe tissée dans le lin le plus fin, serrée par une ceinture de cuir tressé et teint en bleu. A l'occasion de la venue des visiteurs, elle portait dans sa chevelure rousse des peignes en os et en bois qui dégageaient son visage aux traits fins et réguliers, à la peau fraîche, dorée par le soleil des montagnes. A l'inverse de beaucoup de rousses, sa carnation supportait le soleil et faisait ressortir l'émeraude de ses yeux.

— Notre future reine, la présenta Mahl-Kahr.

Les chefs des Roches pâles hochèrent la tête avec conviction.

— Vous ne pouviez en avoir de plus belle, répondit Gristan.

— Parle, Ly-Rah, l'encouragea Mahl-Kahr. Dis-nous ce que tu as vu.

La jeune fille hésita un instant. Le regard du jeune homme aux cheveux noirs s'était posé sur elle et ne la lâchait plus. Troublée, elle raconta une nouvelle fois la vision que lui avait envoyée Noï-Rah. Lorsqu'elle eut terminé, un profond silence suivit ses paroles. Enfin, Mahl-Kahr déclara :

— Ly-Rah n'a pas vu cette étoile tomber sur la terre. Mais elle provoquera des cataclysmes inconnus, contre lesquels nous ne savons pas comment nous défendre. Sans compter les menaces de guerre.

Krigs, chef des Mohondos, prit la parole.

— Peut-être pourrions-nous trouver refuge dans des grottes suffisamment grandes pour accueillir nos tribus, suggéra-t-il.

— C'est une idée. Il est arrivé par le passé que des hommes survivent à une colère des dieux volcans en s'abritant dans des grottes. Les livres en font mention. Mais cela suffira-t-il à nous protéger ? Il y a bien quelques cavernes sur nos terres, mais elles ne sont pas de taille à nous accueillir tous.

Gristan interrogea Ly-Rah :

— As-tu une idée de l'époque où cette étoile doit arriver ?

— J'ai vu la saison des feuilles rousses. Mais je ne peux pas dire s'il s'agit de cette année ou d'une autre.

— La seule chose dont nous soyons sûrs, reprit Mahl-Kahr, c'est que les prédictions de Ly-Rah se sont toujours réalisées. Nous avons tenu à vous prévenir, car je pense qu'il serait sage de faire provision de nourriture.

— Sois-en remercié, Mahl-Kahr. Nous allons envoyer dès demain un messager pour avertir nos peuples de cette menace. Si la chute de cette étoile a lieu cette année, il nous reste peu de temps.

La réunion terminée, Ly-Rah retrouva le soleil avec plaisir. Elle avait dû répondre à de nombreuses questions sur la prophétie et elle n'avait guère aimé revivre cette vision angoissante. Elle avait l'impression que celle-ci allait se réaliser très vite, que le village allait brûler sous ses yeux sans qu'elle puisse rien faire. Aussi était-elle plutôt nerveuse lorsqu'elle sortit de la grande maison du conseil. Elle ne s'aperçut pas immédiatement que le jeune homme brun l'avait suivie. Elle ressentit sa présence au dernier moment, et connut un instant de panique devant son regard bleu pâle.

— Bonjour ! dit-il d'une voix hésitante, en employant la langue des Renards. Je suis très heureux de te connaître.

Il cherchait ses mots, butant sur chacun. Le tout ajouté à son accent chantant lui conférait beaucoup de charme. Elle faillit éclater de rire, mais se retint. Elle ne voulait pas avoir l'air de se moquer de lui. Elle se contenta de sourire.

— Comment t'appelles-tu ? lui demanda-t-elle dans sa propre langue, sans aucune hésitation.

Loo-Nah avait tenu à ce que sa fille, en tant que future reine, apprît très tôt la langue de leurs lointains alliés. Il la regarda avec étonnement.

— Tu parles mon langage ?

— Bien sûr. Ma mère me l'a enseigné. Mais tu n'as pas répondu à ma question.

Son sourire s'élargit.

— Je m'appelle Ken-Loh. Je suis le fils de Gristan, chef des Palkawans.

— Alors, sois le bienvenu, Ken-Loh, fils de Gristan. C'est la première fois que tu fais le voyage ?

— Oui. Mon père estimait important pour moi de connaître nos alliés des Montagnes de feu. Je dois lui succéder un jour.

— Aimerais-tu que je te fasse visiter notre village ?

— Avec plaisir.

Pendant les trois jours qui suivirent, Ly-Rah et Ken-Loh ne se quittèrent quasiment pas. Sauf la nuit, bien sûr. Mais ils restaient longtemps à bavarder bien après que le soleil fut couché. Ly-Rah se sentait bien en compagnie du jeune homme. Comme elle, il possédait un caractère heureux, s'intéressait à tout ce qu'il découvrait. Ils eurent aussi l'occasion de comparer leur adresse aux armes, arc et javelot. Ken-Loh était surpris de constater que les filles des Renards savaient manier les armes.

— Il en est ainsi depuis l'époque de la Bienveillante, expliqua Ly-Rah. A l'origine, la tribu fut composée essentiellement de femmes, et celles-ci durent apprendre à lutter seules contre les grands fauves. Lorsque les hommes commencèrent à les rejoindre, elles ne renoncèrent pas aux armes, car beaucoup d'entre elles avaient eu à souffrir de l'attitude des guerriers. Et la menace d'un ennemi extérieur amena les Renards à poursuivre la formation des filles. Depuis, hommes et femmes combattent côte à côte lors des batailles. Heureusement, il n'y en a pas eu depuis soixante soleils, à l'époque d'Atham-Kahr.

— Atham-Kahr ?

Elle lui conta la légende du vainqueur des Molgohrs.

— Depuis, nous vivons en paix, conclut-elle. Notre tribu est sans doute la plus puissante de celles des Montagnes de feu. Mais Noï-Rah a prévenu ses descendants. Même quand la paix la plus parfaite règne, nous devons rester sur nos gardes.

— C'est une sage précaution. Si j'en crois ta vision, il se pourrait que la paix risque de ne pas durer.

Le visage de Ly-Rah s'assombrit.

— J'ai vu les peuples se combattre. J'ai vu la famine et la mort, j'ai vu des femmes et des enfants fuir sur des pistes incertaines, dans la boue et le froid. J'ai vu des reines assassinées. J'ai vu des cadavres amoncelés, dévorés par les loups et les charognards. J'ai vu l'étoile tomber du ciel, et la terre et les montagnes ravagées par des pluies de feu. Et malgré cela, les hommes continuaient à se battre, à cause de la folie de certains.

— D'où pourrait venir cette folie ?

— Je l'ignore. J'ai parlé de ce démon sans visage qui s'acharnerait à détruire les peuples du pays des volcans. Mais aucun des livres de la bibliothèque ne parle d'une telle créature.

Ses yeux s'étaient voilés de tristesse. Emu, Ken-Loh la prit dans ses bras et la serra contre lui.

— Peut-être parviendras-tu à éviter tout cela, puisque ta déesse t'a prévenue. Mais si ton pays devient trop dangereux, tu pourras toujours venir dans le pays des Roches pâles avec ton peuple. Nous saurons vous accueillir.

Troublée, elle s'écarta doucement de lui.

— Ta proposition est très généreuse, Ken-Loh.

Les yeux brillants, il ajouta, après une courte hésitation :

— J'aimerais tellement avoir une épouse aussi belle que toi.

L'instant d'après, il rougissait de son audace, ce qui eut le don de séduire Ly-Rah. Elle lui sourit et lui prit la main.

— Je serais très honorée de t'avoir pour compagnon, Ken-Loh. Malheureusement, nous savons l'un et l'autre que c'est impossible.

— Pourquoi ?

— Tu es destiné à succéder à ton père, et donc à diriger les Palkawans tôt ou tard. Quant à moi, je dois devenir la reine des Renards. Je crois qu'il vaut mieux ne pas y penser.

Ce fut au tour du jeune homme de s'assombrir.

— Mais il ne faut pas que cela nous empêche de devenir amis, ajouta-t-elle avec un sourire triste.

Devant sa mine défaite, elle prit son visage dans ses mains et déposa un baiser très doux sur ses lèvres.

— En gage de notre amitié, souffla-t-elle.

Elle crut qu'il allait éclater tellement il était devenu rouge.

— Nous devons nous préparer. Demain, nous partons pour l'assemblée des rheuns.

10

L'assemblée des rheuns se tenait sur le territoire de la petite tribu des Ours noirs, autrefois très puissante, mais dont la plupart des membres avaient rejoint les Renards à l'époque de Noï-Rah. Elle dépendait aujourd'hui de la nation des Fils de l'Eau, mais la situation de son domaine, au cœur des Montagnes de feu, avait déterminé le choix des rheuns.

Comme chaque année, les Renards envoyèrent une délégation nombreuse. Elle comportait une centaine d'hommes solidement armés escortant les artisans et les travois transportant les marchandises et les tentes sous lesquelles on logerait durant le temps de l'assemblée. Aux Renards s'était jointe la délégation de Pehr-Goor.

Ly-Rah effectua le voyage en compagnie de Ken-Loh, avec qui elle communiquait dans la langue du jeune homme. Ne voulant pas être en reste, il lui avait demandé de l'aider à mieux maîtriser la langue des Montagnes de feu. Ses maladresses et sa bonne volonté amusaient beaucoup Ly-Rah. Elle lui demanda de lui parler de son pays.

— Pour moi, c'est le plus beau du monde. Vous l'appelez le pays des Roches pâles, mais son vrai nom est Pehr-Goor. Il n'y a pas de montagnes qui crachent le feu comme ici, mais seulement des collines aux pentes douces qui regorgent de gibier. Nous cultivons les champs tout comme vous, et aussi des arbres fruitiers. Nous élevons des chèvres, des mouflons et des sangliers domestiques. Nos villages ressemblent un peu aux vôtres, mais la pierre que nous utilisons est de couleur ocre. Nous n'avons pas de bibliothèques, à part dans notre tribu des Palkawans. Et encore, les livres ne sont pas nombreux. Ce sont ceux que les Renards nous ont offerts au fil du temps. Mais ils se détériorent et nous ne savons pas les reproduire. Il n'y a pas de scribes.

— Pourquoi n'avez-vous pas essayé d'apprendre les signes sacrés ?

— Quelques membres de notre nation les connaissent un peu, suffisamment pour savoir déchiffrer les livres que nous possédons. Mais la lecture n'intéresse pas les gens de Pehr-Goor. Je crois qu'il existe une certaine défiance envers l'écriture.

— Je ne vois pas pourquoi.

— Les sorciers pensent que seuls les dieux devraient avoir le droit de conserver ainsi la mémoire des événements.

— C'est ridicule. Jamais nos dieux ne se sont offensés. Nos livres ont amélioré notre vie en nous faisant bénéficier du savoir de nos ancêtres. Sans eux, nous ne saurions plus rien d'eux aujourd'hui. Et nous aurions oublié les remèdes qu'ils contiennent.

— Les chamans les connaissent.

— Ils ne les connaissent pas tous. Et si un chaman meurt sans avoir transmis son savoir, il disparaît avec lui. Les livres permettent de le conserver.

— C'est vrai.

— Ils conservent aussi la vérité. Sans eux, les chefs et les chamans pourraient la modifier pour imposer leur domination. C'était le cas autrefois, avant la venue de Noï-Rah. Ceux qui parlaient bien pouvaient faire croire à des mensonges qui servaient leurs intérêts. Et les peuples les suivaient parce qu'ils étaient ignorants. Aujourd'hui, il suffit de consulter les livres pour connaître la vérité. Je suis sûre que l'écriture est destinée à se répandre sur le monde. Et elle bouleversera la vie des peuples.

— Certains disent qu'elle peut être dangereuse, parce que seuls ceux qui savent lire possèdent le pouvoir. Ils peuvent interpréter ce qui est écrit à leur manière.

— C'est pourquoi tous les enfants apprennent les signes sacrés. Au moins chez les Renards, ajouta-t-elle avec une moue désabusée.

— Ce n'est pas le cas dans les autres nations des Montagnes de feu ?

— En théorie, toutes les tribus doivent apprendre les signes aux enfants à partir de l'âge de sept ans. Ils apprennent très vite. Mais mon oncle Ham-Khal, le chef des scribes de No'Si'Ann, m'a dit que, depuis quelque temps, dans certains villages, les chefs ont interdit cet enseignement. Ils disent que les enfants perdent leur temps avec l'écriture et qu'ils doivent d'abord garder les troupeaux. Les reines de ces villages ont tenté d'imposer un enseignement minimum, mais la plupart du temps, elles ont échoué. Les chefs de ces tribus ont choisi dans leur clan quelques enfants pour assimiler les signes. Bientôt, le savoir des livres ne sera plus accessible qu'à ce seul clan.

— Je comprends ce que tu disais à propos des chefs qui mentaient pour servir leur intérêt.

— Je crains que dans ces nations, ce ne soit à nouveau le cas. Cela va à l'encontre des lois de Noï-Rah.

— Et cela correspond à la vision qu'elle t'a envoyée.

— Malheureusement, oui.

— Ces lois ont été acceptées pendant plus de quatre siècles. Comment expliquer ce changement d'attitude de la part de certains chefs ?

— Je l'ignore. Nous en apprendrons peut-être plus au cours de l'assemblée. Cette année, je dois participer à la réunion des reines.

La hauteur des montagnes stupéfiait Ken-Loh. Il avait peine à imaginer que certaines d'entre elles étaient capables de vomir des flots de lave. Un matin, ils passèrent à côté de deux monts dont s'échappaient de lourdes volutes inquiétantes.

— Les dieux volcans dorment, expliqua Ly-Rah. Mais ils peuvent se réveiller à tout moment et se mettre en colère.

— Que se passe-t-il alors ?

— Cela dépend. Certains crachent de la roche liquide, d'autres projettent des pierres de feu très haut dans le ciel. Ceux-là sont plus dangereux. Il vaut mieux se trouver loin quand cela arrive.

Ken-Loh avait du mal à croire qu'une montagne soit capable de cracher du feu. Devant son scepticisme, elle l'entraîna jusqu'au sommet de l'un des volcans. Lorsqu'ils furent parvenus sur la crête, il découvrit avec stupéfaction une vaste dépression au centre de laquelle s'étendait un lac rougeoyant, qui semblait animé d'une vie propre. Une chaleur intense montait des profondeurs.

— Qu'est-ce que c'est ? demanda le jeune homme, inquiet.

— De la lave. Au centre du dieu volcan, il fait tellement chaud que la pierre elle-même se met à fondre.

Ken-Loh pâlit.

— Et tu n'as pas peur que ce dieu s'offusque de notre présence ?

— Non. Les dieux des volcans nous protègent. Noï-Rah est leur fille. Pourquoi nous feraient-ils du mal ? Autrefois le dieu Pa'Hav s'est sacrifié pour sauver la tribu des Renards. Nous sommes tous ses enfants.

— Comment un dieu peut-il se sacrifier ?

— Tu le verras demain... si tu as le courage de me suivre.

Il essaya de la faire parler, mais elle ne lui en dit pas plus.

Le lendemain, la troupe traversa le territoire de la tribu des Chouettes. C'était sur leur domaine que se trouvait le dieu Pa'Hav. Comme chaque année depuis l'époque de Noï-Rah, la tribu des Renards profitait du voyage à l'assemblée des rheuns pour rendre hommage au dieu volcan.

En arrivant au village de Khom'Ann, Mahl-Kahr s'imaginait rencontrer le chef des Chouettes afin de faire route avec lui, comme ils en avaient coutume. Mais on lui apprit que le nouveau chef, Haar-Skonn, élu depuis quelques lunes, était déjà parti. Cette nouvelle étonna Mahl-Kahr. Il entretenait des liens d'amitié avec l'ancien chef, Jehn. Malheureusement, il avait perdu la vie en se noyant dans un torrent au début de l'hiver précédent, et un jeune guerrier l'avait remplacé. Qu'il n'ait pas attendu les Renards constituait presque un affront. Ce fait était d'autant plus contrariant que les Aurochs, sous le commandement de Bahr-Kynn, avaient déjà fait de même. Visiblement, les chefs des nations de la région faisaient fi des lois de l'hospitalité qui avaient toujours régi les relations entre les différentes tribus des Montagnes de feu. Cela n'augurait rien de bon pour la prochaine assemblée des rheuns. Mais peut-être Bahr-Kynn n'avait-il pas apprécié que la délégation des Ours gris, qui étaient leurs vassaux, se joigne au convoi des Renards lorsque ceux-ci avaient traversé leurs terres. Les Ours gris vivaient à trois jours de marche au sud de No'Si'Ann et entretenaient d'excellentes relations avec les Renards. En revanche, depuis l'avènement de Bahr-Kynn, ils supportaient de plus en plus mal la vassalité qui les liait aux Aurochs.

Contrairement aux années passées, on fit donc route sans les Aurochs et les Chouettes. Vers la fin de la matinée, la troupe fit halte à quelque distance d'une autre montagne dont ne s'échappait aucune fumée inquiétante. Pourtant, Ken-Loh remarqua la nervosité de beaucoup d'hommes, hormis parmi les Renards. Plusieurs individus ne cessaient de toucher leurs amulettes protectrices, comme si les lieux étaient hantés par des esprits mauvais dont il fallait à tout prix se protéger. Il s'en étonna, mais Ly-Rah ne lui fournit aucune explication. Elle se contenta de lui demander :

— Es-tu prêt à me suivre auprès de notre dieu Pa'Hav ?

— Bien sûr.

Il n'était guère rassuré, mais il était hors de question de passer pour un couard aux yeux de la jeune fille. Cependant, il commença à se poser des questions lorsque la plupart des membres de la troupe déclinèrent l'invitation de Mahl-Kahr. Parmi les hommes des Roches pâles, seuls Gristan et deux autres chefs, Bahal-Kohr, chef des Lacauns, et Krigs, chef des Mohondos, acceptèrent de participer à l'expédition. Ni les Ours gris, voisins des Renards, ni les Aurochs retardataires qui s'étaient joints au convoi n'osèrent se risquer en direction de l'angoissante divinité. Tandis que tout le monde s'installait pour une pause confortable – prétexte à quelques agapes –, les Renards quittèrent la piste en direction de la montagne cernée par une vaste étendue forestière.

La sylve épaisse n'était traversée que par quelques sentes tracées par les animaux, et la progression n'était guère facile. De toute évidence, ces chemins malaisés n'étaient pas souvent empruntés par les hommes. Le relief chaotique rendait la progression encore plus pénible. Petit à petit, à la suite de la reine Loo-Nah et de Khrent, le petit groupe s'éleva en direction d'un plateau. Hors d'haleine, Ken-Loh déployait de louables efforts pour ne pas trahir sa fatigue devant la jeune fille qui, elle, avait l'habitude de parcourir les chemins de montagne. Soudain, à l'endroit où la fourrure forestière s'achevait sur un plateau menant directement au pied du dieu volcan, Ken-Loh fut saisi par une vision d'apocalypse. Devant lui se dressaient des centaines de silhouettes humaines figées dans des poses grotesques, les bras levés comme si elles tentaient de se protéger dérisoirement de quelque chose de terrifiant en provenance de la montagne. Les visages de pierre reflétaient l'horreur et la souffrance. Les bouches pétrifiées s'ouvraient sur des cris muets, témoins de la terreur qui s'était emparée des malheureux. Ils portaient encore des restes de lances rongés par le temps, des poignards de silex. Certains s'étaient brisés sous les assauts des éléments et il ne restait d'eux qu'un tronc sans tête ou des jambes sans tronc presque retournés à la poussière. Une végétation rase et souffreteuse rampait entre ces guerriers d'un autre temps.

Mal à l'aise, Ken-Loh demanda à Ly-Rah :

— Qui sont ces gens ?

— Ils appartenaient à un peuple qui voulait conquérir les Montagnes de feu. Noï-Rah les avait déjà repoussés une première fois, mais ils sont revenus encore plus nombreux. Alors, au moment où ils passaient près de lui, le dieu Pa'Hav a explosé. Noï-Rah a eu la vision de ce qui s'est passé. Le sommet du volcan a disparu et une vague de feu et de cendre s'est répandue tout autour, anéantissant l'armée ennemie. Ils ont été recouverts de cendre brûlante et cuits instantanément. Puis la cendre s'est refroidie et les a pétrifiés. Mais leurs ossements sont encore là, sous la couche de pierre.

Ken-Loh frémit.

— Mais... vous ne craignez pas qu'un jour ils se réveillent ?

— Certaines légendes disent que leurs dieux pourraient leur redonner vie. C'est pour cette raison que peu d'hommes ont le courage de se risquer jusqu'ici. Mais je ne crois pas qu'ils puissent revenir de la mort. Chaque année il y en a moins. Le froid et le gel les détruisent peu à peu. Ils finiront par retourner à la poussière. Et la forêt envahira ce plateau. Tous les ans, elle gagne du terrain.

Traversant les rangs de guerriers pétrifiés, ils se dirigèrent vers le sommet de la montagne. Ken-Loh n'en menait pas large. Il leur fallut encore gravir les pentes ardues du volcan pour parvenir à une sorte de dépression au fond de laquelle s'étendait un lac aux eaux noires et glacées.

— Autrefois, ce lac n'était pas rempli d'eau, mais de roche en fusion, expliqua Ly-Rah. Et la montagne était beaucoup plus élevée.

— Ce volcan est donc le dieu Pa'Hav, qui a donné sa vie pour protéger les Renards ?

— Noï-Rah avait passé une alliance avec lui. Les légendes disent qu'elle était sa fille. Mais je ne crois pas que le dieu Pa'Hav soit vraiment mort. Les dieux ne meurent pas. Ils s'endorment. Pa'Hav est endormi, mais il continue à veiller sur les Renards et sur les nations des Montagnes de feu. C'est pourquoi nous venons ici chaque année pour lui rendre hommage. C'est aussi dans ces eaux que nous déposons les cendres des reines qui ont rejoint les étoiles.

Elle marqua un court silence, puis ajouta :

— C'est ici que je reposerai un jour.

Elle le quitta pour rejoindre Loo-Nah. Toutes deux s'approchèrent de la rive du lac. La reine dégaina son poignard de silex et s'entailla la main pour laisser tomber quelques gouttes de sang dans les eaux sombres, tout en prononçant une formule rituelle dans une langue inconnue. Lorsqu'elle en eut fini, Ly-Rah reproduisit les mêmes gestes. Ainsi se renouvelait chaque année, depuis l'époque de Noï-Rah, l'alliance qui unissait le dieu volcan à la nation des Renards.

Lorsque la cérémonie fut terminée, Ken-Loh lui demanda la signification des paroles que sa mère et elle avaient prononcées.

— Ce sont des mots de l'ancienne langue de Noï-Rah, celle que parlaient les pasteurs cultivateurs de sa première tribu. Leur langue s'est mêlée à celle des chasseurs au cours du temps, mais on conserve encore la trace de ce langage, que nous utilisons pour les sacrifices aux dieux, parce qu'il fut la langue maternelle de la déesse bienveillante.

Peu après, la petite troupe quitta le Pa'Hav. Impressionné, Ken-Loh ne disait mot. Il n'existait pas, dans son pays, de lieu aussi inquiétant que le sommet de cette montagne de feu éteinte. Ce pays était bien à la dimension des dieux. Il se dégageait de ce volcan endormi un étrange mélange de sérénité et d'angoisse, comme si la souffrance infligée autrefois aux guerriers prisonniers de la cendre restait incrustée dans la roche. Au-delà de Pehr-Goor, un seul endroit était aussi grandiose : le grand fleuve salé. Il se promit d'emmener Ly-Rah le voir… si un jour elle venait lui rendre visite. Tandis qu'il redescendait à ses côtés les pentes du volcan, il la contempla discrètement. Jamais il n'avait rencontré de fille plus attirante. Il se dégageait d'elle une beauté sauvage et insaisissable, à l'image de cette mystérieuse montagne de feu. Une douleur sourde lui rongeait les entrailles, car il savait que jamais elle n'accepterait de le suivre dans son pays. Elle était destinée à devenir reine, et pour cela elle appartenait à son peuple. Tout comme lui devrait un jour prendre la tête de la nation des Palkawans. Là était son devoir et il ne le fuirait pas. Il leur faudrait donc se contenter d'être amis.

Le lendemain matin, la troupe arrivait en vue du lac Gh'Amb.

11

La tribu des Ours noirs était vassale de la nation des Fils de l'Eau. Autrefois l'une des plus puissantes des Montagnes de feu, elle comptait désormais un peu moins de trois cents personnes. Elle s'enorgueillissait cependant d'avoir la responsabilité de l'entretien des longues maisons qui accueillaient les réunions des chefs ou celles des reines chaque année. Cette charge lui valait également de ne payer aucun tribut à sa tribu suzeraine, ce qui lui conférait une quasi-indépendance.

Le village, Chamb'Ann, s'étirait le long du lac Gh'Amb, qui avait fait l'objet de combats féroces à l'époque de Noï-Rah. Afin de faire taire les conflits, la déesse bienveillante avait proposé de choisir ce lieu pour accueillir l'assemblée des rheuns, lieu qui offrait l'avantage de se situer au cœur même du pays des Montagnes de feu. La nation des Ours noirs, jadis très belliqueuse, s'était immédiatement adaptée à ce nouveau statut et avait abandonné toute velléité guerrière.

Comme ses prédécesseurs au fil des siècles, le chef des Ours noirs, Khal, tenait à afficher la neutralité la plus totale et accueillait lui-même chaque chef de tribu sans faire de distinction entre les plus puissants et les plus faibles. Les richesses apportées par chaque nation profitaient largement aux Ours noirs et il convenait de ménager tout le monde.

A peu de distance du village s'étirait le hah'rehn, la place des Conseils, l'esplanade réservée à l'assemblée, sur laquelle se dressaient les grandes bâtisses destinées aux réunions : le ho'rheun, la maison des chefs, et le ho'gynn, la maison des reines. Plus loin se situait le hah'taad, la place des jeux où l'on trouvait des pistes de course à pied, des champs de tir à l'arc et au javelot, des terrains où s'affrontaient les champions. L'assemblée des rheuns était l'occasion de joutes amicales qui renforçaient la cohésion des nations. Plus au nord s'étendait le hah'koom, le marché où se rassemblaient les colporteurs, marchands et artisans de toutes les nations, y compris celles de l'extérieur. Depuis l'époque de Noï-Rah, les peuples des Montagnes de feu accueillaient les délégations commerciales venues d'au-delà des volcans. Cependant, leurs chefs ne participaient pas aux réunions des rheuns. Même si on leur réservait un bon accueil, ils n'en restaient pas moins des « étrangers », dont on se méfiait un peu. Bien souvent, ils parlaient des langues différentes et la communication n'était pas toujours facile.

Enfin, à l'autre extrémité du lac, se trouvait un vaste terrain bordé d'une forêt, le hah'goor. C'était à cet endroit que l'on dressait les tentes de peau des visiteurs. Ceux-ci se regroupaient par nations, à des emplacements réservés d'une année sur l'autre afin d'éviter les conflits. Les nations les plus puissantes bénéficiaient de la proximité du lac.

L'assemblée était toujours l'occasion de grandes réjouissances. Pourtant, Ly-Rah éprouva un certain malaise en pénétrant dans le hah'goor. D'ordinaire, il régnait une ambiance chaleureuse et joyeuse. On était heureux de se retrouver après une année, on bavardait, on prenait des nouvelles des uns et des autres. On apprenait les décès, les naissances, on préparait les mariages, on échangeait des informations au sujet des troupeaux migrateurs, des semailles et des récoltes. On engageait des paris sur les performances des champions qui allaient s'affronter dans les différentes disciplines. Cette année, l'ambiance amicale n'était pas au rendez-vous. Les nations s'étaient resserrées frileusement sur l'emplacement qui leur était réservé. Les regards ne reflétaient aucune cordialité, mais une méfiance nouvelle.

Avec les tribus des Roches pâles et les Ours gris qui avaient tenu à faire route avec eux, les Renards constituaient la troupe la plus importante de l'assemblée. La première journée fut occupée au montage des abris. Bien que l'on fût à l'époque des nuits courtes, le temps restait frais, à l'image de l'atmosphère inquiétante qui pesait sur l'assemblée.

Le lendemain, Ly-Rah entraîna Ken-Loh vers le marché, le hah'koom, où régnait une animation intense. On y troquait de tout, des semences, des armes, des vêtements, des poteries, des animaux, chèvres, mouflons, chiens, bœufs. Depuis l'époque de Noï-Rah, l'esclavage avait disparu et l'on ne troquait plus d'êtres humains, comme c'était le cas avant.

Ly-Rah aimait flâner parmi les étals des tailleurs et des tisserands. On travaillait la peau, le lin, le bois, l'os, la pierre. Les bijoux s'ornaient de cristaux de toutes sortes et de toutes couleurs. Les artisans fabriquaient des chaussures, souliers ou bottes découpés dans le cuir le plus épais, et fourrés de peau de mouton pour les périodes froides. D'autres proposaient toutes sortes de sacs et besaces, depuis les petits modèles où l'on pouvait ranger les divers instruments utilisés quotidiennement par les femmes, peignes, barrettes pour les cheveux, racloirs pour la peau, jusqu'aux plus grands destinés aux chasseurs ou aux cueilleurs. Chaque tribu possédait sa manière de les assembler et de les décorer.

On pouvait aussi admirer les poteries d'une tribu dont le territoire se situait quelque part à plusieurs jours de marche vers le sud-est. Leur particularité reposait sur la couche de couleur brillante qui recouvrait ces poteries, aussi bien à l'extérieur qu'à l'intérieur. Comme ils conservaient jalousement leurs secrets, on n'avait jamais été capable de les reproduire. Très prisées, ces poteries avaient quatre à cinq fois plus de valeur que les autres. Il en existait de différents coloris : bleu, vert, marron, rouge, mauve, jaune.

Entre les étals étaient dressés des foyers où rôtissaient des animaux que l'on découpait à la demande. Une agréable odeur de viande grillée flottait dans l'air, mêlée aux senteurs du cuir, du lin, des fruits et légumes exposés en abondance. Certains pressaient des fruits en utilisant des pièces de lin dans lesquelles on tordait la pulpe pour en exprimer le jus, recueilli dans des gobelets de terre. D'autres faisaient cuire sur des pierres chauffées au feu des galettes qu'ils enduisaient ensuite de miel.

On croisait partout des bateleurs, des montreurs d'ours apprivoisés, des dresseurs de chiens, des jongleurs. Plus loin s'étendait le hah'taad, l'aire des jeux. Avant les concours qui verraient s'affronter les champions de chaque tribu, chacun dans sa spécialité, on se jetait des défis dans une discipline ou une autre. Tir à l'arc, à la fronde, lancer de javelots, de troncs d'arbres, de lourdes pierres, épreuves de force de toutes sortes, tout était bon pour parier, un poignard, un vêtement ou une mesure de grain.

D'habitude, les paris et les jeux se déroulaient dans une atmosphère bon enfant. Cette année, les regards restaient tendus et méfiants. Certains échangeaient des paroles sèches et provocatrices. Les perdants refusaient leur défaite et se montraient menaçants, accusant les vainqueurs de tricherie, à tel point qu'à plusieurs reprises des hommes durent intervenir pour les empêcher d'en venir aux mains.

Ly-Rah affichait une mine soucieuse. D'ordinaire, on la laissait se promener seule parmi les étalages. Cette année, Khrent avait exigé qu'elle soit toujours suivie par Lo-Kahr et deux autres guerriers appartenant à la garde de Mahl-Kahr, dont il était le capitaine. Cette surveillance mettait la jeune fille mal à l'aise, non à cause des guerriers, qu'elle connaissait bien, mais parce qu'elle concrétisait l'ambiance délétère qui régnait sur l'assemblée des rheuns.

Lors de ce rassemblement annuel, même s'il existait un conflit entre deux nations, la coutume voulait que l'on respectât une trêve. Par ailleurs, en dehors des sempiternels désaccords territoriaux, une véritable entente régnait entre les nations des Montagnes de feu. Il semblait que ce n'était plus le cas pour certaines tribus. La tension entre les Aurochs et les Fils de la Nuit était palpable. On essayait de s'éviter, mais ce n'était pas toujours évident. Lorsque les hommes de ces nations se croisaient, des insultes fusaient, parfois des armes jaillissaient et seule l'intervention de membres d'autres tribus permettait de calmer les esprits échauffés.

— C'est la première fois qu'ils sont comme ça, commenta Ly-Rah. Je ne comprends pas ce qui a pu se passer.

Ken-Loh éclata de rire.

— Il existe des assemblées comme celle-ci au pays de Pehr-Goor. Et il y a toujours quelques belles bagarres entre participants, pour un troc mal conclu, pour une femme, une pièce de gibier. Tous les prétextes sont bons. Les gens de nos régions ont la tête près du bonnet et le sang chaud. Cela se termine par quelques dents cassées et des yeux pochés. Mais cela ne va pas plus loin.

— Cela arrive ici aussi. Mais cette fois, c'est différent. C'est comme si un esprit mauvais avait répandu la haine entre nos peuples. Et cela me fait peur.

Ken-Loh eut de nouveau envie de la prendre dans ses bras. Mais il s'abstint.

Le lendemain avait lieu le premier conseil des reines. Ayant atteint l'âge de dix-huit soleils, Ly-Rah y assisterait pour la première fois. Une autre future reine, de la tribu des Serpents, lui tenait compagnie. Elle s'appelait Kyhm. C'était une jolie brune aux yeux de félin qui vint se placer spontanément à ses côtés. Ly-Rah la connaissait déjà pour l'avoir rencontrée l'année passée. Mais toutes deux étaient alors trop jeunes pour participer à l'assemblée. Cette année, elles avaient acquis un statut plus important. Cependant, il leur était interdit d'intervenir. Elles devaient se contenter d'écouter. Elles pouvaient aussi noter sur une écorce de bouleau les questions qu'elles auraient aimé poser pour les soumettre plus tard à leurs mères. Leur présence à l'assemblée leur permettrait d'apprendre le rôle qu'elles auraient à jouer. Toutefois, Loo-Nah avait dit à sa fille qu'elle aurait certainement à prendre la parole, pour rapporter sa vision.

Au lever du soleil, les reines pénétrèrent dans le ho'gynn. Elles auraient dû être vingt-quatre, mais la mort de Shi-Nah, reine des Faucons, avait réduit leur nombre. Tandis que Ly-Rah et Kyhm restaient en arrière, les reines formèrent un cercle, réservant un emplacement vide pour leur compagne disparue. La réunion commença par un chant destiné à attirer la bienveillance des dieux volcans. C'était une mélodie étrange, lente et mélancolique, qui fut initiée par la plus âgée des reines, Ma-Nahi, de la tribu des Loutres.

Le chant achevé, elles s'assirent en tailleur, toujours en laissant libre la place de Shi-Nah. Ce fut le premier sujet abordé. Ma-Nahi, en tant que doyenne, dirigeait les débats. Chaque reine parla à son tour. L'hypothèse la plus couramment admise était que Shi-Nah avait été victime de démons forestiers. Elle ne satisfaisait personne, car aucun des livres ne relatait l'apparition d'esprits capables de prendre possession de l'âme d'un être humain, encore moins d'une reine. Mais il était certain que Shi-Nah n'était plus elle-même lorsqu'elle avait incendié la bibliothèque des Faucons en se donnant la mort.

— Comment une telle chose a-t-elle été possible ? demanda Ma-Nahi.

Loo-Nah intervint :

— Il existe peut-être une autre explication que celle des démons. Nous savons toutes concocter des potions capables de plonger un être humain dans le sommeil. Pourquoi ne pas imaginer que l'on puisse créer des philtres capables de supprimer la volonté ?

Des regards incrédules se tournèrent vers elle. Elle poursuivit :

— Nous ne sommes pas les seules à élaborer des breuvages à base de plantes. D'autres tribus maîtrisent ce savoir. Peut-être certains chamans possèdent-ils des connaissances que nous ignorons.

Ly-Rah, qui ne perdait pas une miette des échanges, constata une réaction plutôt sceptique de la part des reines. Ma-Nahi répondit :

— Nous connaissons toutes les tribus qui participent à l'assemblée des rheuns depuis des années. Elles fournissent des philtres et des pommades qui soignent certaines maladies. Mais je n'ai jamais entendu parler de potions capables d'annihiler la volonté.

On approuva Ma-Nahi. Loo-Nah répliqua :

— Si une tribu, connue ou inconnue, était douée de ce savoir, elle se garderait bien de le partager. Surtout si ses intentions sont mauvaises. La mort de Shi-Nah est un signe. Je suis persuadée que les nations des Montagnes de feu sont actuellement attaquées par un ennemi venu de l'extérieur. Il investit nos villages et se mêle à nos peuples pour semer la discorde. Il cherche à provoquer des conflits entre certaines tribus. Trois pêcheurs des Chauves-souris ont été massacrés. On a découvert des indices qui pousseraient à croire que les meurtres ont été commis par des Chouettes. Les Chauves-souris réclament justice et exigent qu'on leur livre les coupables. Mais les Chouettes clament leur innocence. Chacun campe sur ses positions. Il y a eu d'autres escarmouches, entre nations voisines, les Loups noirs et les Fils de l'Eau, les Fouines et les Lynx. Je redoute ce qui va se passer demain à la réu-

96

nion des rheuns. Car cela correspond trop bien à la prophétie émise par ma fille il y a quelque temps.

Elle se tourna vers elle.

— Ly-Rah, parle-nous de la prophétie de Noï-Rah.

On l'invita à pénétrer à l'intérieur du cercle. Une nouvelle fois, elle dut revivre sa vision, puis répondre aux questions des reines. Lorsqu'elle eut terminé, un grand silence se fit. Enfin, Lynn prit la parole :

— J'ai bien peur que cette vision ne reflète la vérité. Ma-Nahi, tu es toujours respectée dans ta tribu des Loutres. Mais je ne le suis plus dans la mienne. Mohn-Kaï déclare que les femmes ne sont pas faites pour participer aux décisions. Il conteste notre pouvoir et se désintéresse de ce que contiennent les livres. Pire encore, il refuse que les enfants apprennent les signes sacrés. Seuls les garçons de son clan y ont accès. Les filles en sont exclues.

— Pourquoi fait-il ça ? demanda une jeune reine. Le savoir va se perdre.

— Un peuple ignorant est plus facile à manipuler et à dominer qu'un peuple instruit, répondit Loo-Nah. Noï-Rah l'avait compris en son temps. C'est pour cette raison qu'elle voulait que tous les enfants, les filles comme les garçons, puissent apprendre l'écriture.

D'autres reines, notamment celles des tribus inféodées aux Aigles, intervinrent pour confirmer ce comportement nouveau. Lynn reprit :

— C'est le goût du pouvoir qui mène Mohn-Kaï. Il clame haut et fort que les nations des Montagnes de feu devraient s'unir sous la férule d'un roi pour conquérir d'autres territoires sur l'extérieur. Il veut proposer l'élection de ce roi au conseil des rheuns.

— Et il se verrait bien dans ce rôle, compléta Loo-Nah.

— Exactement. J'ai tenté d'en parler avec lui, de lui montrer qu'il risquerait de déclencher des conflits. Il a refusé de m'écouter.

— Il n'est pas le seul, intervint Veh-Rah, la reine des Aurochs. Bahr-Kynn veut faire la même proposition.

— Pourquoi veulent-ils devenir roi ? demanda Ma-Nahi.

— Ils prennent exemple sur Atham-Kahr, qui avait fédéré toutes les nations des Montagnes de feu pour mener la guerre contre les Molgohrs.

— Il l'a fait pour défendre nos peuples. Mais nous ne sommes pas en guerre. Enfin... sinon contre cet ennemi invisible.

— Nous ne sommes pas encore en guerre, dit Lynn. Mais Mohn-Kaï veut conquérir de nouveaux territoires. Il veut capturer des esclaves. Il s'appuie sur la légende d'Atham-Kahr pour asseoir sa propre ambition.

— Atham-Kahr n'envisageait pas de mener une guerre de conquête. Et nous refusons de transformer des êtres humains en esclaves.

— Mais cette idée séduit beaucoup les jeunes Aigles. Ainsi que bon nombre d'autres, dans les tribus vassales. Il leur fait croire qu'ils auront chacun plusieurs serviteurs qui feront le travail de la terre à leur place. Je m'évertue à leur ouvrir les yeux, à leur faire comprendre que beaucoup d'entre eux mourront au cours des combats. Ils ne m'écoutent pas. Ils s'échauffent mutuellement.

— Bahr-Kynn pratique la même politique, renchérit Veh-Rah.

— Il est tout de même curieux que de tels individus soient devenus chefs, dit Loo-Nah. Comment ont-ils été choisis ?

— Ce sont tous deux des chefs jeunes, répondit Lynn. Ils ont été élus par les jeunes hommes de leur tribu. Et ils ne sont pas les seuls. Les cinq nations des Aigles ont perdu leurs anciens rheuns en l'espace de trois années. A ceux-là, il faut ajouter Mo-Syhr, chef des Loups noirs, qui dépendent des Grands Cerfs, Prit-Han, le chef des Fouines, Haar-Skonn, chef des Chouettes, et Huhl-Drak, chef des Chauves-souris. Tous ces jeunes chefs sont belliqueux et prêts à en découdre, même entre eux.

Loo-Nah reprit la parole :

98

— La disparition des anciens chefs est inquiétante. Je sais bien qu'ils n'étaient plus très jeunes, mais ils semblaient en bonne santé. Il n'est pas normal qu'ils aient péri dans un délai aussi court, surtout quand on constate qu'ils ont tous été remplacés par des chefs agressifs. Il ne s'agit pas d'une coïncidence.

— Soupçonnerais-tu qu'ils ont été éliminés par leurs successeurs ? demanda Ma-Nahi.

— C'est possible. Comment sont-ils morts ?

Ce fut Lynn qui répondit :

— Accidents de chasse, maladies soudaines, blessures infectées. A part le fait que ces morts soient rapprochées, elles n'ont apparemment rien de suspect. Quant à l'élection de chefs ambitieux, elle correspond à l'état d'esprit des jeunes hommes dans ces tribus.

— La vraie question est là : qu'est-ce qui a provoqué ce changement de mentalité ?

Lorsque la réunion s'acheva, Ly-Rah interrogea sa mère :

— Maman, penses-tu que Mahl-Kahr soit en danger ?

— Pas lui. Mais d'autres chefs le sont peut-être. Les reines vont les prévenir. Il faut qu'elles se montrent prudentes, elles aussi. Nous ne devons pas oublier ce qui est arrivé à Shi-Nah. Je pense que tout cela est lié.

Le lendemain matin, une rumeur se répandit comme une traînée de poudre dans le campement : Nay-Lah, la reine des Loups noirs, avait disparu.

12

La tribu des Loups noirs était vassale de la nation des Grands Cerfs, et son territoire se situait au nord-est de celui des Renards.

— Ils viennent souvent faire du troc à No'Si'Ann, commenta Ly-Rah pour Ken-Loh. Nos villages ne sont qu'à deux jours de marche l'un de l'autre. Je connais bien Nay-Lah et son mari, Roh-Bahr.

Dès qu'elle avait appris la nouvelle, elle s'était rendue dans le campement des Loups noirs en compagnie du jeune homme et du géant Lo-Kahr. Elle y retrouva Roh-Bahr, Mo-Syhr, le rheun de la tribu, Khi-Maï le chaman. Roh-Bahr l'accueillit avec un visage anxieux. C'était un homme encore jeune, portant une barbe épaisse comme tous les Loups noirs, et des scarifications sur les bras et les mains censées symboliser les pattes de leur animal totem. Nay-Lah avait succédé à sa mère six ans plus tôt. Jeune femme calme et discrète, elle était très aimée dans sa tribu pour sa douceur et ses connaissances.

— Ly-Rah ! Sois la bienvenue, dit Roh-Bahr. As-tu des nouvelles ? Nay-Lah était à l'assemblée des reines, hier. Tu y étais aussi.

— Elle était là, oui.

— Elle n'est pas revenue au campement hier soir, après la réunion. Je sais qu'elle voulait se rendre au marché et rentrer ensuite. Mais personne ne l'a vue. Elle ne t'a rien dit ?

— Elle m'a dit qu'elle voulait passer sur le hah'koom pour voir les robes et les poteries. Elle ne m'a pas semblé particulièrement inquiète.

— Elle va revenir ! s'exclama Mo-Syhr en haussant les épaules. Elle a sans doute rendu visite à une autre reine dans la tribu de laquelle elle a passé la nuit.

Ly-Rah détestait Mo-Syhr, qu'elle connaissait en raison de ses visites à No'Si'Ann. Il affichait en toutes circonstances un air suffisant et hypocrite. Il avait succédé à l'ancien chef deux ans auparavant. Il faisait partie de ces jeunes rheuns belliqueux évoqués au cours de la réunion des reines. Le sorcier quant à lui ne disait rien. Khi-Maï parlait peu, écoutait beaucoup. Ses yeux mobiles scrutaient ses interlocuteurs. Tous deux se complétaient parfaitement. Apparemment, ils ne faisaient pas grand cas de la disparition de Nay-Lah. Ly-Rah n'avait aucune confiance en ces deux hommes. Ce qu'elle avait appris la veille ne l'incitait pas à revenir sur son sentiment. Surtout lorsque Mo-Syhr ajouta avec un rire gras :

— A moins qu'elle n'ait trouvé un bel homme pour te remplacer.

Sa remarque eut l'air de le réjouir grandement. Il envoya une claque dans le dos de Roh-Bahr et s'éloigna en se tenant les côtes, sous le regard éberlué de Ly-Rah.

— Quel imbécile ! s'exclama-t-elle lorsqu'il se fut éloigné en compagnie du sorcier.

Roh-Bahr crispait les poings de colère impuissante. Il grinça :

— Une reine est fidèle à son mari. Mais ce crétin l'ignore et il n'a aucune considération pour les reines. Je suis très inquiet, Ly-Rah. Fuguer ne ressemble pas à Nay-Lah.

La jeune fille lui posa la main sur le bras.

— Les recherches n'ont rien donné ?

— Mo-Syhr n'en a pas ordonné. Il considère que c'est inutile.

— Mais tout le monde en parle sur le hah'goor. Dans toutes les tribus. Si elle était avec l'une d'elles, tu serais immédiatement averti.

Elle n'osa pas ajouter que beaucoup faisaient le rapprochement avec le drame de Shi-Nah. Mais elle comprit qu'il occupait déjà les pensées de Roh-Bahr.

— Tu peux venir dans notre tribu si tu le souhaites. Mahl-Kahr et ma mère t'apporteront leur aide.

— Je te remercie de ton hospitalité.

Un peu plus tard, Ly-Rah et ses compagnons étaient de retour chez les Renards. Loo-Nah accueillit Roh-Bahr avec amitié.

— Nous allons t'aider à la retrouver. Nay-Lah est notre sœur.

Sur l'ordre de Mahl-Kahr, plusieurs guerriers se dispersèrent dans le campement. Des femmes les accompagnaient, afin de ne pas attirer l'attention des éventuels ravisseurs. Ainsi, ils paraissaient se livrer benoîtement au troc.

Malheureusement, les recherches se révélèrent infructueuses. Le soir venu, personne n'avait réussi à découvrir la moindre trace de la reine disparue. Roh-Bahr était au désespoir, tandis que Mo-Syhr continuait de se moquer de lui avec des allusions graveleuses. Ly-Rah, qui avait raccompagné Roh-Bahr dans sa tribu, dut se tenir à quatre pour ne pas sauter à la gorge de l'individu. Mais Khrent, qui était avec elle, lui intima l'ordre de rester tranquille.

— Mo-Syhr cherche la provocation, lui dit-il plus tard. Il ne faut pas entrer dans son jeu. Si j'avais réagi, j'aurais risqué de causer un incident entre nos deux tribus.

— C'est ce qu'il cherche en effet. Mais pourquoi ?

— Sans doute espère-t-il que Nay-Lah ne reviendra pas. Il était obligé de partager son pouvoir avec elle et cela ne lui plaisait pas. Il fait partie de ces jeunes chefs qui refusent l'autorité des reines.

— Elles en ont parlé lors de la réunion, hier. Lynn et Veh-Rah ont dit que certains chefs rêvent d'élire un roi pour mener une guerre de conquête.

— Ta mère me l'a rapporté. C'est un raisonnement stupide. Ils doivent bien se douter que la plupart des rheuns refuseront de se soumettre à un roi.

— Ils prennent Atham-Kahr pour exemple.

— Les temps étaient différents. Le pays était menacé. Jamais Atham-Kahr n'a voulu conquérir de nouveaux territoires. Ils le savent, mais ils se servent de sa légende pour rassembler leurs jeunes guerriers derrière eux. Ils sont comme les chiens d'une meute. Et plus ils seront nombreux, plus ils se sentiront forts. C'est bien ça qui m'inquiète.

— Tu crains qu'ils ne cherchent à imposer leur volonté par la force.

— Ils sont assez bêtes pour ça. Cela correspond à ta vision. Mais il y a autre chose.

— Quelqu'un... ou quelque chose les pousse à agir ainsi.

Il lui adressa un sourire triste et la serra contre lui.

— Tu as toutes les qualités pour devenir reine, ma fille. Tu vois au-delà des apparences.

— Qui peut avoir intérêt à faire ça ?

— Ta mère pense qu'un ennemi mystérieux tente actuellement de semer le trouble et le chaos dans notre pays. Je partage son avis.

— D'après Lynn, Mohn-Kaï croit lui aussi que cet ennemi existe. C'est pour cette raison qu'il veut l'élection d'un roi. Bahr-Kynn raisonne sans doute de la même manière.

— Ils veulent être élus roi l'un et l'autre. C'est leur seule ambition qu'ils veulent servir. Et pour cela, ils sont prêts à briser la paix qui règne dans le pays depuis si longtemps. Nous devons nous préparer à la guerre. Car il arrivera un moment où les Renards devront faire face à ces enragés.

— Et c'est alors que l'ennemi inconnu attaquera : lorsque les peuples des volcans seront affaiblis par leurs luttes fratricides.

— Exactement.

— Tu peux essayer de leur faire comprendre qu'ils sont manipulés.

— Ils ne le reconnaîtront jamais. Ils sont trop orgueilleux pour ça.

Il soupira.

— La réunion des rheuns a lieu demain. Je vais tenter de leur ouvrir les yeux, mais je ne me fais guère d'illusions.

— En attendant, que fait-on pour Nay-Lah ?

— La nuit va bientôt tomber. Nous ne pouvons plus agir à présent. Demain, parcours le camp et les alentours avec Lo-Kahr. Tâche de repérer les comportements suspects. Fais bien attention à toi.

Ly-Rah eut peine à s'endormir. Elle ne pouvait s'empêcher de penser à la jeune reine disparue. Où pouvait-elle être ? Au-dehors régnait la nuit la plus noire. Seul un maigre croissant de lune diffusait une lueur falote, insuffisante pour percer les ténèbres qui s'étaient abattues sur les montagnes. Quelques feux de camp entretenus par des gardes somnolents maintenaient une lumière parcimonieuse. Ly-Rah avait toujours été impressionnée par la nuit. A No'Si'Ann, on allumait des feux dans des vasques de pierre abritées des vents et de la pluie, afin qu'il y ait toujours de la lumière dans le village. Chaque maison avait son foyer, même en plein été. Mais au-delà du village, la nuit reprenait ses droits. Une nuit totale, effrayante, capable de dissimuler n'importe quel danger. Une nuit source de terreurs irrationnelles, génératrice de cauchemars que seule la clarté de l'aube parvenait à chasser, comme un retour de la vie. La nuit était la sœur de la mort et du néant.

Alors, où était Nay-Lah ? Vers quel néant l'avait-on emportée ?

Le lendemain, la réunion des chefs de tribus débuta dans la confusion. Les Chauves-souris entendaient bien réclamer justice contre les Chouettes qui protestaient de leur bonne foi. De son côté, Mo-Syhr, chef des Loups noirs, exigeait haut et fort qu'on lui restitue la reine Nay-Lah, alors même qu'il ne lui avait pas accordé beaucoup d'importance la veille. Mais c'était une manière de faire entendre sa voix. D'autres conflits furent ainsi étalés au grand jour, chacun parlait en même temps, réclamant le silence. Par moments, certains menaçaient d'en venir aux mains.

Jusqu'au moment où Mahl-Kahr se dressa et frappa violemment le sol avec son bâton de commandement dont le pommeau représentait une tête de renard. Outre le fait qu'il était le plus âgé, il demeurait un colosse dont la voix grave et profonde impressionnait ses interlocuteurs.

— Faites silence !

Il y eut quelques grognements de contestation, mais le calme se fit peu à peu. Près de lui se tenait Khrent, plus grand encore que son chef. Tous deux étaient cousins et descendaient d'Atham-Kahr, ce qui renforçait leur autorité. Ils auraient pu s'opposer pour diriger la nation des Renards, mais ils n'y avaient pas songé un instant, préférant unir leurs compétences pour le plus grand bien de leur peuple. Ils étaient des chefs à l'image des descendants de Noï-Rah et pour cela bénéficiaient d'une grande influence sur les autres. Y compris sur les jeunes ambitieux à qui ils servaient d'exemple, même si aucun d'eux n'eût voulu le reconnaître officiellement.

Mahl-Kahr attendit que le calme fût complètement revenu, puis il déclara :

— Auriez-vous oublié que seule la sagesse doit inspirer les paroles que vous prononcez dans l'enceinte sacrée du ho'rheun ? C'est une règle très ancienne, qui remonte bien plus loin que la venue de Noï-Rah la Bienveillante elle-même. Par respect pour vos ancêtres, vous devez vous exprimer sans haine et avec retenue. Et étudier chaque cas l'un après l'autre.

Mohn-Kaï et Bahr-Kynn voulurent récriminer, mais un regard de Khrent suffit à les faire tenir tranquilles.

Mahl-Kahr se rassit, puis donna la parole à Huhl-Drak, chef des Chauves-souris, qui déposa une plainte contre les Chouettes pour l'assassinat des trois pêcheurs. Haar-Skonn, chef des Chouettes, protesta aussitôt de l'innocence de ses hommes. A quoi Huhl-Drak opposa ses preuves, sous la forme des objets typiques des Chouettes découverts sur les lieux. Le ton recommença à monter. Mahl-Kahr se leva à nouveau pour ramener le calme. Puis il se tourna vers Haar-Skonn, sur le point d'en découdre.

— Es-tu prêt à jurer devant les dieux de tes ancêtres et tous les dieux des Montagnes de feu que toi et tes hommes êtes innocents de ces crimes ?

— Je le jure devant les dieux. Le conflit entre les Chouettes et les Chauves-souris dure depuis toujours à cause de la vallée des loutres de Beh-Leyx, qui nous appartient, et sur laquelle les Chauves-souris viennent chasser indûment.

Huhl-Drak voulut répondre, mais Mahl-Kahr lui imposa le silence d'un geste. Haar-Skonn poursuivit :

— Ce conflit est ancien et a toujours provoqué des bagarres entre nos deux peuples. Mais jamais il n'y a eu de morts. Nous n'avons tué personne.

Hokh-Thar, chef des Fils de la Nuit, suzerain des Chauves-souris, fit remarquer d'un ton calme :

— On a retrouvé une barrette sur place. Vous êtes les seuls à porter ce genre de choses.

— Elle a été mise là pour nous faire accuser et provoquer une guerre entre nos deux nations.

— Et probablement entre les Aurochs et les Fils de la Nuit, compléta Mahl-Kahr. N'oubliez pas ce que rapportent les livres. Ce piège a déjà été utilisé autrefois, à l'époque de Noï-Rah. Il a déclenché une guerre qui s'est terminée par l'extermination d'une tribu.

— Mais alors, qui a tué nos pêcheurs ? s'impatienta Huhl-Drak.

— Des individus qui ont intérêt à vous dresser les uns contre les autres. Ce sont sans doute les mêmes qui ont enlevé les reines Shi-Nah et Nay-Lah. Jamais les peuples des Montagnes de feu n'ont connu autant d'événements dramatiques depuis l'époque d'Atham-Kahr il y a soixante soleils. Je pense que nous avons affaire à un ennemi qui ne nous attaque pas de face, mais cherche à nous diviser pour mieux nous envahir ensuite, quand les guerres qu'il souhaite provoquer nous auront affaiblis. Nous ne devons pas tomber dans son piège.

Bahr-Kynn, chef des Aurochs, se dressa d'un bond.

— Balivernes ! Quel ennemi serait assez fou pour oser s'attaquer à nous ? Nous connaissons les tribus qui viennent ici faire du troc. Aucune n'est assez puissante pour ça.

— Nous connaissons ces tribus en effet, Bahr-Kynn, répliqua sèchement Mahl-Kahr. Nous entretenons depuis longtemps de bonnes relations avec elles. Mais il y en a d'autres. Les Molgohrs, à l'époque, ont pu réunir jusqu'à cinq mille guerriers. Pourquoi n'existerait-il pas, hors des nations connues, d'autres peuples capables de rassembler une telle armée ?

— Si une telle armée existe, nous devons nous unir pour la combattre, comme le fit Atham-Kahr autrefois.

— Tu as bien parlé, Bahr-Kynn. Mais le fait que cet ennemi ne s'attaque pas directement à nos tribus comme le firent les Molgohrs prouve qu'il n'est pas aussi puissant qu'eux. Il veut nous diviser d'abord.

— Raison de plus pour demeurer unis, clama Mohn-Kaï. C'est pourquoi je prétends que nous devons nous rassembler sous les ordres d'un roi, un grand roi tel que le fut Atham-Kahr. Nous devons nous choisir un roi !

— Es-tu sûr que ce soit absolument indispensable ? rétorqua Mahl-Kahr.

— Je partage l'avis de Mohn-Kaï, déclara Bahr-Kynn. Nous devons élire un roi à qui tous les chefs et tous les peuples des Montagnes de feu obéiront.

Mahl-Kahr soupira et jeta un regard résigné à Khrent qui demeura impassible. Les ambitieux jetaient bas le masque. Il fallait s'y attendre.

Non loin d'eux, un homme leva la main pour demander la parole. Sryn-Khan, chef de la tribu des Serpents. Connu pour son honnêteté et sa grande rigueur, il avait toujours imposé le respect parmi les rheuns. Agé d'une quarantaine d'années, c'était lui aussi un homme de grande taille, aux membres larges et puissants. Chef d'une nation suzeraine, il pratiquait avec ses vassaux la même politique que les Renards avec la nation des Tigres. Les deux peuples inféodés, les Blaireaux et les Loutres, ne payaient pas de tributs, mais se montraient solidaires en cas de disette. En réalité, les trois tribus de la nation des Serpents constituaient un seul peuple, solidement uni par les mariages et le partage des richesses. Leur territoire se situait à l'est, à la limite du pays des volcans, à l'opposé de celui des Renards. Dans ces tribus, les reines étaient toujours écoutées et respectées.

— Parle, Sryn-Khan, dit Mahl-Kahr.

— Je ne suis pas certain que les peuples des Montagnes de feu aient besoin d'un roi. Mais si tel devait être le cas, je suggère que soit élu le plus sage d'entre nous, celui qui fait office de roi sans que vous vous en rendiez compte depuis que je le connais.

— Qui ? gronda Mohn-Kaï.

Sryn-Khan se tourna vers lui.

— A qui as-tu obéi sans discuter à l'instant où il a demandé de faire le silence, Mohn-Kaï ?

L'autre poussa un grognement de dépit.

— Nous respectons Mahl-Kahr parce qu'il est le plus âgé, riposta-t-il sèchement.

— Pas seulement. C'est grâce à lui, grâce à sa sagesse et à sa clairvoyance que nombre de conflits ont pu être évités depuis tant de soleils. Il a toujours su calmer les esprits et ramener nos petites revendications territoriales à des dimensions modestes. Ce qu'aucun d'entre vous ne serait capable de faire.

Ce disant, il regarda plus particulièrement Bahr-Kynn et Mohn-Kaï. Cependant, Mahl-Kahr remarqua que d'autres rheuns nouvellement élus se rangeaient derrière leurs suzerains, tant du côté des Aurochs que des Aigles. Il soupira. Les Aigles occupaient les territoires du nord, les Aurochs ceux du sud. D'autres nations les séparaient, comme les Fils de l'Eau ou les Serpents. Ils n'étaient donc pas directement adversaires. Pas pour l'instant. Mais le vieux chef sentait déjà poindre dans leur esprit des projets d'alliance afin de constituer des forces plus puissantes. La vision de Ly-Rah était en train de prendre forme sous ses yeux. Car il ne faisait aucun doute que ces deux-là n'envisageaient pas de devenir roi pour assurer la protection des peuples des Montagnes de feu, mais pour asseoir leur ambition et apaiser leur soif de pouvoir.

Cependant, les paroles de Sryn-Khan avaient irrité les deux chefs. Se sentant attaqué directement, Mohn-Kaï répliqua :

— Mahl-Kahr est le descendant d'Atham-Kahr, c'est vrai. Mais il est âgé. Il nous faut un roi jeune et puissant. Un guerrier capable de rassembler toutes les nations de ce pays pour les mener vers une guerre de conquête.

— Une guerre de conquête ? s'exclama Sryn-Khan. Serais-tu devenu fou ? Nous ne sommes pas des guerriers. Nous sommes des cultivateurs et des éleveurs.

— Eh bien, il est temps que cela change. S'il est vrai qu'un ennemi venu de l'extérieur tente de s'emparer de nos territoires, nous devons être plus rapides que lui et attaquer les premiers. Nous devons apprendre aux peuples de l'extérieur à nous craindre. Tous ensemble, nous pouvons constituer la plus puissante armée qui ait jamais existé. Nous pourrons nous emparer d'autres territoires et agrandir le royaume.

— Je doute que les populations que tu comptes attaquer se laissent faire sans réagir, répondit Mahl-Kahr.

— Nous les transformerons en esclaves, ainsi que le faisaient nos lointains ancêtres.

— Ils le faisaient avant l'arrivée de Noï-Rah. Elle a mis fin à l'esclavage et noué des alliances et des traités d'amitié avec des tribus proches ou lointaines. La paix et le commerce y ont trouvé leur compte. La guerre n'engendre que famine et désolation.

— Voilà bien des paroles de femme ! cracha Bahr-Kynn, apportant son soutien à celui qu'il ne considérait pas encore comme un rival.

Khrent frémit sous l'insulte proférée envers son chef. Mais Mahl-Kahr posa une main sur son bras en signe d'apaisement.

— Eh bien, répliqua-t-il, tu serais bien avisé d'écouter les femmes, mon ami, et particulièrement la reine de ta nation, Lynn la belle, que tu traites si mal, ainsi qu'il a été rapporté. Sans les femmes, ta tribu, comme toutes les autres, ne serait pas si prospère. Tu connaîtrais la famine à la fin de chaque hiver et peut-être serais-tu déjà mort d'une mauvaise blessure ou d'une maladie dont on ne connaîtrait pas le remède.

Il s'avança vers le centre du cercle formé par les rheuns et éleva la voix :

— Songez à la prophétie émise par Ly-Rah, fille de la reine Loo-Nah, à qui l'esprit de Noï-Rah la Bienveillante est apparu. Elle a clairement dit que des chefs à l'ambition démesurée chercheraient à imposer leur loi et sèmeraient la terreur et la désolation dans le pays des volcans. Elle a dit aussi que les dieux s'irriteraient de leur conduite et feraient tomber une étoile sur le monde. Il est encore temps de renoncer à vos projets de guerre et de conquête. Les territoires des tribus de l'extérieur ne vous appartiennent pas. Trop de jeunes hommes mourront par votre faute pour satisfaire vos ambitions égoïstes.

— La terre appartient au plus fort ! s'obstina Bahr-Kynn. Nous sommes un peuple puissant. Nous devons étendre notre royaume.

Ce disant, il s'était approché de Mahl-Kahr, menaçant. Quelques rheuns mirent la main au manche de leur poignard de silex, afin de porter secours au vieux chef. Il leur fit signe de rester immobiles. Seul Khrent n'avait pas réagi. Si ce crétin de Bahr-Kynn tentait quoi que ce soit envers celui qu'il considérait comme un vieillard, il courait au-delà d'une grave désillusion. Mahl-Kahr se tourna vivement vers lui :

— La terre appartient à qui ? Au conquérant ? Au plus fort ? Mais qui es-tu, toi, pour croire que tu es le plus fort ?

Bahr-Kynn voulut toiser le vieil homme, mais la détermination qu'il décela dans son regard noir le figea sur place. Son tempérament impulsif le poussait à bondir à la gorge de son contradicteur. Mais il ne manquait pas non plus de clairvoyance. Trop peu de rheuns étaient prêts à mettre les lois de Noï-Rah en question. S'il affrontait le chef des Renards en plein conseil, il perdrait tout crédit. D'autant plus que le vieil homme était encore solide bien qu'il eût dépassé les soixante soleils. Il n'était pas certain de le vaincre. Furieux, il baissa les yeux et rejoignit sa place en reculant lentement. Mahl-Kahr attendit qu'il se fût rassis, puis reprit :

— Tous autant que vous êtes, vous vous trompez en pensant que la terre puisse appartenir aux hommes. La terre était là bien avant nous, avant Noï-Rah, avant ses ancêtres. Avant même qu'il y ait des hommes pour peupler le monde. La terre, les montagnes, les volcans existent depuis l'aube des temps, et ils seront encore là lorsque l'homme aura disparu. Alors, cessez de considérer que la terre puisse vous appartenir. C'est vous au contraire qui lui appartenez. Et vous devez la respecter, car c'est elle qui vous nourrit. C'est elle qui vous offre les fruits des arbres, les racines des plantes, le gibier que nous chassons, les arbres et les pierres dont nous faisons nos demeures. Vous pouvez posséder une maison, un troupeau, une fourrure, des armes et des outils pour travailler le sol. Mais vous ne pouvez pas posséder la terre. La terre est notre mère à tous. Et elle est aussi la mère des autres peuples, ceux qui vivent sur les territoires éloignés. Nous devons la partager, et non la conquérir. Aussi, toi, Bahr-Kynn, et toi, Mohn-Kaï, vous feriez mieux de renoncer à vos rêves de guerre. Ils n'apporteront que la peine et le malheur.

Lorsque le conseil se sépara, la tension était retombée. Sryn-Khan s'approcha de Mahl-Kahr et lui posa la main sur l'épaule.

— Tes paroles sonnent juste, mon ami. Je suis fier d'avoir pu les écouter. Souhaitons qu'elles servent de leçon à ces jeunes imbéciles.

Mahl-Kahr soupira :

— Que les dieux t'entendent, mon ami.

Au même moment, dans le campement des Renards, Ly-Rah s'apprêtait à repartir pour le hah'koom en compagnie de Ken-Loh et de Lo-Kahr lorsqu'une jeune femme appartenant à la tribu des Aigles bruns, vassale des Fils de l'Eau, lui apporta une petite sacoche de cuir.

— La paix des dieux soit sur toi, Ly-Rah. Un homme m'a remis ceci pour toi.

— Un homme ?

— Je ne sais pas d'où il venait. Je n'ai pas reconnu sa tribu. Il a surgi près de moi comme je m'apprêtais à pêcher dans le lac avec mes compagnons. Il n'est resté qu'un instant. Il m'a dit de te porter cet objet de toute urgence, puis il a disparu comme il était venu.

— Il n'a rien dit d'autre ?

— Non. Il a seulement précisé que je devais te remettre cette sacoche en mains propres, et ne pas l'ouvrir.

— Merci.

112

Ly-Rah observa l'objet. Ce genre de sac de cuir servait en général à ranger divers ustensiles de petite taille, peignes, barrettes, racloirs, aiguilles d'os pour coudre les peaux. Mais il pouvait aussi être utilisé pour des missives. Intriguée, Ly-Rah en sortit une petite pièce d'écorce de bouleau gravée de signes. Elle la parcourut rapidement.

— Cela vient de... de Nay-Lah, dit-elle.

13

Ly-Rah porta immédiatement la feuille de bouleau à sa mère, qui l'étudia attentivement.

— D'après ce message, dit la jeune fille, Nay-Lah désire me voir seule sur la colline du Chêne rouge, pour une raison qui a trait à la prophétie de Noï-Rah. Elle ne peut pas revenir dans le campement parce que sa vie est en danger, mais elle recommande de ne pas prendre une escorte trop nombreuse, afin de ne pas attirer l'attention. Qu'en penses-tu ?

— C'est un piège, décréta aussitôt Lo-Kahr.

— C'est possible, acquiesça Loo-Nah. Mais nous ne pouvons négliger aucune piste. Le chef des Loups noirs rejette sa reine. C'est peut-être lui qu'elle redoute.

— Elle se serait réfugiée chez nous, remarqua Ly-Rah. A mon avis, le danger vient d'ailleurs. Et ce mot est un faux pour m'attirer dans un guet-apens. Mais je vais tout de même y aller.

— C'est trop dangereux, ma fille.

— Nay-Lah est plus en danger que moi, maman. Je dois l'aider. Sachant qu'il s'agit d'un piège, je vais prendre mes précautions. Une escorte de nos meilleurs guerriers m'accompagnera.

— Je vais avec toi, ajouta Ken-Loh.

— Non. Il vaut mieux que tu restes au hah'goor. S'il t'arrivait quelque chose... cela... cela créerait un incident diplomatique.

114

Loo-Nah eut un léger sourire. Elle n'était pas dupe de la raison invoquée par sa fille.

— Ly-Rah a raison, intervint-elle. Cette histoire ne doit pas mettre un Palkawan en danger. Et puis, tu ne connais pas la montagne comme elle.

— Mais Ly-Rah aussi est en danger.

— Elle ne sera pas seule. Les guerriers qui vont l'accompagner sont très capables de la défendre.

Elle adressa un regard à Lo-Kahr, qui serra sa poigne sur sa lourde massue avec un sourire.

Quelques instants plus tard, Ly-Rah quittait le campement en direction des montagnes du sud, où se situait la colline du Chêne rouge, appelée ainsi à cause de la présence d'un grand chêne très vieux, dont le tronc était si large qu'il fallait trois hommes pour en faire le tour bras tendus. A l'automne, ses feuilles se coloraient d'un rouge intense qui rappelait le sang. Une légende disait qu'autrefois les tribus de chasseurs ancêtres des Ours noirs y pratiquaient des sacrifices humains.

Il fallut trois bonnes heures de marche pour atteindre les lieux. La colline s'achevait sur une sorte d'éperon rocheux orienté vers un volcan aujourd'hui endormi, mais auquel jadis on immolait des jeunes filles vierges dont on dévorait ensuite la chair. Ainsi parlaient les livres de Noï-Rah.

Lo-Kahr scrutait les profondeurs de la forêt à la recherche d'un ennemi éventuel. Mais tout semblait calme. Ce qui ne voulait rien dire. D'après le peu que l'on savait sur lui, l'ennemi possédait l'art de se fondre aux arbres. Près de Ly-Rah marchaient quatre guerriers appartenant à la garde de Khrent. Tous étaient équipés de longues lances à pointe de silex, de poignards et d'un long bouclier fait de plaques de bois renforcées par une épaisseur de cuir, propre à arrêter les flèches. Lo-Kahr avait exigé que Ly-Rah en porte un elle-même. Vers l'extérieur, ces boucliers se hérissaient de pointes de silex plantées dans le bois, ce qui en faisait une arme redoutable dans le combat au corps-à-corps. Ly-Rah trouvait l'objet plutôt lourd, mais Lo-Kahr s'était montré inflexible. De même, il l'avait obligée à endosser une veste de cuir épais qui lui couvrait la poitrine et le cou.

— Cet ennemi n'attaque pas de front, mais lâchement, par-derrière. Nous devons rester sur nos gardes.

Ly-Rah s'était exécutée. Lo-Kahr aurait donné sa vie pour elle. Il veillait sur elle depuis qu'elle était née et la vénérait. Mais il savait aussi se montrer ferme avec elle lorsque sa sécurité était menacée. Son intuition lui soufflait que le danger rôdait. Enfin, ils atteignirent l'endroit où la colline s'étrécissait pour se transformer en une plate-forme où s'élevait le grand chêne. Près du large tronc, une silhouette frêle apparut.

— Nay-Lah ! s'écria Ly-Rah.

Elle voulut aller vers elle, mais Lo-Kahr la retint par le bras.

— Attends, petite écervelée. Souviens-toi de Shi-Nah.

— Mais c'est bien Nay-Lah, protesta-t-elle en se dégageant. Ce n'est pas un piège.

— Observe-la ! souffla-t-il.

Ly-Rah se figea. Ils étaient à plus de trente pas de la reine des Loups noirs. Pourtant, celle-ci ne faisait aucun mouvement dans leur direction. Son regard était fixe, comme halluciné. Ly-Rah frémit. Le mal avait frappé Nay-Lah. Comme Shi-Nah.

Soudain, Lo-Kahr saisit Ly-Rah et la contraignit à s'accroupir.

— Abrite-toi ! L'ennemi est là.

Affolée, Ly-Rah obéit. Elle n'avait rien entendu. Comment pouvait-il savoir ? En quelques secondes, les cinq hommes positionnèrent leurs boucliers de manière à former un rempart dirigé vers la forêt proche. L'instant d'après, de légers sifflements déchirèrent le silence, suivis d'impacts sur le bois des boucliers. Des flèches.

— Ne bouge pas ! ordonna Lo-Kahr à la jeune fille.

Un mélange de colère et de peur s'était emparé de Ly-Rah. C'était la première fois qu'elle participait à une bataille. Elle assura sa main sur le manche de son poignard. Son contact la rassura, mais comment se battre contre un ennemi qui ne se montrait pas ? Restant à l'abri des boucliers, elle prit son arc et y glissa une flèche.

— Reste tranquille ! répéta Lo-Kahr d'un ton ferme. Ce ne sont pas des flèches normales.

— Comment ça ?

— Elles sont de petite taille. Ne les touche surtout pas.

Ly-Rah ne comprenait plus rien. Qui les attaquait ? Des hommes minuscules ? C'était stupide. Elle tenta de voir ce qui se passait de l'autre côté, dans la forêt. Mais la poigne de Lo-Kahr la maintenait derrière les boucliers. Visiblement, les guerriers avaient l'habitude de cette manœuvre. Ils s'attendaient à être attaqués et avaient réagi avec promptitude. Ly-Rah jeta un coup d'œil en direction du chêne rouge. Nay-Lah n'avait pas bougé d'un pas. Elle contemplait la scène comme si celle-ci ne la concernait pas. Ly-Rah ne la reconnaissait plus. Trois jours plus tôt, elle avait participé à la réunion des reines. Elle s'était plainte du manque de considération témoigné par le nouveau chef, Mo-Syhr. Avec sa discrétion habituelle. Nay-Lah avait un regard doux, un joli visage. Ce regard était devenu fixe, sans âme.

Soudain, deux des Renards se dressèrent et décochèrent des flèches précises. Des cris de douleur s'élevèrent dans la forêt. Puis les deux autres se levèrent à leur tour et tirèrent, touchant deux nouveaux ennemis. Leur adresse stupéfia Ly-Rah. Une nouvelle volée de fléchettes siffla vers eux, aussitôt arrêtée par les boucliers. Les archers recommencèrent leur manœuvre. Mais l'échange dura peu. Soudain, sur un ordre de Lo-Kahr, les guerriers levèrent leurs boucliers et se lancèrent à l'assaut de la forêt, tenant fermement leur lance en main. Lo-Kahr obligea Ly-Rah à rester à l'abri de leurs deux boucliers. Elle n'osa lui désobéir. Il lui avait fait un rempart de son corps.

Les échos d'un combat rapide et violent lui parvinrent. Puis ce fut le silence. Alors seulement, Lo-Kahr lui permit de se relever. L'un des guerriers traînait le corps de l'un de leurs agresseurs.

— Ils sont morts, dit-il. Il y en avait une douzaine.

— Il fallait en capturer un vivant ! tonna Lo-Kahr. Comment savoir d'où ils venaient à présent ?

Les quatre hommes hésitèrent puis l'un d'eux se décida à parler :

— Ne te fâche pas, Lo-Kahr. Nous avions l'intention d'en laisser au moins un en vie. Mais il s'est passé quelque chose d'incompréhensible.

— Et quoi ? hurla le vieux guerrier.

— Eh bien, quand nous sommes arrivés sur eux, nous les avons mis hors de combat. La plupart étaient morts, mais trois vivaient encore. Nous avons voulu nous emparer d'eux. Alors, ils ont saisi chacun leur poignard de silex et ils se sont tranché la gorge en même temps. Nous n'avons rien pu faire.

— Ils se sont… tués eux-mêmes ?

— Oui.

— Mais rien ne peut expliquer ça. Les guerriers capturés ne se suicident pas.

— Ils pensaient peut-être que nous allions les torturer, avança un autre garde. Ils ont préféré se donner la mort eux-mêmes.

Lo-Kahr examina le cadavre. Il portait un masque gris d'allure effrayante, qu'il ôta avec précaution. Peut-être s'attendait-il à découvrir la face d'un démon. Mais derrière apparut un visage humain, des yeux figés par la mort, une gorge béante. Aucun signe distinctif ne permettait de savoir à quelle tribu il appartenait. En revanche, l'un des guerriers brandit un instrument étrange, une sorte de tuyau de bois long et creux.

— C'est avec ça qu'ils tiraient leurs petites flèches.

— J'ai déjà entendu parler de cette arme, dit Lo-Kahr. Cela s'appelle une sarbacane. Elle a une portée bien plus courte que l'arc, mais c'est un instrument idéal pour un guet-apens.

Il préleva le sac de cuir que l'individu portait en bandoulière. Il contenait d'autres petites flèches et un flacon de terre contenant un liquide inconnu.

— Sans doute un poison, commenta Lo-Kahr. Nous allons ramener le cadavre de celui-là.

En fin de journée, Ly-Rah et ses compagnons étaient de retour au campement des Renards avec la reine des Loups noirs, qui les avait suivis sans opposer de résistance. Elle semblait ne plus avoir aucune volonté. Loo-Nah l'accueillit sous sa tente.

A l'extérieur, Khrent, Thol-Rok et Mahl-Kahr examinèrent le cadavre de l'homme masqué. Aucun signe, scarification ou autre, n'autorisait à se faire une idée de son origine. Il aurait pu appartenir à n'importe quelle tribu. Mais le plus étonnant était le suicide collectif des guerriers vaincus.

— Ils redoutaient sans doute d'être obligés de nous dire d'où ils venaient, avança Khrent. Ils ont eu peur de la torture.

L'un des hommes qui avaient accompagné Ly-Rah, Fahd-Rok, eut une moue sceptique.

— Je ne crois pas. Ces individus n'avaient pas peur de souffrir et de mourir. Je leur ai livré bataille au corps-à-corps. Ils combattaient avec une sorte de rage, au mépris de leur propre vie. S'ils avaient pu, ils nous auraient massacrés. Mais notre connaissance du combat nous a sauvés. Nous en avons tué neuf. Quand les derniers ont compris qu'ils allaient être vaincus, ils n'ont pas hésité à se donner la mort, comme s'ils ne s'appartenaient pas. J'ai vu leurs yeux. Ils n'avaient rien d'humain. Un peu comme ceux de... de la reine Nay-Lah.

Khrent soupira. Tout cela était très inquiétant. Qui était donc capable de susciter une telle abnégation ? Il prit la besace de cuir de l'individu et l'ouvrit.

— Par les dieux ! s'écria-t-il. Regardez ça !

Roh-Bahr accourut dès qu'il apprit le retour de son épouse. Il la serra longuement contre lui, mais elle lui demeura indifférente.

— Qu'est-ce qu'elle a ? demanda-t-il, alarmé. On dirait qu'elle ne me reconnaît pas.

— Je vais l'examiner, dit Loo-Nah.

Avec des gestes précautionneux, elle déshabilla Nay-Lah et l'étudia longuement. La reine se laissa faire sans mot dire. Son corps ne portait aucune trace de violence.

— Elle ne paraît pas avoir été maltraitée, conclut Loo-Nah. Il n'y a que ce regard étrange. On lui a sans doute fait boire une potion. Il faut que j'en parle aux autres reines.

Soudain, Ly-Rah nota une marque bizarre sous l'avant-bras droit de la jeune femme.

— Regarde, maman. On dirait qu'elle a été piquée par un insecte.

Loo-Nah examina la petite blessure.

— Ce n'est pas une piqûre d'insecte.

Elle prit l'une des fléchettes prélevées sur les boucliers et en compara l'extrémité avec la plaie.

— Elle a été touchée par une pointe identique. Elles ne pénètrent pas profondément dans la chair, mais suffisamment pour y distiller un poison. Vous avez eu de la chance de ne pas être atteints par l'une d'elles.

— Les boucliers nous ont protégés.

— C'est le roi Atham-Kahr qui les a imaginés. Au cours de la guerre contre les Molgohrs, ceux-ci utilisaient déjà des flèches empoisonnées. Ces hommes que vous avez tués étaient peut-être des descendants des Molgohrs.

— Mais pourquoi m'avoir attirée dans un guet-apens ? s'étonna Ly-Rah. Je ne suis pas reine. C'est toi qu'ils auraient dû tenter de piéger.

— L'une ou l'autre. Tu es la future reine des Renards. Cela suffit sans doute à leurs yeux pour justifier ton élimination.

— Pourquoi ?

— Nay-Lah est la reine des Loups noirs. Peut-être espéraient-ils provoquer un conflit entre les Renards et leur tribu, et derrière elle, les Grands Cerfs.

— Nous avons d'excellentes relations avec les Grands Cerfs.

— Avec toutes les nations, ma fille. Mais s'ils avaient réussi à te tuer, ces relations se seraient peut-être dégradées. Sans doute avaient-ils prévu de laisser sur place des indices accusant les Loups noirs.

— C'est exact, confirma Khrent en entrant dans la tente avec Mahl-Kahr et Thol-Rok. Nous avons retrouvé des objets d'origine Loups noirs dans la besace du mort. Ils les auraient abandonnés sur les lieux après leur crime.

— Mais… Nay-Lah ? Qu'en auraient-ils fait ? demanda Ly-Rah.

— Je ne pense pas qu'ils l'auraient tuée, répondit Loo-Nah. A mon avis, ils l'auraient relâchée plus tard, tout comme ils l'ont fait pour Shi-Nah.

Elle observa la reine. Son regard demeurait fixe.

— Nay-Lah, demanda-t-elle, est-ce que l'on t'a fait boire quelque chose ? Te souviens-tu ?

— Boire, répondit la jeune femme d'une voix affaiblie. Boire. J'ai soif.

Ly-Rah tendit une écuelle à la reine, qui la but avec avidité, comme si elle n'avait rien avalé depuis plusieurs jours.

— Est-ce qu'elle va mourir ? s'enquit Roh-Bahr d'une voix inquiète.

— Je ne crois pas. Un poison aurait déjà fait son effet. Elle vit toujours, c'est bon signe, mais il faut la surveiller.

Je vais la garder ici. Nous allons nous relayer cette nuit pour la veiller.

— Que redoutes-tu ?

— J'ai interrogé Jon-Tah, le scribe des Faucons. Shi-Nah avait le même regard sans âme lorsqu'elle a mis le feu à leur bibliothèque. Je crains qu'elle ne fasse la même chose.

On installa Nay-Lah et Roh-Bahr dans la tente même de Loo-Nah et Khrent. Tandis que Lo-Kahr et ses compagnons montaient la garde à l'extérieur, Ly-Rah resta avec le couple, espérant que l'état de la jeune reine allait s'améliorer et qu'elle pourrait enfin raconter ce qui lui était arrivé. Mais elle comprit rapidement que le traitement qu'elle avait subi, quel qu'il fût, était très efficace. Par moments, Nay-Lah retrouvait quelques bribes de lucidité. Mais la plupart du temps, elle restait plongée dans une sorte de rêve intérieur qui interdisait toute communication avec elle. Son mari se contentait de lui tenir la main, ce dont elle ne semblait même pas s'apercevoir.

Le soir venu, Mo-Syhr vint réclamer le retour de la reine dans sa tribu. Loo-Nah refusa.

— Elle souffre d'un mal inconnu. Je dois veiller sur elle. Elle ne retournera parmi vous que lorsqu'elle sera guérie.

— Notre chaman est capable de la soigner.

— Je n'en doute pas. Mais elle reste ici. Son mari est avec elle. Elle est en sécurité.

Mo-Syhr se fâcha, menaça de se plaindre au conseil des rheuns, elle ne céda pas. Devant le regard sombre de Khrent, Mo-Syhr finit par baisser pavillon. Durant la nuit, Ly-Rah et Loo-Nah se relayèrent pour veiller sur Nay-Lah, dormant à côté du couple. A l'extérieur, Lo-Kahr montait toujours la garde en compagnie de deux guerriers.

L'aube était proche lorsque Ly-Rah, dont c'était le tour de veille, vit Nay-Lah s'agiter, puis se dresser en sursaut sur sa couche. A la lueur des braises du foyer, son regard était inhumain.

— Maman ! appela-t-elle à voix basse.

Loo-Nah fut réveillée instantanément, de même que Roh-Bahr. Sous leurs yeux, Nay-Lah se leva, puis sortit de la tente d'un pas incertain. Lo-Kahr voulut l'arrêter, mais Loo-Nah lui fit signe de n'en rien faire. Elle s'approcha de la jeune femme et lui parla doucement. Nay-Lah ne semblait pas l'entendre. Elle continuait de marcher à pas lents et malhabiles. Elle parut hésiter, puis se dirigea vers le village des Ours noirs. Ils la suivirent, munis de torches.

D'ordinaire, le village était protégé par une palissade et des hommes montaient la garde. Mais, avec la présence de tant de tribus, la surveillance s'était relâchée. On ne risquait pas grand-chose. Nul guerrier ne s'opposa à l'entrée de la reine des Loups noirs à l'intérieur de l'enceinte.

— Elle se dirige vers la bibliothèque, remarqua Ly-Rah.

— Elle va sans doute refaire le même geste que Shi-Nah. Nous devons l'en empêcher.

Les intentions de Nay-Lah se confirmèrent lorsqu'elle s'empara d'une jarre d'huile entreposée près des silos à grains. Loo-Nah s'approcha de la jeune femme et voulut saisir la jarre. Nay-Lah la repoussa avec une force inattendue de la part d'une jeune femme aussi frêle. Loo-Nah fut projetée violemment au sol. Lo-Kahr tenta lui aussi de l'arrêter. Il mesurait deux bonnes têtes de plus qu'elle. Pourtant, elle le repoussa à son tour avec une puissance incompréhensible.

— Ses forces sont décuplées, grogna-t-il en se relevant.

Roh-Bahr et les deux autres guerriers entourèrent Nay-Lah et essayèrent de la ceinturer. S'ils parvinrent à lui arracher sa jarre d'huile qui se brisa dans la lutte, ils ne réussirent pas à la maîtriser. La jeune femme se mit à hurler d'une voix stridente, le visage déformé par la colère et la haine. Déjà, des Ours noirs, hommes et femmes, tirés de leur sommeil par le bruit, sortaient de leurs demeures de chaume.

Soudain, Ly-Rah avisa un pot empli d'eau froide. Elle s'en empara et le lança sur Nay-Lah. Celle-ci se mit à tousser et à cracher, puis elle parut s'éveiller. Incrédule, elle regarda Ly-Rah, et s'effondra. Roh-Bahr se précipita près d'elle. Après avoir examiné la jeune reine, Loo-Nah le rassura :

— Elle n'est pas morte. Seulement évanouie.

Autour d'eux, une foule mal réveillée se rassemblait. Khal, le chef de la tribu, apparut. Loo-Nah le salua et lui expliqua la situation.

— Vous avez sauvé notre bibliothèque, conclut-il. Soyez remerciés.

Roh-Bahr prit sa femme dans ses bras et le petit groupe quitta le village des Ours noirs pour regagner le campement des Renards. Nay-Lah reprit ses esprits. Les yeux troubles, elle regarda autour d'elle avec stupéfaction.

— Où sommes-nous ? Pourquoi est-ce que tu me portes ? demanda-t-elle à son époux.

Il la déposa à terre, inquiet. Mais son regard avait retrouvé sa douceur habituelle. Soudain, elle se plia en deux et se mit à vomir.

— Qu'est-ce qu'elle a ? gémit Roh-Bahr.

— Elle se débarrasse du poison qu'on lui a fait ingurgiter, le tranquillisa Loo-Nah. Elle va aller mieux.

Ils étaient à mi-chemin du campement quand une clameur retentit derrière eux, en provenance du village des Ours noirs. L'instant d'après, une lueur d'incendie déchira la nuit.

— La bibliothèque ! s'exclama Ly-Rah. C'est la bibliothèque qui brûle.

14

La première réaction de Ly-Rah et de sa mère fut de
retourner dans le village pour prêter main-forte aux Ours
noirs. Mais Khrent s'y opposa :

— Vous êtes en danger. L'ennemi n'est pas loin. C'est
lui qui a provoqué cet incendie. Vous devez rester sous la
protection de Lo-Kahr.

— Ton père a raison, confirma la reine. Il est probable
que l'ennemi attendait dans l'ombre que Nay-Lah ait mis
le feu à la bibliothèque en se sacrifiant dans le même
temps. Mais il a échoué. Alors, il a agi lui-même en profitant de la confusion.

— Je vais aller les aider, déclara Khrent. Vous, rentrez
au plus vite.

Nay-Lah acquiesça. Elle était encore chancelante, mais
son regard était redevenu normal. Mis à part qu'elle souffrait d'une terrible migraine.

Le petit groupe revenu parmi les Renards, Loo-Nah lui
expliqua ce qui s'était passé. La jeune reine en fut aba-
sourdie.

— Mais comment est-ce possible ? Je ne me rappelle
rien.

— Quand as-tu disparu ?

— La dernière chose dont je me souviens… J'étais allée
sur le marché. Il y avait des poteries de couleur, des
pièces de tissu, des bijoux. Une femme m'a abordée. Je

me rappelle avoir marché à ses côtés. Elle parlait de… je ne sais plus, de bijoux, peut-être. Mais ensuite, impossible de me souvenir.

— Cette femme, tu pourrais la reconnaître ?

— Je ne crois pas. C'était une vieille femme, au visage ridé, la tête recouverte d'une capuche de laine. Elle pouvait appartenir à n'importe quelle tribu.

Khrent revint un peu plus tard, le visage noirci par la fumée.

— Il n'y avait plus rien à faire. La bibliothèque des Ours noirs a entièrement brûlé. Il n'en reste rien.

— Comment est-ce arrivé ? demanda Loo-Nah.

— Certains disent qu'ils ont vu des flèches enflammées tomber sur le toit. Avec ce temps sec, le chaume s'est embrasé rapidement. Trois hommes ont été blessés en tentant de sauver des livres. Mais c'était trop tard. D'autres sont sortis pour essayer de rattraper les incendiaires ; ils n'ont rien trouvé. Le village des Ours noirs est installé sur la rive sud du Gh'Amb. Au-delà, il n'y a rien qu'une étendue marécageuse et des roseaux. Ils ont eu beau jeu de disparaître. On ne les retrouvera pas.

— Et on ne saura pas qui ils étaient, ajouta Ly-Rah.

— Ce sont sûrement les mêmes que ceux qui vous ont attaqués aujourd'hui. Des hommes masqués n'appartenant à aucune tribu connue.

— Mais pourquoi brûlent-ils nos livres ?

— Pour diminuer la puissance des peuples des Montagnes de feu. Elle vient de ces livres et des connaissances de nos reines.

— Mais ces gens-là connaissent eux aussi les secrets des plantes, remarqua Loo-Nah. Ils possèdent même un savoir que nous n'avons pas.

— Il faudrait réussir à en capturer un vivant, grogna Roh-Bahr.

— Ça ne va pas être facile s'ils se suicident dès qu'ils sont capturés.

— Mais pourquoi se suicider ? s'étonna Ly-Rah. Ont-ils un terrible secret à révéler ? Un secret qui justifierait qu'ils soient prêts à donner leur vie sans hésitation ?

— Il y a peut-être une autre explication, répondit Loo-Nah. Shi-Nah n'a pas hésité à se sacrifier pour détruire la bibliothèque des Faucons. Nay-Lah a failli faire la même chose. Mais on les avait forcées à avaler une potion qui annihilait leur volonté. Ces guerriers inconnus ont peut-être subi le même traitement.

— Le chef d'une nation qui agirait ainsi serait un véritable monstre ! s'exclama Ly-Rah. On n'a pas le droit de priver les hommes de leur volonté.

— Mais il faut qu'ils acceptent de boire cette mystérieuse potion, si elle existe. Il doit exercer une très grande influence sur eux.

Le lendemain, Gristan, le chef des Palkawans, demanda à rencontrer la reine des Loups noirs. Il était accompagné de son fils Ken-Loh et d'un homme pour le moins surprenant.

Maigre au point qu'on aurait pu le dire squelettique, Heh-Ming, de la nation des Vorhans, avait dépassé les soixante-dix printemps. Il promenait pourtant sur le monde un regard vif et pétillant, plein de malice et de curiosité. D'un caractère joyeux, il se passionnait pour tout ce qui éveillait sa curiosité insatiable. Malgré son aspect décharné, il faisait preuve d'une vigueur étonnante. Ses mains aux doigts longs et fins conservaient une grande habileté. Il boitait et marchait d'une manière si bizarre qu'on aurait dit une araignée géante. Ce qui ne l'empêchait pas de courir d'un endroit à l'autre, pour découvrir une plante inconnue, étudier le travail d'un artisan, assister à la construction d'une maison, bavarder avec tout un chacun. Ses jambes tordues devaient le faire souffrir. Il y appliquait avec philosophie des onguents, destinés à calmer la douleur, que lui fournissait Loo-Nah. Quand il y pensait... Car il passait plus de temps à soulager les autres qu'à s'occuper de ses petites misères. Il était connu pour soigner par l'imposition de ses mains décharnées, qui avaient le pouvoir de chasser la souffrance. Il n'avait pas son pareil pour remettre en place un membre déboîté, apaiser un muscle froissé.

Ly-Rah s'était prise d'affection pour ce vieux bonhomme aux yeux tellement pâles qu'on aurait pu croire qu'il n'avait pas d'iris. Il possédait beaucoup d'humour, semblait ne rien prendre au sérieux et trouvait que la vie était sacrément amusante. La prophétie ne l'inquiétait pas outre mesure. D'un optimisme inaltérable, il considérait que les dieux n'avaient certainement pas prévu de supprimer les hommes de la surface du monde. Peut-être devraient-ils traverser des épreuves douloureuses, mais ils les aideraient à en triompher, comme ils l'avaient toujours fait.

— Après la grosse colère d'un dieu volcan, disait-il à Ly-Rah, ne m'as-tu pas dit que les récoltes étaient plus abondantes ? Il en sera de même après le passage de cette étoile. Ne te fais pas de soucis.

Il aurait pu paraître irréaliste ou insouciant, mais ses paroles étaient empreintes de sagesse. Les hommes des Roches pâles disaient qu'il détenait un savoir étrange.

Les trois hommes furent reçus dans la tente de Mahl-Kahr, où tous s'étaient réunis. Gristan déclara :

— Mon fils m'a rapporté ce qui s'était passé ce matin. Il y a peut-être un moyen d'en savoir plus sur les ravisseurs de Nay-Lah.

— Lequel ? demanda Mahl-Kahr.

— Heh-Ming va vous expliquer.

Le vieil homme prit la parole :

— C'est une forme particulière de sommeil qui permet de remonter dans les souvenirs. Bien peu d'hommes la connaissent. Mais pour cela, il faudrait que la reine Nay-Lah accepte que je l'endorme.

La jeune femme regarda son mari, puis Loo-Nah. Appartenant à la tribu des Loups noirs, elle ne connaissait pas les hommes du pays des Roches pâles. La reine des Renards lui prit la main.

— Nous avons toute confiance en nos amis de Pehr-Goor, dit-elle. C'est de leur nation qu'est venu l'homme-médecine qui a guéri Noï-Rah autrefois.

— Et tu ne risques rien, précisa Heh-Ming avec un grand sourire qui dévoila sa dentition encore intacte malgré son grand âge.

Nay-Lah hésita, puis répondit :

— J'accepte.

Heh-Ming sortit alors un objet étrange de la besace de cuir dont il ne se séparait jamais. C'était une lanière de cuir fin au bout de laquelle pendait une pépite d'un métal jaune brillant.

— On appelle cette matière le « sang de la terre », expliqua-t-il.

Puis il installa confortablement Nay-Lah sur des fourrures de loups.

— A présent, tu vas suivre la pépite des yeux et écouter ma voix. Seulement ma voix.

Impressionnée, la jeune femme obéit. Quelques instants plus tard, elle dormait, les yeux ouverts, étrangement fixes. La voix grave et rauque du chaman s'éleva :

— Tu dors, mais tu entends ma voix, et tu vas faire ce que je vais te demander.

Elle ne répondit pas. Fascinée, Ly-Rah ne perdait pas une miette de cette scène singulière. Le souffle de Nay-Lah était devenu plus profond, plus régulier.

— A présent, dit le vieil homme, tu vas remonter dans le temps, jusqu'à ce jour où tu es allée sur le marché. Est-ce que tu m'entends ?

— Oui.

— Es-tu sur le hah'koom ?

— Oui.

Sa voix était lointaine, monocorde. Elle s'exprimait avec lenteur.

— Que fais-tu ?

— Je marche. Il y a beaucoup de monde, des gens de toutes les nations. Des hommes et des femmes venus des tribus de l'extérieur aussi. Il y a des étals avec des tissus, des vêtements, des poteries de couleur. Je m'arrête pour les admirer. Elles sont vraiment très belles.

— Es-tu seule ?

— Oui. Je parle avec l'homme des poteries.

— Que dit-il ?

— Il me vante ses pots. J'ai quelques pierres de résine sur moi. Je voudrais les troquer contre l'un d'eux. Un bleu. Il me demande qui je suis. Je lui réponds que je suis la reine des Loups noirs. Nous échangeons les pierres et la poterie. Je repars.

— Que se passe-t-il ensuite ?

— Je continue de marcher. Une femme m'adresse la parole. Elle est vieille. Son visage est très ridé.

— De quoi parle-t-elle ?

— Elle me demande de l'aider à marcher. Je lui donne mon bras.

— Ensuite ?

— Je marche… je marche.

— Elle est toujours là ?

— Elle est là, près de moi. Elle me tient le bras. Très fort. Elle marche avec difficulté.

La respiration de Nay-Lah s'était accélérée. Roh-Bahr s'approcha, inquiet. Heh-Ming leva la main pour le rassurer. Sa voix se fit plus douce :

— Tu peux continuer, Nay-Lah, tu ne risques rien. Ce n'est qu'un souvenir que tu revis. Mais il est important que tu me dises ce qui s'est passé ensuite.

— Je… je ressens quelque chose de bizarre. Comme une piqûre dans le bras qui soutient la vieille femme. Après… je continue de marcher. Mais je ne sais pas où je vais. Ce n'est plus moi qui commande. La femme m'entraîne ailleurs. Je ne peux pas réagir. Je ne peux pas parler. Je suis obligée de la suivre. Nous quittons le hah'koom. Nous évitons le village des Ours noirs. Nous allons vers le sud, en direction de la forêt. Nous marchons encore. Nous sommes loin de l'assemblée des rheuns à présent. Le soleil a changé de place. C'est le soir. Et là...

Sa respiration s'accéléra de nouveau.

— Détends-toi, la calma le chaman. Tu peux continuer. Tu ne cours aucun danger.

Le souffle de la jeune femme ralentit. Tous les spectateurs s'étaient presque arrêtés de respirer.

— Que vois-tu, Nay-Lah ?

— Il y a des hommes qui nous attendent autour d'un feu de camp. Mais ils n'ont pas de visages. Juste une face de cuir. Ils sont tous pareils. Il y en a un autre, avec un masque rouge. C'est leur chef. Il m'ordonne de m'asseoir. Je lui obéis. J'ai peur. Mais je ne peux pas partir. Mon corps ne m'obéit plus. Il me tend un petit pot et me demande de le boire. Je bois. C'est infect. Ensuite... je ne vois plus très bien... J'ai l'impression que tout se déforme. Le masque rouge grandit, grandit. Il a des yeux, des yeux qui me regardent. Ils regardent jusqu'à l'intérieur de moi. J'ai peur. Et soudain, il y a une voix qui hurle, qui m'ordonne de lui obéir.

— Que dit-elle, cette voix ?

— Elle me commande de retourner dans le village des Ours noirs et de brûler les livres. Elle m'ordonne de mourir dans les flammes, au milieu des livres, pour me purifier. Et je dois lui obéir, lui obéir. Je ne peux pas faire autre chose. Je dois brûler les livres... brûler les livres !

De nouveau, la respiration s'était faite plus courte. Le visage de Nay-Lah trahissait une terreur panique. Roh-Bahr s'approcha pour la prendre dans ses bras, mais Loo-Nah le retint. Heh-Ming s'écria :

— Ne la touche pas, surtout ! Tu lui ferais du mal. Je vais la réveiller.

Il s'adressa à la reine :

— Ecoute ma voix, Nay-Lah. Tu ne dois pas le faire. Tu ne dois pas brûler les livres. Tu dois rester en vie. Tu fermes les yeux. A présent, tu vas te réveiller doucement et oublier ce que t'a dit ce masque rouge. Tu es en paix.

Le souffle de la jeune femme reprit un rythme normal. Ses traits se détendirent.

— Quand je claquerai les doigts, tu ouvriras les yeux et tu te réveilleras.

Il claqua des doigts. Instantanément, Nay-Lah ouvrit les yeux, parfaitement réveillée et calme.

— Que s'est-il passé ? demanda-t-elle.

— Tu ne te rappelles pas ? s'étonna son mari.

— Elle ne se rappellera rien, expliqua le vieil homme.

— Mais elle nous a appris ce que nous voulions savoir, dit Mahl-Kahr. A présent, nous savons comment ils s'y sont pris pour l'enlever.

Il rapporta à Nay-Lah ce qu'elle avait raconté.

— La vieille femme a dû te piquer pendant qu'elle te tenait le bras. Avec un produit destiné à te rendre docile. Qui se serait méfié d'une femme âgée soutenue par une femme plus jeune ?

— Comment se fait-il que je ne me souvienne pas de ce qu'ils m'ont fait ?

— Certaines potions peuvent provoquer une perte de mémoire, répondit Loo-Nah. Ces gens-là connaissent le pouvoir des plantes.

— Et ils sont parmi nous, reprit Mahl-Kahr. Nous devons avertir le conseil des rheuns.

Tous sortirent de la tente, hormis Loo-Nah, Ly-Rah et Roh-Bahr, soulagé d'avoir retrouvé sa compagne. Tandis que Nay-Lah reprenait ses esprits, Ly-Rah, subjuguée par ce qu'elle venait de voir, demanda à sa mère :

— Ce sommeil étrange provoqué par le métal jaune est vraiment extraordinaire. Crois-tu que Heh-Ming accepterait de nous l'enseigner ?

— Tu peux toujours le lui demander. Mais je ne sais pas si tu serais capable de le pratiquer. Il faut certainement être un grand chaman.

— Je possède le don de prédire l'avenir, maman. Pourquoi pas celui-là ?

Loo-Nah sourit devant l'enthousiasme de sa fille.

— Nous allons lui parler.

— T'enseigner le sommeil hypnotique ?

Visiblement, la requête le déconcertait.

— Je ne sais pas si cela marchera. Peu d'hommes sont capables de provoquer cette sorte de sommeil. J'ai essayé de l'enseigner à Thol-Rok. Mais il a échoué. Et je ne connais aucune femme qui le pratique.

Il réfléchit encore.

— Il est vrai que vous êtes toutes les deux des descendantes de Noï-Rah. Je veux bien essayer. Mais attention ! C'est un savoir très dangereux. Car il permet aussi de prendre le contrôle de la volonté de celui qu'on endort. Il obéit alors sans aucune résistance et on peut lui faire faire ce que l'on veut. Ce savoir ne peut donc pas être transmis à n'importe qui.

— Est-ce que l'ennemi masqué le connaît ? Il a pu l'utiliser sur Nay-Lah et Shi-Nah.

— Je ne crois pas. Il leur a fait boire une potion. Mais la manière dont il leur a ordonné de brûler la bibliothèque a peut-être un rapport avec cette forme de sommeil.

15

La seconde réunion des rheuns eut lieu dès le lendemain. Une fois encore, le ton monta très vite. Khal et Trohan, le chef et le chaman des Ours noirs, se lamentaient.

— Notre bibliothèque était l'une des plus belles des
Montagnes de feu. Aussi importante que celle des
Renards.

Mohn-Kaï bondit aussitôt sur l'occasion.

— D'après ce que l'on dit, ce sont les Renards qui ont
pénétré dans votre village, soi-disant pour empêcher la
reine des Loups noirs de mettre le feu. Mais si c'était seulement une diversion, pour attirer l'attention des Ours
noirs ailleurs, pendant que des guerriers incendiaient la
bibliothèque ?

Les jeunes chefs approuvèrent. Cette histoire n'était
pas claire. Khrent frémit. Une fois de plus, Mahl-Kahr le
retint. Il se leva et se dirigea vers Mohn-Kaï.

— Je ne répondrai pas à ta provocation, Mohn-Kaï. Sa
stupidité se suffit à elle seule. Quel intérêt auraient les
Renards à brûler une bibliothèque ? N'oubliez pas que
c'est grâce à Noï-Rah et à ses descendantes que chaque
nation des Montagnes de feu en possède une aujourd'hui.
Nous avons déjà offert notre aide aux Ours noirs pour
reconstituer la leur. Et je souhaite que vous tous, chefs et
chamans des tribus des volcans, vous leur apportiez votre
secours, de même qu'à la tribu des Faucons.

— Alors, pourquoi Nay-Lah a-t-elle voulu détruire cette bibliothèque ? insista Mohn-Kaï. Que faisait-elle sur la colline du Chêne rouge ? Et pourquoi ne l'avez-vous pas rendue à sa tribu ?

— Ly-Rah a reçu un mot qui l'attirait là-bas, soi-disant de la part de Nay-Lah, qui se prétendait en danger si elle revenait dans sa tribu. Ly-Rah s'est rendue au rendez-vous. Nay-Lah était bien là, mais c'était un piège. Des hommes masqués l'ont attaquée. Heureusement, nos guerriers l'ont protégée.

— Et Nay-Lah était la complice de ces inconnus !

— Nouvelle ânerie, Mohn-Kaï. Elle avait été droguée. Elle n'était plus elle-même. Une reine n'irait jamais brûler une bibliothèque de son plein gré. Ce serait un sacrilège à ses yeux.

— Alors, qui étaient ces hommes ? demanda Bahr-Kynn sur un ton non moins agressif.

— Impossible de le savoir. Ils sont tous morts.

— Vous les avez tous tués !

— Quelques-uns, oui, mais nous voulions faire des prisonniers pour les faire parler. Or, les survivants se sont suicidés.

— Suicidés ?

— Ils se sont ouvert la gorge sans aucune hésitation.

Un grand silence s'abattit sur l'assemblée. Jamais on n'avait entendu parler d'un tel suicide collectif.

— Pourquoi ont-ils fait ça ? demanda Wakh-Har, chef des Fils de l'Eau.

— Sans doute redoutaient-ils d'être obligés d'avouer à quelle tribu ils appartenaient. Ce qui nous aurait permis de démasquer notre ennemi. Mais leur chef exerce selon toute apparence une influence très puissante sur ses hommes pour les pousser ainsi à se sacrifier. Ce qui veut dire que nous avons affaire à un ennemi acharné à nous détruire par tous les moyens, y compris par la mort de ses propres guerriers.

Chacun avait en mémoire les récits épouvantables de la guerre contre les Molgohrs, soixante ans plus tôt. On pouvait commettre des actes ignobles au cours d'une bataille, à cause de la peur, de la haine. Mais accepter de se donner ainsi la mort dépassait l'entendement.

— Les Molgohrs voulaient anéantir les peuples des volcans, avança Haar-Thus, chef des Grands Cerfs. Se pourrait-il qu'ils soient revenus ?

— Je ne crois pas, répondit Mahl-Kahr. Les Molgohrs ne connaissaient pas le secret des potions qui suppriment la volonté.

— Ils ont peut-être fait alliance avec un peuple qui possède ce savoir, argua Mahn-Ry, chef des Faucons.

— Alors, raison de plus pour élire un roi ! s'exclama Mohn-Kaï.

— L'élection d'un roi ne changera rien, répliqua Mahl-Kahr. Surtout quand on connaît ta soif de pouvoir et de conquête, Mohn-Kaï.

— Nous devons attaquer les premiers, s'obstina le chef des Aigles. Sinon, nous serons anéantis. Est-ce cela que vous voulez ?

Un concert d'approbations jaillit de la bouche des jeunes chefs, tandis que les autres secouaient la tête d'un air agacé. Mahl-Kahr attendit que le calme revienne, puis répondit :

— Et qui veux-tu attaquer, Mohn-Kaï ? Où se cache ton ennemi ?

— Nous devrions commencer par chasser toutes ces tribus de l'extérieur, qui viennent s'engraisser à nos dépens !

— Elles nous apportent leur savoir et leur richesse, rectifia Mahl-Kahr. Nous pratiquons de bons échanges avec eux. Ce ne sont pas nos ennemis.

— Qu'en sais-tu ? Il est temps que tu passes la main, vieillard, s'enhardit Mohn-Kaï.

Il sentait que tous les jeunes chefs se rangeaient derrière lui. Il savait aussi pouvoir compter sur l'appui de

Bahr-Kynn, qui partageait ses idées. Mahl-Kahr ne se troubla pas. Il vint se placer devant le chef des Aigles. Sa voix profonde résonna :

— Tu me défies, Mohn-Kaï. Cette enceinte est sacrée et aucun combat ne doit s'y dérouler. Mais je relève ton défi. Nous allons nous affronter sur le champ de lutte.

Mohn-Kaï pâlit. Impulsif, il s'était laissé emporter par sa fougue. A présent, il ne pouvait plus reculer, sous peine de perdre la face. Mais il savait quelle sorte de guerrier était Mahl-Kahr. Malgré son âge, il était encore en mesure de lui faire mordre la poussière. Par bravade, il gronda :

— C'est d'accord ! Je vais faire craquer tes os, vieillard !

— Alors, garde tes forces ! Tu vas en avoir besoin.

La réunion s'acheva dans la confusion. La rupture entre les partisans de l'élection d'un roi et ses adversaires était consommée. Khrent prit le chef des Renards à part.

— Es-tu bien sûr de ce que tu fais, Mahl-Kahr ? Ce Mohn-Kaï est une sombre brute et il est fort.

— Ne me crois-tu pas capable de lui donner une leçon ?

— Si, je le crois. Mais la loi t'autorise à te choisir un champion. Je peux être celui-là. Je suis plus jeune et plus fort que toi.

— Il est important que je lui administre cette leçon moi-même, afin d'inciter les autres à ne pas s'imaginer qu'ils peuvent imposer leur volonté simplement parce qu'ils hurlent comme des loups. Je dois vaincre Mohn-Kaï pour lui rappeler le respect dû aux anciens. Et rabaisser sa superbe.

— Mais s'il triomphe, les partisans de l'élection d'un roi gagneront en crédit.

— Il n'a pas encore vaincu.

— Il a trente ans et toi soixante, Mahl-Kahr.

— Mais il ignore l'art de Brahn, précisa le vieux chef avec un sourire.

— C'est vrai, reconnut Khrent.

Mohn-Kaï était sombre. Une fois de plus, la colère l'avait emporté. Il ne détestait pas l'idée de se mesurer à Mahl-Kahr. Il avait pour lui l'avantage de la jeunesse. Mais son adversaire était puissant. Désemparé, il se retira sous sa tente, où il n'accepta que la présence de Nor-Gül. Lequel lui prodigua des paroles d'encouragement.

— Tu ne peux que vaincre, ô grand Mohn-Kaï. Ce vieillard a trente ans de plus que toi.

— Je sais, mais il possède l'art de Brahn.

L'autre s'étonna.

— Pardonne mon ignorance, noble Mohn-Kaï. Je ne suis pas né dans ce pays. Qu'est-ce que cet art de Brahn ?

— Brahn était le fils de Noï-Rah. La légende dit qu'il renonça à commander la nation des Renards, à l'époque, parce qu'il passait son temps à parcourir le monde pour nouer de nouvelles alliances. Il a voyagé très loin et en a rapporté un savoir immense. Mais il devait sans cesse affronter de nouveaux dangers, lutter contre des tribus hostiles et des animaux féroces. Il a donc inventé une manière de combattre inconnue auparavant, que l'on a appelée plus tard l'art de Brahn. Le roi Atham-Kahr l'a développée à son tour, mais Brahn reste le créateur de cet art mystérieux.

— Et cet art permettrait à un vieillard de vaincre un homme aussi puissant que toi ?

Mohn-Kaï fit une moue désabusée.

— J'ai eu une fois l'occasion de voir les Renards manier cet art. Il y a quelques années, au cours de l'assemblée des rheuns, j'ai participé à une chasse où se trouvaient quelques Renards. Nous avons été attaqués par des nomades. Ils étaient quatre fois plus nombreux que nous et voulaient s'emparer de notre gibier et de nos armes. Mes Aigles sont de solides gaillards, et ils savent se battre. Mais l'ennemi était déterminé. Certaines tribus sont extrêmement belliqueuses. C'était un combat à mort.

Sans les Renards, nous aurions été exterminés. A eux seuls, ils ont éliminé plus de la moitié des agresseurs. Je n'avais jamais vu ça. Ils étaient aussi rapides que le vent. Ils utilisaient la force de l'ennemi pour la retourner contre lui. Au corps-à-corps, ils sont invincibles. Les autres ont fini par comprendre qu'ils n'auraient pas le dessus malgré leur nombre et ils ont détalé sans demander leur reste en abandonnant leurs morts sur place.

— Et... les Renards sont-ils les seuls à connaître cet art du combat ?

— Ils le gardent jalousement. Il leur confère un avantage dont ils ne veulent pas se priver.

— Aie confiance ! Tu as la jeunesse pour toi, Mohn-Kaï. Tu vaincras.

— Que les dieux t'entendent.

Malheureusement pour Mohn-Kaï, les dieux lui firent la sourde oreille. Dans l'après-midi, l'annonce du combat avait fait le tour du camp et une foule nombreuse se pressait autour de l'arène où devaient s'affronter les champions. Dès le début, Mohn-Kaï attaqua comme un taureau furieux fonçant sur sa proie. Dur au mal et résistant, il se heurta pourtant à un adversaire qui semblait anticiper toutes ses attaques, esquivait avec une agilité et une souplesse inattendues chez un homme de cet âge. Les jouteurs combattaient à mains nues. Sauf en des cas très précis, l'usage des armes était interdit. Le combat ne dura guère. A chaque fois que Mohn-Kaï tentait de frapper son adversaire, ses poings ne rencontraient que le vide. La rapidité de Mahl-Kahr était stupéfiante. Jusqu'au moment où il riposta d'un coup bien précis à la tempe. Mohn-Kaï s'effondra, assommé. Une clameur enthousiaste salua l'exploit du vieux chef, mêlée à quelques grognements de dépit. Bahr-Kynn, qui avait assisté au combat, se retira avec ses guerriers. Il avait pensé, lui aussi, lancer un défi au chef des Renards. Mais ce qu'il venait de voir l'avait refroidi. Ces chiens possédaient un art du combat qu'il était loin d'avoir. Il n'avait guère envie d'essuyer la même humiliation que cet imbécile de Mohn-Kaï.

On emporta le vaincu sur un travois jusqu'au campement des Aigles. Lorsqu'il reprit ses esprits, Lynn était penchée sur lui. Sans un mot, elle nettoyait ses ecchymoses.

— Tu dois être satisfaite ! grommela-t-il en frottant son menton endolori.

— Je serais satisfaite si cette expérience pouvait te servir de leçon, Mohn-Kaï. Mais je crains qu'il n'en soit rien et que tu te lances bientôt dans une aventure qui n'apportera que des mauvaises choses à notre peuple des Aigles, et aussi aux tribus vassales. Si tu acceptais de faire taire ton orgueil et de songer d'abord à protéger notre nation, je t'y aiderais de toute mon âme.

Il fut à deux doigts de la frapper. Elle osait lui dire... la vérité. Car elle avait raison. Il n'était qu'un orgueilleux qui avait présumé de ses forces. La honte qu'il en ressentait ne faisait qu'attiser sa colère et sa haine. Ces imbéciles étaient aveugles, tous autant qu'ils étaient. L'ennemi avait commencé à envahir les Montagnes de feu. Mais ils refusaient toujours avec obstination de se choisir un roi qui saurait mener une guerre de conquête et ainsi effrayer l'ennemi invisible par la puissance du peuple des volcans.

— Laisse-moi ! grogna-t-il.

Lynn se retira. Ne resta sous la tente que Nor-Gül, assis dans l'ombre, silencieux. Le chef des Aigles se tourna vers lui et tonna :

— Je vaincrai parce que je suis le plus jeune, disais-tu ?

— Pardonne-moi, ô puissant Mohn-Kaï, répondit l'autre avec obséquiosité. J'avais sous-estimé la puissance de l'art de Brahn. Il faudrait que tu puisses l'apprendre.

— Jamais les Renards n'accepteront de me l'enseigner. Encore moins maintenant.

— Alors, il te faut constituer une armée plus nombreuse que la leur.

— Mais comment ? Même en réunissant les hommes de mes quatre tribus vassales, je ne serai pas assez puissant pour les attaquer. De plus, ils sont alliés aux Fils du Tigre. Et au sud, les Ours gris n'acceptent plus la suzeraineté des Aurochs et se rangent derrière les Renards. Ils sont vraiment très puissants.

— C'est vrai. Pourtant, tu ne peux laisser cet affront impuni, sous peine de perdre ton autorité sur tes tribus.

— J'ai l'impression que c'est déjà fait.

— Non. Les jeunes guerriers savent que les Renards pratiquent l'art de Brahn. Ils ne te tiendront pas rigueur de ta défaite. Au contraire, ils partageront ta colère. Mais tu ne pourras pas faire accepter l'idée de l'élection d'un roi par l'assemblée des rheuns. Il faudra donc t'imposer par la force. Tu dois nouer une alliance solide avec une autre nation puissante.

Mohn-Kaï médita les paroles de son conseiller. Malgré son impulsivité, il n'était pas stupide. Il savait parfaitement asseoir sa domination sur les membres de sa tribu comme sur ses vassaux, alternant adroitement les menaces et les témoignages d'amitié. Mais Nor-Gül avait raison, il ne pourrait pas imposer sa volonté aux autres rheuns. Même si les Aigles étaient nombreux et bénéficiaient de la vassalité de quatre nations, les Faucons, les Belettes, les Hermines et les Lynx, ils ne l'étaient pas assez pour se lancer dans une guerre contre les autres peuples des Montagnes de feu. Et surtout pas les Renards. Il devait donc se trouver un allié.

— As-tu une idée ?

— Ta jeune sœur, Nessah, plaît beaucoup au chef des Grands Cerfs.

— Haar-Thus ?

— Elle a seize ans et elle est magnifique.

— Il a plus de quarante ans. Elle n'acceptera jamais.

— Aucune importance. Les femmes doivent obéir aux hommes.

— Lynn va la protéger.

— La reine est bien souvent un obstacle à tes projets, soupira Nor-Gül. Mais si tu veux devenir le roi que tu es au fond de toi, tu dois faire en sorte que ta volonté prévale. Tu auras le soutien de Nhis-Try. Le chaman est entièrement gagné à ta cause, et il déteste Lynn. Je pense qu'il serait temps que tu arrêtes de tenir compte de l'avis de cette femme. Que pourrait-elle contre toi si tu passais outre à ses décisions ?

— Les Aigles l'aiment beaucoup. Et les reines sont sacrées. Ils m'en voudraient.

— Les jeunes guerriers te sont acquis. Ils te soutiendront. Evidemment... si ces ennemis invisibles qui brûlent les bibliothèques avaient la bonne idée de s'en prendre à elle, cela faciliterait les choses.

— Tu sais qui sont ces ennemis ? gronda Mohn-Kaï, soupçonneux.

L'autre écarta les bras.

— Hélas non, noble Mohn-Kaï. Si je le savais, je te l'aurais déjà dit.

— Ce sont eux que nous devons exterminer ! s'emporta le chef des Aigles. C'est dans ce but que je veux devenir roi. Les autres chefs de tribus sont faibles. Si ces hommes masqués décidaient de nous attaquer à présent, ils ne trouveraient devant eux que des femmelettes incapables de s'entendre.

— C'est pourquoi tu es le seul rheun digne de régner sur ce pays, ô grand Mohn-Kaï. Tu as une juste vision des choses.

Mohn-Kaï dégusta les paroles de son conseiller, qui s'était replongé dans ses réflexions.

— A quoi penses-tu ? lui demanda-t-il.

— Le jeu des alliances est une chose subtile. Ces inconnus sont puissants. Ils ont une connaissance des drogues que même les reines ne possèdent pas. Si, au lieu de les considérer comme des ennemis, tu les considérais comme des alliés possibles, cela changerait bien des choses. Je crois qu'il serait sage de tenter d'en savoir plus sur eux.

Mohn-Kaï frémit. Osait-il lui demander de pactiser avec l'ennemi ? Il était sur le point de se fâcher à nouveau, mais la justesse du raisonnement de son conseiller le frappa. Après tout, lorsque le conflit serait déclenché, les rapports de force se modifieraient. Bien sûr, cela signifiait trahir les autres nations des Montagnes de feu, mais il fallait savoir faire des sacrifices pour atteindre ses objectifs. Les Aigles étaient jadis, bien longtemps avant l'arrivée de Noï-Rah, une nation de chasseurs de grande valeur, et des guerriers que tous redoutaient. Ainsi parlaient les légendes transmises de génération en génération par les anciens. Les Aigles étaient des conquérants, et non des cultivateurs. Or, depuis la « déesse bienveillante », ils avaient abandonné les armes et se contentaient de cultiver la terre. Rien de bien glorieux. Il était temps que cela cesse.

— Il faudrait les trouver, dit-il enfin. Leur proposer de me rencontrer. Savoir quel est leur but.

— Cela ne sera pas chose facile, noble Mohn-Kaï. Nul ne sait qui ils sont, ni d'où ils viennent. Je peux essayer de faire parler les membres de mon ancienne tribu qui sont en ce moment à l'assemblée. Nous verrons s'ils savent quelque chose. Cependant, je pense que tu dois faire plier ta sœur. L'alliance des Grands Cerfs est essentielle.

— Je dois d'abord m'assurer des désirs de Haar-Thus. S'il la veut, il doit accepter de devenir mon allié... et mon vassal.

— Le pouvoir des femmes sur les hommes est grand. Mais il faut que Nessah t'obéisse.

— Je ne lui laisserai pas le choix.

— Je crois qu'elle a déjà un fiancé. Un nommé Dah-Renn...

— Celui-là, il fera ce que je lui ordonnerai.

— Bien, noble Mohn-Kaï.

— Je vais rencontrer Haar-Thus dès demain.

Mohn-Kaï n'était pas le seul à tenir ce genre de raisonnement. De son côté, Bahr-Kynn, s'il n'avait pas osé s'opposer directement à Mahl-Kahr, n'en pensait pas moins. Mohn-Kaï était son seul vrai rival. Mais son territoire était éloigné et n'offrait aucune frontière commune avec celui des Aigles. Il était même envisageable de conclure un pacte avec lui afin d'éviter un affrontement direct. Au moins dans un premier temps. Mais il lui fallait très vite imposer sa loi sur les terres du sud afin de ne pas se trouver en situation d'infériorité. Car il ne faisait aucun doute que Mohn-Kaï allait tout faire pour devenir roi. Et pour cela, il n'hésiterait pas à s'emparer des territoires d'autres nations.

Afin de mieux réfléchir, il s'était isolé sous sa tente, en compagnie du chaman Ferh-Had et de Hon-Taï, son conseiller. Ce dernier n'était pas de la tribu des Aurochs. Il était venu s'installer à Trex'Ann quelques années plus tôt et s'était lié d'amitié avec Ferh-Had, qui avait suggéré au rheun de l'attacher à son service.

— La guerre se prépare, déclara Hon-Taï. Mohn-Kaï va passer des alliances.

— Notre tribu est puissante, rétorqua Bahr-Kynn.

— Mais tu ne peux compter que sur deux de nos vassaux, ô noble Bahr-Kynn. Les Ours gris refuseront de se ranger à tes côtés pour combattre.

— Ces chiens rechignent déjà à payer leur tribut, admit le chef des Aurochs.

— Quant à nouer une alliance, il ne faut pas y compter. Au nord, les Fils de l'Eau et leurs vassaux restent attachés aux traditions de Noï-Rah. Quant aux Fils de la Nuit, au sud, ils sont les suzerains des Chauves-souris, ennemis jurés de tes vassaux, les Chouettes. Ni les uns ni les autres n'accepteraient la domination d'un roi.

— Les Serpents, peut-être ?

— N'y compte pas. Ils sont les alliés des Renards. De plus, ils sont dangereux, même s'ils ne sont pas très nombreux. Avec leurs deux nations vassales, les Blaireaux et les Loutres, ils ne forment qu'un seul peuple. Il faut se méfier d'eux. Ce sont de redoutables guerriers.

— Les Aurochs aussi ! explosa Bahr-Kynn.

— Bien sûr, répondit Hon-Taï prudemment. Et ils ont à leur tête le seul chef capable de devenir roi. Je te l'ai dit. Tel est ton destin, voulu par les dieux.

— Alors, que dois-je faire ?

— Il faut soumettre au plus vite les Fils de la Nuit. Ton seul vrai rival est Mohn-Kaï, au nord. Mais vos terres sont séparées par celles des Fils de l'Eau. Il est possible que Mohn-Kaï conclue une alliance avec eux, mais je pense qu'il le fera plutôt avec les Grands Cerfs. Ce qui le mettra en position de force. C'est pourquoi il faut t'emparer des territoires des Fils de la Nuit. Ils devront ensuite combattre à tes côtés. La mort des pêcheurs des Chauves-souris te fournit un prétexte tout trouvé pour déclencher un conflit. Tes vassaux, les Chouettes, sont offensés par l'accusation portée par les Chauves-souris. Ils veulent réparation. Donne-leur ton accord pour qu'ils envahissent le territoire des Chauves-souris. Les Fils de la Nuit voudront le récupérer et attaqueront les Chouettes. Tu pourras alors prendre la défense de tes vassaux. Et soumettre les Fils de la Nuit et leurs vassaux. Ils te fourniront des guerriers. Ceux qui refuseront de te suivre seront réduits en esclavage.

— Voilà un plan qui me plaît, rugit Bahr-Kynn.

— Mais il faut agir vite. L'assemblée des rheuns va bientôt se terminer. Dès que nous serons de retour, tu dois rassembler tes troupes et frapper immédiatement.

— Les reines vont récriminer.

— Peu importe les reines ! répliqua Hon-Taï. Il est temps que les hommes de ce pays cessent d'obéir aux femmes. C'est un pays rude, un pays de conquérants. Pourtant, vous vous contentez de cultiver la terre et d'élever des animaux. Que restera-t-il de toi, noble Bahr-Kynn, après ta mort ? Quelques lignes sur un rouleau de feuilles de bouleau que personne ne lira jamais. D'ailleurs, les livres ne servent à rien. Seul le roi Atham-Kahr est encore dans les mémoires. Parce qu'il était un grand guerrier.

— Il faudrait tout de même convaincre les Ours gris de se rallier à moi. Ils peuvent apporter au moins une centaine de guerriers.

— Bien sûr, noble Bahr-Kynn. Ils te doivent obéissance. S'ils te refusent leur aide, tu es en droit de les combattre et d'en faire tes esclaves. C'est ainsi que doit s'imposer un roi. Un roi que tous redouteront et qui ne sera pas soumis à la loi des femmes.

Bahr-Kynn se tourna vers Ferh-Had.

— Qu'en penses-tu ?

— Hon-Taï dit vrai. J'ai beaucoup voyagé dans les tribus de l'extérieur. Nulle part ailleurs les femmes ne participent aux décisions. Elles occupent la place qui leur revient : servir les hommes.

A ce moment, une clameur se fit entendre. Intrigués, les trois hommes sortirent de la tente. Au loin, en direction des étals des marchands et des artisans, des gens couraient en tous sens, d'autres se battaient, des tentes avaient pris feu. Bahr-Kynn interpella un homme qui revenait des lieux.

— On ne sait pas, répondit l'homme. On dit que la reine des Aigles a été tuée par des étrangers.

16

Tout d'abord, des rumeurs avaient couru, s'étaient répandues sur le hah'koom et le hah'goor, affirmant que certaines tribus de l'extérieur étaient venues espionner les nations des volcans dans le but de préparer l'invasion du pays. Dès que ces rumeurs avaient circulé, un vent de panique s'était emparé de certains vendeurs étrangers, qui avaient aussitôt plié bagage. D'autres étaient restés. Ils connaissaient l'assemblée des rheuns depuis des années et entretenaient d'excellentes relations avec les tribus des dieux volcans. Mal leur en avait pris. Des guerriers appartenant à différentes nations avaient envahi le marché et commencé à les malmener. D'autres guerriers, parmi lesquels les Renards et les Serpents, avaient pris la défense des étrangers. Quelques échauffourées avaient éclaté, sans gravité dans un premier temps. Puis des hommes étaient arrivés en courant en provenance du hah'goor. On venait de retrouver le corps de la reine des Aigles, Lynn. Les deux gardes du corps que Mohn-Kaï avait mis à son service pour la protéger avaient été égorgés. Quant à elle, elle avait été décapitée et éventrée. Près des cadavres, on avait découvert des objets qui accusaient sans ambiguïté la nation des Thyaars, qui vivait à l'est, au-delà du territoire des Serpents.

Aussitôt, les Aigles avaient débarqué en force, accompagnés par des guerriers de leurs tribus vassales. Les

Thyaars, au nombre d'une douzaine, avaient été pris à partie. Ils avaient clamé leur innocence. En pure perte. On ne les avait pas écoutés. On les avait frappés, à coups de poing, à coups de pied. Puis les armes avaient surgi et les malheureux avaient été décapités et réduits en pièces par une meute humaine qui avait perdu tout sens de la mesure. Rendus ivres par le sang versé, les énergumènes s'en étaient pris à d'autres marchands venus de l'extérieur et le massacre avait continué. Avertis, les Renards, aidés par les Serpents, les Tigres, les Ours gris et quelques autres, s'étaient interposés. Une bagarre générale s'était ensuivie. Mais le nombre parlait en faveur des partisans du retour au calme.

Lorsque les choses s'apaisèrent enfin, on dénombra une trentaine de cadavres et une cinquantaine de blessés, essentiellement parmi les visiteurs étrangers. Les hommes des Roches pâles avaient eux-mêmes été injuriés, mais leur nombre et la protection dont ils bénéficiaient de la part des Renards leur avaient évité d'être pris dans la tourmente.

En compagnie de Ma-Nahi, la doyenne des reines, Loo-Nah se rendit au campement des Aigles, solidement protégée par une douzaine de gardes menés par Khrent. Mohn-Kaï ne fit aucune difficulté pour qu'elles puissent examiner le cadavre. Sa colère n'était pas retombée après le massacre auquel ses hommes s'étaient livrés. Cependant, Loo-Nah comprit que son attitude était quelque peu affectée. En réalité, la disparition de Lynn l'arrangeait. Ma-Nahi eut beau tenter de lui faire comprendre que les malheureux Thyaars n'étaient sans doute pour rien dans cet assassinat, il ne voulut rien savoir.

— Elle tenait encore un collier de griffes de martre serré dans la main, s'obstina-t-il. Seuls les Thyaars portent ce genre de collier. Elle a dû l'arracher à son agresseur avant d'être tuée. Et regarde ce que ces chiens lui ont fait !

Loo-Nah renonça à lui dire que la découverte de ce collier ressemblait fort à une mise en scène. Elle dut faire appel à tout son courage pour affronter la vision du corps de son amie abominablement supplicié. Les assassins ne s'étaient pas contentés de la décapiter. Ils l'avaient également éviscérée et avaient répandu ses entrailles sur le sol de la clairière où on l'avait trouvée. Ses deux gardes n'avaient pas subi semblable traitement. On s'était contenté de les égorger, puis de leur couper la tête. Mais ils n'avaient pas été vidés.

— Quelle horreur ! murmura Ma-Nahi. Comment des hommes sont-ils capables de commettre de telles abominations ?

Il n'y avait plus rien à faire. Lynn allait être ramenée dans son village et son corps serait incinéré ainsi que le voulait la tradition des reines. Puis ses cendres seraient menées jusqu'au Pa'Hav pour être jetées dans les eaux du lac noir. Ainsi les Faucons avaient-ils fait pour Shi-Nah.

Mahl-Kahr exigea la réunion immédiate du conseil des chefs. Mais celui-ci se trouva réduit par le départ des Aigles et de leurs vassaux, qui refusaient de rendre des comptes à propos des étrangers massacrés sur le hah'koom. Mohn-Kaï fit savoir qu'il n'avait agi que pour venger leur reine et quitta les lieux. Aussitôt après, Bahr-Kynn et ses Aurochs plièrent bagage, suivis par les Chouettes et les Chevreuils. Les Ours gris, la troisième tribu inféodée aux Aurochs, restèrent sur place. Son chef, Mohr-Lahn, avait refusé d'obéir à son suzerain. Bahr-Kynn avait tempêté, mais rien n'y avait fait. Mohr-Lahn avait tenu bon et l'avait informé qu'il rejetait désormais sa vassalité pour placer les siens sous la protection des Renards. Les menaces du chef des Aurochs n'y avaient rien changé.

Après les Aurochs, cela avait été au tour des Grands Cerfs et de leurs vassaux, Ours bruns et Loups noirs, d'abandonner la place. Haar-Thus, chef de la tribu suzeraine, avait déclaré qu'il n'avait aucun compte à rendre à qui que ce fût et que ses tribus avaient terminé le troc. Cette attitude étonna quelque peu Mahl-Kahr et Loo-Nah. Haar-Thus était réputé pour sa pondération.

Sur les vingt-quatre tribus des dieux volcans, onze avaient déserté l'assemblée des rheuns, soit près de la moitié de la population.

Au campement des Renards, une grande nervosité tenait Loo-Nah. Partagée entre la tristesse et la colère, elle s'était appuyée sur le bras de son mari, marmonnant des paroles à voix basse. Elle réfléchissait. Khrent, habitué, ne lui posait aucune question. Enfin, Loo-Nah déclara :

— J'ignore qui a pu commettre un acte aussi monstrueux, mais ceux qui ont fait ça haïssent les femmes.

— Pourquoi dis-tu ça ?

— Ils ne se sont pas contentés de la décapiter et de la vider de ses entrailles. Ils ont aussi ôté sa matrice. Son sexe et ses seins ont été lacérés. Ils n'ont pas agi de même avec les gardes. Ils ont détruit tout ce qui faisait d'elle une femme. Comme s'ils niaient aux femmes le droit d'exister.

— C'est stupide. Comment les hommes feraient-ils pour vivre sans les femmes ? Ils n'auraient pas d'enfants et ils disparaîtraient.

— Ils appartiennent sans doute à une tribu où les femmes sont considérées comme inférieures, comme c'était le cas dans ce pays avant la venue de la Bienveillante.

— Alors, ils peuvent venir de n'importe où, dit Mahl-Kahr. Dans la plupart des nations étrangères, les femmes obéissent aux hommes.

— Ils ne les massacrent pas pour autant, rétorqua Loo-Nah.

— Justement parce qu'elles sont soumises, intervint Ly-Rah. Et je me demande…

Elle laissa passer un silence.

— Quelle est ton idée ? demanda Mahl-Kahr.

— Je ne suis pas sûre que la volonté de ces ennemis inconnus soit d'envahir le pays des volcans. Bien sûr, ils tentent de dresser nos tribus les unes contre les autres et ils y sont parvenus. Mais je me demande s'ils n'ont pas un autre but.

— Quel but ?

— Ces gens s'en prennent aux reines de manière ignoble. Ils pourraient se contenter de les éliminer pour déclencher la colère des peuples. Mais ils s'acharnent sur elles. La petite Ty-Loh a été torturée avant de subir le même sort que Lynn. Quant à Shi-Nah, elle est morte brûlée vive. Nay-Lah a failli connaître le même sort. Ces gens-là ne sont pas des envahisseurs ordinaires. Ils haïssent les femmes des Montagnes de feu parce qu'elles sont libres et qu'elles ont les mêmes droits que les hommes. Ils s'attaquent aux reines parce qu'elles représentent le symbole de la liberté des femmes dans nos tribus. Et ils veulent détruire les bibliothèques, qui leur apportent la puissance de la Connaissance.

Mahl-Kahr approuva.

— Ton raisonnement est juste, Ly-Rah. Ces ennemis ne veulent pas seulement envahir le pays des Montagnes de feu. Leur but est de réduire à néant le pouvoir apporté par les livres. Un pouvoir que l'on doit à une femme : Noï-Rah.

— Il faut absolument savoir qui ils sont et d'où ils viennent. Ils ont déjà réussi à briser notre alliance. Et avec des chefs comme Mohn-Kaï et Bahr-Kynn, il est à craindre que des conflits se déclenchent bientôt. Ils feront tout pour ça.

Ly-Rah poussa un soupir de lassitude. Tout cela ne correspondait que trop bien à sa vision. Mais était-il possible d'empêcher l'inéluctable ?

17

La tribu des Renards avait plié bagage à son tour, reprenant le chemin de No'Si'Ann. Ly-Rah marchait à côté de Ken-Loh, comme à l'aller. Pourtant, l'atmosphère avait changé. Le jeune homme n'était pas fâché de quitter cet endroit malsain. Si les Renards ne les avaient pas défendus, ils auraient peut-être connu le même sort que les autres étrangers tués par des guerriers ivres de vengeance.

— Ces pauvres gens n'étaient pour rien dans la mort de cette reine, dit-il à la jeune fille. Comment a-t-on pu les massacrer ainsi ?

— C'était un jour de folie. Les Aigles étaient furieux.

Songeant à Lynn, les yeux de Ly-Rah se remplirent de larmes. Elle ne pouvait s'empêcher de penser à sa mère, qui était à peine plus âgée que la reine des Aigles.

Khrent, qui cheminait à leur côté en compagnie de Loo-Nah, intervint :

— La mort de Lynn n'explique pas tout. La colère des Aigles a été orientée vers les tribus étrangères par des rumeurs. Quelqu'un a répandu des bruits selon lesquels les visiteurs étaient responsables de ce crime et de l'incendie de la bibliothèque des Ours noirs. Mohn-Kaï venait d'être humilié par Mahl-Kahr, il n'a pas fallu beaucoup pour le convaincre que ces rumeurs étaient fondées. Il ne demandait qu'à les croire.

— Il est impossible de savoir qui a lancé ces calomnies, ajouta Loo-Nah. Mais une chose est sûre : elles l'ont été délibérément pour créer la confusion. Malgré son échec à tuer Ly-Rah et Nay-Lah, l'ennemi a atteint son but : nous diviser.

Un autre élément tourmentait la reine. Elle avait longuement déambulé dans les allées du hah'koom en compagnie d'autres femmes de la tribu des Renards, prenant soin de dissimuler sa condition sous des vêtements masquant son visage. Rien n'était plus efficace que de se fondre à la foule pour écouter ce qui se disait. Or, en dehors des soucis habituels qui se posaient à chaque tribu concernant les récoltes, un sujet revenait souvent dans les conversations. A plusieurs reprises, on avait parlé devant elle d'une nouvelle divinité. Ce dieu-là était à l'origine de toutes choses dans le monde, les montagnes, les volcans, les animaux, les plantes et les hommes. Aux yeux de ceux qui le vénéraient, les autres dieux n'existaient pas, et il était même sacrilège de croire en eux. Il était invisible, il était partout et inspirait une véritable terreur à ceux qui en parlaient, tous originaires de l'extérieur.

Les membres de la tribu qui vendait les poteries de faïence l'appelaient Trohm. Pour ce qu'on en savait, cette petite nation pacifique, au moins en apparence, venait d'une vallée située très loin vers le sud-est. La prophétie de Ly-Rah, dont ils avaient entendu parler, corroborait les prédictions d'un de leurs chamans. Cependant, à la différence de la vision de Ly-Rah, leur prophète avait prédit que l'étoile s'écraserait sur la terre et exterminerait les peuples. Cette prophétie les terrorisait, car elle annonçait la fin des temps. Ils ne cessaient de répéter que Trohm s'était irrité de la conduite des hommes et leur envoyait une étoile pour les punir.

Loo-Nah avait tenté adroitement d'en savoir plus. On lui avait répondu, à mots couverts, que la faute en revenait aux peuples des Montagnes de feu, qui depuis trop longtemps s'évertuaient à percer les secrets de la Connaissance. Or, celle-ci devait demeurer l'apanage de leur seul dieu. De plus, les hommes des volcans adoraient des divinités maudites, qui n'existaient pas, et ils ignoraient Trohm. Tout cela avait contribué à provoquer sa colère.

Loo-Nah avait un temps soupçonné ces adorateurs de Trohm d'être à l'origine des crimes, mais leur attitude n'était nullement belliqueuse. Ils étaient seulement terrorisés par ce qui allait se passer au cours des lunes à venir. C'est tout au moins ce qui ressortait de ces conversations. Le plus étonnant était l'intérêt que ce dieu mystérieux suscitait dans d'autres nations. L'annonce de la fin des temps, renforcée par la vision de Ly-Rah, occupait tous les esprits. Et l'on cherchait à savoir comment y échapper. Les dieux ne pouvaient vouloir anéantir les tribus des Montagnes de feu, c'était impossible. Pourtant, peu à peu, l'idée de la culpabilité faisait son chemin dans l'esprit de certains. Et l'on commençait à se poser des questions sur les bibliothèques, sur le désir de développer la connaissance initié par Noï-Rah. Et si les dieux avaient vraiment pris ombrage de cette curiosité…

Pour Loo-Nah, cette forme de raisonnement était stupide. Si les dieux avaient dû manifester leur colère, ils l'auraient fait depuis longtemps. La curiosité faisait partie de l'être humain. Le savoir apporté par les livres avait permis d'améliorer grandement la vie des nations des volcans. Leur influence était bénéfique, et les dieux n'avaient aucune raison de s'en offusquer. Mais comment le faire comprendre à des peuples marqués par ces visions prophétiques qui n'annonçaient que des cataclysmes ? Même parmi les tribus des volcans, les arguments de ces prêcheurs venus de l'extérieur avaient commencé à semer le doute. Ce qui expliquait peut-être la méfiance de certains envers les reines et les bibliothèques.

Curieusement, les adeptes de Trohm avaient disparu peu avant les échauffourées qui avaient coûté la vie à plusieurs étrangers. Comment auraient-ils pu savoir ce qui allait se produire s'ils n'avaient pas été avertis ? Peut-être avaient-ils eux-mêmes lancé ces rumeurs. C'était même probable...

Il lui revint le discours d'un homme croisé sur le hah'koom quelques jours plus tôt, au moment de leur arrivée à l'assemblée des rheuns. Elle n'y avait pas prêté attention sur le moment, car on avait l'habitude de recevoir sur le hah'koom des individus farfelus venus de l'extérieur, qui prêchaient toutes sortes de croyances. Celui-là, s'appuyant sur la prophétie de Ly-Rah, recommandait la pénitence. Il avait parlé de la fin des temps, de l'étoile qui allait bientôt s'abattre sur le monde, provoquant une vague de feu bien pire que la colère des volcans. Tout brûlerait, les forêts, les montagnes, les animaux. Les villages et leurs habitants. Il n'existerait aucun endroit où se cacher. Personne ne pourrait échapper à la fureur du dieu du ciel. Il était celui dont on ne devait pas prononcer le nom et il s'était irrité de la conduite des hommes. Il avait dénoncé les femmes qui avaient apporté la connaissance aux hommes. Pour lui, les femmes étaient des êtres inférieurs. C'était sous l'influence d'un démon femelle, qui désignait Noï-Rah sans la nommer, qu'elles avaient cherché à percer les secrets des dieux. Si on l'en croyait, il fallait détruire les bibliothèques et cesser d'obéir aux femmes qui dirigeaient les nations des volcans. De cette manière-là seulement on éviterait l'anéantissement.

D'ordinaire, ce genre d'individu provoquait une curiosité amusée de la part des badauds du hah'koom et celui-ci n'avait pas fait exception. Il avait fini par descendre du tronc d'arbre sur lequel il s'était juché et s'était fondu dans la foule. Mais la prophétie de Ly-Rah trouvait un écho angoissant dans ses paroles et quelques personnes en avaient été troublées.

A présent, Loo-Nah regrettait de ne pas avoir cherché à en savoir plus sur cet individu. Peut-être se trompait-elle. Peut-être la proximité de la chute de l'étoile annoncée par plusieurs sources engendrait-elle ce genre de comportement, mais elle était convaincue que cet homme avait un rapport avec les crimes dont les reines étaient victimes.

Mais comment le prouver ?

18

Un soleil de plomb avait succédé au temps maussade qui avait présidé à l'assemblée des rheuns et régnait désormais en maître sur les Montagnes de feu. Après la mort de Lynn, Mohn-Kaï avait satisfait à la tradition. Le corps de la reine avait été incinéré, puis ses cendres avaient été transportées jusqu'au lac Pa'Hav, sous lequel dormait l'ancien dieu volcan. Les sentiments du chef des Aigles étaient partagés. Même s'il haïssait cordialement Lynn avec qui il avait toujours été contraint de partager le pouvoir, il ignorait qui l'avait tuée et cela le contrariait beaucoup. Bien sûr, les criminels, quels qu'ils fussent, lui avaient rendu service en le débarrassant d'une femme qui avait la détestable habitude de s'opposer systématiquement à ses décisions. Elle bénéficiait en outre de l'affection des Aigles alors que lui-même ne régnait sur son peuple que par la force, en s'appuyant sur les nombreux jeunes guerriers qui, comme lui, ne rêvaient que de batailles et de conquêtes.

Il avait un temps soupçonné Nor-Gül d'être à l'origine de la mort de la reine. Lui aussi la haïssait et elle constituait un obstacle dressé face à son ambition, que son conseiller encourageait et défendait bec et ongles. Il avait d'ailleurs évoqué la possibilité de la mort de Lynn devant lui. La vie d'une reine était sacrée chez tous les peuples des volcans. Mais Nor-Gül était né ailleurs. Il n'éprouvait pas le même respect. Cependant, Mohn-Kaï ne voyait pas de quelles complicités il aurait pu bénéficier. Il vivait à Ayd'Ann depuis plus de six ans. Avant même qu'il devînt chef des Aigles.

Afin d'en avoir le cœur net, il avait interrogé son conseiller, mais celui-ci avait juré qu'il n'était pour rien dans la mort de Lynn. En revanche, il lui avait dit que certains peuples de l'extérieur considéraient les reines comme responsables des catastrophes qui allaient bientôt s'abattre sur la terre. Peut-être étaient-ils coupables du crime. Peut-être étaient-ils les mêmes que ceux qui avaient éliminé la reine Shi-Nah…

Mohn-Kaï n'avait pas insisté. De toute façon, il avait d'autres soucis en tête. Il n'avait pas de temps à perdre. Dans le sud, ce chien de Bahr-Kynn devait déjà rassembler ses troupes. Car l'un comme l'autre savaient qu'ils n'atteindraient leur objectif que par la force. Il lui fallait donc agir très vite pour prendre l'avantage sur lui. Nor-Gül et Nhis-Try le confortaient dans ce projet. Le chaman, quant à lui, se satisfaisait pleinement de la disparition de la reine.

— Les temps changent, Mohn-Kaï. Les Aigles n'ont aucun besoin d'une reine qui contestait toutes tes décisions. Le pouvoir doit revenir aux chefs et aux chamans, ainsi qu'il en a toujours été par le passé, avant l'arrivée de Noï-Rah. Les femmes ne sont pas faites pour partager le pouvoir. Leur rôle doit se limiter à faire les enfants et à servir les guerriers sans discuter leurs ordres. Quant à la bibliothèque, elle est source de difficultés.

— Comment ça ?

— Tous les hommes de la tribu – et aussi les femmes – y ont accès. Nombreux sont ceux qui savent déchiffrer les signes prétendus sacrés.

Mohn-Kaï pâlit. Même si les paroles du sorcier éveillaient un écho en lui, il avait été élevé dans le respect de l'écriture et des signes imaginés par Noï-Rah pour transmettre le savoir. Les paroles du chaman relevaient du sacrilège.

— En quoi est-ce gênant ? demanda-t-il.

— Plus les hommes étudient, plus ils deviennent intelligents, et ils n'hésitent pas à remettre en cause les décisions de leur chef. Ils deviennent impossibles à gouverner. Un bon peuple est un peuple qui obéit sans discussion à celui qui les commande. Regarde tes jeunes guerriers. Aucun d'eux ne sait lire. C'est pour cette raison qu'ils te suivent, et qu'ils te suivront sans barguigner sur le chemin des batailles. Ce sont des hommes forts, des chasseurs, des guerriers dont l'esprit n'a aucun besoin d'être encombré par les fadaises contenues dans ces fichus livres. Vouloir percer les mystères du monde est un défi envers les dieux. Seuls les chamans et les chefs doivent avoir accès à une partie de ce savoir. Nous n'avons besoin que de la seule connaissance que nous ont donnée les dieux. Je suis persuadé que la menace qui pèse aujourd'hui sur notre monde est provoquée par tout ce fatras accumulé par les peuples des Montagnes de feu depuis l'époque de Noï-Rah.

Mohn-Kaï hocha la tête. Nhis-Try ne disait pas autre chose que ces étrangers qui accusaient les reines. Or, le chaman était bien un Aigle. Il ne venait pas de l'extérieur comme Nor-Gül.

Mohn-Kaï était perplexe. Il n'avait jamais envisagé les choses sous cet angle. Cependant, cette vision allait dans son sens. Il savait lire parce que les scribes l'avaient obligé à apprendre les signes, mais il n'avait jamais aimé ça. Il préférait la chasse et le combat.

— Voilà pourquoi nous n'avons pas besoin d'une reine, conclut Nhis-Try.

Mohn-Kaï approuva. Il n'avait aucune envie d'en voir une autre s'installer à Ayd'Ann. Il détenait seul le pouvoir à présent et il était hors de question de le partager à nouveau. Car même si une reine n'avait officiellement pas de pouvoir, elle avait la fâcheuse manie de se mêler de ce qui ne la regardait pas.

Une sombre rancune le rongeait. Ses guerriers ne semblaient pas lui avoir tenu rigueur de la correction infligée par Mahl-Kahr, mais il ne l'avait pas digérée pour autant. Il n'y avait qu'une seule manière de laver cet affront : vaincre, anéantir les Renards. Car c'était de leur tribu que venait tout le mal. C'était leur peuple qui avait choisi une reine, à l'origine. Les hommes de cette époque étaient-ils donc si faibles pour avoir remis leur sort entre les mains d'une femelle ? Les Renards devaient être écrasés !

Mais pour cela, il devait nouer une alliance. Haar-Thus, chef des Grands Cerfs, était attiré par sa sœur, Nessah. Elle constituait un excellent moyen de concrétiser une alliance. Les Grands Cerfs étaient nombreux, et ils avaient deux tribus vassales, les Ours bruns au nord et les Loups noirs au sud, dont le chef, Mo-Syhr, semblait partager ses idées au sujet des reines et des bibliothèques. Une alliance avec ces peuples se traduirait par plusieurs centaines de guerriers en plus. Fort de ce nombre, il serait aisé de s'emparer des territoires des Fils de l'Eau. Près de la moitié du pays des volcans lui appartiendrait. Il deviendrait le plus puissant des chefs. Il lui serait alors plus facile d'imposer sa volonté, même face aux Renards et aux Aurochs.

— Nous allons rendre visite à Haar-Thus et lui proposer d'épouser Nessah, déclara-t-il.

— Il acceptera, ô Mohn-Kaï, répondit aussitôt Nor-Gül. J'ai parlé avec lui. Il a perdu son épouse l'année dernière. Il hésitait à reprendre une femme dans sa tribu, car il l'aimait. Mais depuis qu'il a vu Nessah à l'assemblée des rheuns, il ne pense plus qu'à elle. C'est ce qu'il m'a avoué.

— Nessah est une très belle fille, renchérit le sorcier. Elle a seize ans. Tous les hommes la regardent.

— Mais elle a déjà un compagnon, objecta Mohn-Kaï. Elle m'a demandé de l'épouser cet été et j'ai donné mon accord. Elle refusera de rompre avec lui pour épouser Haar-Thus.

— Mohn-Kaï, le sermonna le chaman, n'oublie pas que tu es le chef. A ce titre, elle te doit une obéissance aveugle. Le temps des reines est terminé. Tu dois te faire obéir de ta sœur. Si elle refuse, tu la contraindras par la force, ainsi qu'il en était autrefois, quand les Aigles étaient des guerriers. Des guerriers qu'ils doivent redevenir.

Nor-Gül approuva.

— Dans mon ancienne tribu, une telle question ne se poserait même pas.

Mohn-Kaï hocha la tête.

— C'est bien ! Allez chercher Nessah.

— Tu veux que je rompe avec Dah-Renn ? Mais tu avais promis de nous marier après l'assemblée des rheuns…

— Eh bien, j'ai changé d'avis. Tu dois oublier Dah-Renn. Je t'ai trouvé un autre mari.

— Mais je ne veux pas d'un autre ! Je veux Dah-Renn !

La patience n'était pas la vertu première de Mohn-Kaï. Il se dressa, en proie à la fureur.

— Tu feras ce que je t'ordonnerai ! hurla-t-il.

— Certainement pas !

Pour toute réponse, une gifle cingla, qui meurtrit la lèvre de la jeune fille. Elle s'écroula au sol, stupéfaite. Elle leva des yeux emplis de colère sur son frère.

— Tu… m'as… frappée…

— Je te frapperai jusqu'à ce que tu obéisses.

Sous les yeux du conseiller et du chaman impassibles, il se mit à marcher de long en large.

— Le temps des reines est fini, déclara-t-il. Les femmes n'ont plus droit à la parole chez les Aigles. A partir de maintenant, elles devront se soumettre aux hommes. Nous n'avons plus de reine et nous n'en prendrons pas d'autre. Je vais aussi supprimer le conseil des mères.

— Mais tu n'as pas le droit !

— J'ai tous les droits ! Y compris celui de t'imposer l'époux que je t'aurai choisi.

— Je ne veux pas.

Une seconde gifle s'abattit sur la joue de Nessah, qui se réfugia contre le muret, en proie à une terreur soudaine. Mohn-Kaï n'avait jamais été un frère très attentionné, mais il ne l'avait jamais battue. Il la fixa d'un regard sombre et précisa :

— Tu vas épouser Haar-Thus, le chef des Grands Cerfs.

— Mais il est vieux ! gémit Nessah.

— Aucune importance. Ce mariage scellera une alliance entre nos deux nations. Tu vas te préparer. Nous partons demain pour le territoire des Grands Cerfs.

Nessah voulut encore argumenter, mais renonça. Ses joues lui cuisaient. Elle avait compris qu'elle ne parviendrait jamais à faire changer son frère d'avis. Mais cela ne voulait pas dire qu'elle l'acceptait. Elle rampa jusqu'à la sortie et s'enfuit. Elle n'alla pas très loin. Dah-Renn, inquiet, la reçut dans ses bras. Elle s'expliqua en sanglotant.

— Il veut t'obliger à épouser Haar-Thus ? Mais il est fou. Il avait fait la promesse de nous marier à la saison chaude.

— Il refuse de la tenir.

Furieux, Dah-Renn marcha au-devant de Mohn-Kaï qui venait de sortir de sa demeure.

— Pourquoi ? hurla le jeune homme en regardant son chef droit dans les yeux.

— Parce que j'en ai décidé ainsi.

— Tu n'as pas le droit. J'aime Nessah depuis que nous sommes tout petits. Et tu avais promis !

— Je ne m'en souviens pas ! Et je t'interdis désormais de t'approcher de ma sœur ! C'est bien compris ?

— Non, ce n'est pas compris ! Ce n'est pas parce que tu es le chef que tu as le droit de disposer des autres comme tu le veux !

Mohn-Kaï n'avait jamais admis la contradiction. Il marcha sur Dah-Renn et le frappa. Le jeune homme tenta de riposter, mais, malgré sa hargne et son courage, il n'était pas de taille contre le colosse. Un deuxième coup l'envoya au sol, la lèvre fendue. L'instant d'après, Nessah sautait à la gorge de son frère. Mais elle n'avait aucune chance contre la force brutale de Mohn-Kaï, qui la gifla une nouvelle fois. La jeune fille roula à terre, la figure en sang.

Autour d'eux, une foule importante s'était rassemblée, houleuse. Jamais un chef n'avait osé traiter un membre de la tribu de cette manière. Les jeunes guerriers de Mohn-Kaï se rangèrent aussitôt derrière lui, menaçants. Des murmures de désapprobation se firent entendre. Le chef s'avança vers les récalcitrants.

— Eh bien quoi ? Quelqu'un veut-il me défier ?

Les hommes s'entreregardèrent. Ils n'étaient pas d'accord, mais les jeunes guerriers postés auprès de Mohn-Kaï n'incitaient pas à faire preuve de bravoure. Chacun d'eux était prompt à la bagarre. Les autres étaient des cultivateurs et des pasteurs. La notion de bataille avait déserté leurs esprits depuis longtemps. Seul Graff, le vieux scribe, osa intervenir. Il se plaça face au chef et gronda :

— Tu devrais avoir honte, Mohn-Kaï ! Jamais une telle chose ne se serait produite si Lynn avait été encore vivante. Tu insultes sa mémoire. Il est grand temps que nous ayons une nouvelle reine dans cette tribu !

Indifférent à son grand âge, Mohn-Kaï empoigna le vieil homme sous le regard scandalisé de la foule et le projeta au sol.

— Je n'ai que faire de ton avis, vieillard ! brailla-t-il. Tu ne sers plus à rien ! Pas plus que cette bibliothèque !

Et, pour concrétiser ses paroles, il s'empara d'une torche et se dirigea vers le bâtiment. Inquiète, la foule le suivit, sans toutefois intervenir. Les jeunes guerriers formaient un rempart autour de leur chef. Avant que quiconque ait pu faire un geste, Mohn-Kaï pénétra dans la bâtisse sacrée devant laquelle les guerriers se rangèrent pour en interdire l'accès. A l'intérieur, Mohn-Kaï plongea la torche dans le foyer que l'on entretenait même en été, puis enflamma les rouleaux avant de ressortir. Quelques instants plus tard, la bibliothèque flambait sous les regards désespérés des villageois. Cette action était un sacrilège, une offense envers la Bienveillante. Certains regardaient autour d'eux, affolés, s'attendant peut-être à une sanction immédiate des divinités. Mais il ne se passa rien. Toujours entouré de ses guerriers, Mohn-Kaï s'exclama :

— Ecoutez-moi tous ! Il n'y aura plus jamais de reine à Ayd'Ann. Leur temps est fini. Il n'y aura plus de livres, plus de bibliothèque. Le savoir ne doit appartenir qu'aux chamans. Désormais, les femmes obéiront aux hommes. Le conseil des mères est dissous. Quant à Nessah, je l'emmène demain à Ghy'Ann où elle épousera Haar-Thus, afin de sceller notre alliance avec les Grands Cerfs. Le premier qui se dressera contre moi le regrettera ! Est-ce bien clair ?

Il y eut quelques grondements dans la foule, mais ils s'éteignirent rapidement. Les guerriers avaient saisi leurs armes et on comprit très vite qu'ils n'hésiteraient pas à s'en servir contre les récalcitrants.

Epouvanté, le vieux scribe contemplait l'incendie en secouant la tête. Des larmes coulaient de ses yeux fatigués, usés par la tâche minutieuse du recopiage. En quelques instants c'étaient des siècles de travail et de mémoire qui s'étaient envolés en fumée. C'était un sacrilège, un crime impardonnable. Le vieil homme se mit à sangloter. Le monde qu'il connaissait venait de s'écrouler.

A quelques pas, Nessah dévisageait son frère comme si elle le voyait pour la première fois. Dans ses yeux luisait une flamme intense, reflet de la haine qui venait de surgir en elle. Dah-Renn s'était éloigné, par prudence. Elle se tourna vers lui, le regard brillant. Il lui adressa un signe discret.

Le lendemain, tandis qu'une délégation d'une centaine de guerriers s'apprêtait à quitter Ayd'Ann, l'un d'eux vint trouver Mohn-Kaï.

— Chef, dit-il d'une voix blanche, ta sœur a disparu.

19

Baï-Rahm n'aimait pas ce qui se passait depuis quelques lunes dans sa tribu. Les Chouettes avaient toujours été pacifiques. Jusqu'à la mort de l'ancien chef, Moor-Dred. Celui qui l'avait remplacé, Haar-Skonn, n'était pas son fils. Il avait bénéficié du soutien de Bahr-Kynn, leur suzerain, chef de la tribu des Aurochs. Baï-Rahm n'avait jamais compris pourquoi Brahn-Agh, le fils de Moor-Dred, ne lui avait pas succédé. Il avait pourtant été préparé par son père à sa fonction et il bénéficiait du soutien de la reine, Pah-Lys. Mais Bahr-Kynn n'avait rien voulu savoir. Haar-Skonn était une brute épaisse qui ne jurait que par la chasse et n'avait aucun respect pour la reine. Il ne savait même pas lire et écrire. Mais il pouvait s'enorgueillir de l'amitié de Bahr-Kynn. Brahn-Agh avait pensé porter l'affaire de la succession de son père devant l'assemblée des rheuns, mais il avait été tué dans un accident de chasse peu avant. C'était pourtant un chasseur adroit, qui ne prenait aucun risque inutile. Selon les chasseurs qui l'accompagnaient, tous amis de Haar-Skonn, il avait fait preuve d'une grande imprudence face à un ours. Le monstre lui avait ouvert les entrailles. Il était mort avant de revenir au village. Baï-Rahm avait toujours trouvé cette mort suspecte, mais il avait gardé le silence. Il n'était qu'un modeste chasseur de la nation des Chouettes.

De même, il ne comprenait pas que l'on s'obstinât à venir chasser dans cette vallée des Loutres, que les Chouettes disputaient aux Chauves-souris. Il existait pourtant sur leur territoire des endroits bien plus giboyeux.

Ce matin-là, alors qu'il traquait une petite harde de daims depuis l'aube, le chef de leur groupe avait décidé de s'aventurer très loin dans la vallée litigieuse, à tel point que Baï-Rahm se demandait s'il ne s'agissait pas de leur part d'une provocation délibérée envers les Chauves-souris. Mais Trah-Gonn n'était pas réputé pour son intelligence. De plus, il les avait fait passer par des endroits escarpés, d'accès dangereux, espérant peut-être surprendre un parti voisin afin de déclencher une bagarre. C'était d'autant plus stupide qu'ils n'étaient que quatre. Si les Chauves-souris étaient plus nombreux, ils risquaient de s'en mordre les doigts, surtout après la mort de leurs trois pêcheurs quelques lunes plus tôt. Jamais encore il n'y avait eu de tués au cours de ces affrontements. Pour sa part, Baï-Rahm trouvait ces querelles complètement stupides. Il avait des amis chez leurs voisins, amitiés qu'il cachait afin d'éviter les ennuis.

Intérieurement, il pestait contre Trah-Gonn. Une violente tempête de montagne avait succédé aux jours de soleil et les pentes de la vallée étaient glissantes à souhait, rendant la marche difficile. Tout à coup, alors qu'il tentait de franchir un tronc d'arbre abattu par la foudre dans la nuit, son pied glissa et se tordit, lui occasionnant une vive douleur. Il poussa un hurlement. Pour aussitôt se faire injurier par Trah-Gonn.

— Imbécile ! Tu veux faire fuir le gibier ?

Baï-Rahm soupira et voulut se relever. Mais sa cheville lui refusait tout soutien.

— Crétin ! rugit l'autre. Tant pis pour toi, tu te débrouilleras pour rentrer au village tout seul.

Et, sans attendre de réponse, il tourna le dos à son compagnon et poursuivit son chemin. Les deux autres l'imitèrent. Baï-Rahm tenta une nouvelle fois de se relever, sans succès. Il pesta contre Trah-Gonn. Jamais, du temps de Moor-Dred, on n'aurait abandonné un chasseur blessé. Il ôta sa botte. Il souffrait d'une entorse. Il rampa jusqu'à un surplomb rocheux. Il n'y avait rien d'autre à faire qu'attendre que la douleur se calmât un peu. Ensuite, il regagnerait le village en s'appuyant sur un bâton. S'aidant d'une bande de cuir et d'une lanière, il serra sa cheville au maximum. Ne restait plus qu'à espérer qu'il n'attirerait pas l'attention d'un ours ou d'une meute de loups. Heureusement, il n'y avait pas grand risque en cette période de l'année.

Soudain, l'écho d'une bataille retentit à travers la petite vallée encaissée. Il se risqua jusqu'à l'extrémité de son abri, d'où il dominait le cours d'eau coulant en contrebas. Ses compagnons ne s'étaient pas éloignés de plus d'une centaine de pas. Pétrifié, il vit une douzaine d'individus les assaillir, armés de haches et de couteaux de silex. Son premier réflexe fut de se relever pour prêter main-forte à ses camarades. Mais la douleur le rappela à l'ordre. Il n'était pas en état de combattre. Dans un premier temps, il crut avoir affaire à une bande de Chauves-souris. Mais les inconnus portaient des masques de cuir. Il comprit alors qu'il voyait ces guerriers fantômes qui sévissaient depuis quelque temps dans le pays des volcans. Mais pourquoi s'en prenaient-ils à ses compagnons ?

Impuissant, il assista au massacre des siens, résistant à l'envie de hurler. Mais si les autres découvraient sa présence, c'en était fini de lui aussi. Il devait survivre, pour témoigner. Dissimulé sous un tronc écroulé et pourri, il se força à regarder. Sous ses yeux horrifiés, il vit les agresseurs décapiter un à un ses compagnons. Puis ils se livrèrent à un étrange rituel. Après avoir disposé les cadavres le long du torrent, ils placèrent divers objets dans les alentours. Après un instant d'étonnement, il comprit ce qu'ils faisaient : ces objets appartenaient sans aucun doute aux Chauves-souris. Ils voulaient les faire accuser et provoquer une guerre entre les deux tribus. Et au-delà, entre les Aurochs et les Fils de la Nuit. Mais il les avait vus. Il clamerait la vérité.

Leur crime accompli, les inconnus se fondirent dans l'épaisseur de la sylve. Alors seulement, Baï-Rahm osa sortir de sa cachette. Avec prudence, il se laissa glisser jusqu'au bas de la vallée, au fond duquel le torrent charriait encore des nappes de sang. Redoutant que les assassins ne reviennent sur leurs pas, il renonça à rejoindre ses compagnons. Il ne pouvait plus rien pour eux. A l'aide de son couteau, il tailla un solide bâton afin de s'aider à marcher, puis se mit en route au prix de mille difficultés.

Il n'arriva au village que tard dans la soirée, recru de fatigue. On l'entoura. Il expliqua alors ce qui s'était produit. Avant qu'il ait eu terminé, Haar-Skonn se mit à hurler :

— Ce sont les Chauves-souris ! Ils ont tué trois des nôtres ! Il faut les venger !

— Non ! Ils étaient masqués. Ce ne sont pas les Chauves-souris.

Baï-Rahm tenta de se faire écouter, sans succès. Haar-Skonn rameutait déjà ses guerriers, qui criaient aussi fort que lui. Soudain, une main ferme lui agrippa le bras. La reine Pah-Lys.

— Viens avec moi, mon garçon, il faut absolument soigner cette cheville.

— Mais...

— Viens ! Et ne dis plus rien.

Quelques instants plus tard, il était installé sur une peau d'ours, dans la maison de la reine. Veuve, Pah-Lys avait dépassé les soixante soleils et vivait seule. Le regard d'un bleu très pâle, le visage raviné par les années, elle conservait une force inattendue chez une personne de cet âge. Elle examina la cheville blessée, puis fit une moue de satisfaction. Elle se livra à quelques manipulations qui soulagèrent immédiatement la douleur du jeune chasseur.

— Ce n'est pas très grave. Après un ou deux jours de repos, tu devrais remarcher normalement. D'ici là, je te conseille de ne parler à personne de ce que tu as vu.

— Mais pourquoi ? J'ai bien vu des inconnus portant des masques.

— Tout comme ceux qui ont attaqué Ly-Rah lors de l'assemblée des rheuns.

— Il faut empêcher cette guerre. Les Chauves-souris n'ont rien à voir avec ce crime. Haar-Skonn va combattre des innocents.

— C'est bien le cadet de ses soucis, rétorqua la vieille dame. N'as-tu pas compris que tout ça était écrit d'avance ? Toi et tes compagnons avez été envoyés à la mort pour déclencher la colère des Chouettes. Ta blessure t'a évité d'être tué, mais tu es en danger. Il est impératif que tu te taises. Si on t'interroge, dis que tu étais trop loin, que tu n'as rien vu.

— Haar-Skonn m'a entendu. Il sait que j'ai vu les agresseurs et que ce ne sont pas des Chauves-souris.

— Haar-Skonn est une brute sans cervelle et surtout sans scrupules. Il n'a pas hésité à sacrifier quatre de ses hommes pour provoquer une guerre. Mais ce n'est pas lui qui est derrière tout ça.

— Qui alors ?

— Bahr-Kynn. Il cherche un prétexte pour s'emparer des territoires des Fils de la Nuit.

— Que lui ont-ils fait ?

— Rien. Mais il veut devenir roi des Montagnes de feu. Avec ses tribus vassales, dont nous faisons partie, il ne dispose pas d'une armée assez nombreuse. Il va donc envahir les terres des Fils de la Nuit et de leurs vassaux, puis enrôler les plus jeunes en leur faisant miroiter qu'ils ne seront plus des cultivateurs et des éleveurs, mais des guerriers. Comme il l'a fait pour les Chouettes et pour les Chevreuils. Seuls les Ours gris ont refusé de lui céder.

— Alors, il va y avoir la guerre, soupira Baï-Rahm.

— Malheureusement, nous ne pouvons rien y faire. Depuis quelque temps, les hommes semblent frappés de folie. Bahr-Kynn n'est pas le seul chef dévoré par l'ambition. Dans le nord, Mohn-Kaï, le chef des Aigles, veut lui aussi devenir roi et se lancer dans une guerre de conquête. Un jour ou l'autre, ils se retrouveront face à face.

— Les Renards pourront peut-être les ramener à la raison. Ils sont plus puissants qu'eux.

— Je doute qu'ils puissent empêcher quoi que ce soit. Mais toi, tu ne dois pas rester à Khom'Ann. Pour l'instant, tu es en sécurité près de moi. Haar-Skonn est trop occupé à organiser son armée. Mais tu en sais trop. Je crains qu'il ne t'arrive un accident de chasse comme ce fut le cas pour Brahn-Agh, le fils de Moor-Dred.

— Tu crois qu'il a été assassiné ?

— Cela ne fait guère de doute. Brahn-Agh n'aurait jamais accepté de suivre Bahr-Kynn dans sa guerre. Il avait hérité la sagesse de son père.

— Mais alors, cela veut dire que ce plan guerrier est ancien.

— Oui. Les reines ne l'ont compris que cette année, au vu de ce qui s'est passé à l'assemblée des rheuns. Tous les anciens chefs ont été remplacés par des têtes brûlées, des jeunes guerriers assoiffés de combat. Mais ils sont manipulés sans qu'ils le sachent par des individus venus de l'extérieur. Des individus qui ont pour dessein de plonger les nations des Montagnes de feu dans le chaos en les dressant les unes contre les autres. Cette histoire de roi n'est qu'un prétexte.

— Pourquoi veulent-ils détruire le pays des dieux volcans ? Nous ne sommes en guerre avec personne. Ils veulent conquérir nos territoires ?

— Nous l'ignorons. Nous ne savons pas qui ils sont. Ils apparaissent pour commettre leurs crimes, puis disparaissent sans laisser de traces. Ils ont échoué à tuer Ly-

Rah, la future reine des Renards. Au cours du combat, les Renards ont tenté d'en capturer pour les faire parler. Mais les autres, voyant qu'ils allaient être pris, se sont tranché la gorge.

— Ils se sont suicidés ? C'est incroyable. Comment peut-on commettre un geste aussi... terrible ?

— Il est possible qu'ils aient absorbé une potion qui les prépare à se donner la mort en cas de nécessité.

Baï-Rahm était abasourdi.

— Qu'est-ce qui peut justifier une telle attitude ?

— Sans doute doivent-ils préserver le secret de leur origine. Si nous les faisions parler, nous pourrions savoir à quelle tribu ils appartiennent. Et nous pourrions nous retourner contre eux.

— Mais si Bahr-Kynn a incité Haar-Skonn à sacrifier quatre de ces hommes pour provoquer une guerre, cela signifie... qu'il a partie liée avec ces individus.

— Et il n'est sûrement pas le seul. L'ennemi s'est infiltré dans nos rangs. Il est ici, parmi nous, en ce moment même. C'est pourquoi tu es en danger.

— Que dois-je faire ?

— Tu vas partir dès que ta cheville sera guérie. Dans deux jours si tout va bien. D'ici là, tu vas rester avec moi. Je vais te donner des vivres. Tu partiras discrètement à l'aube. Et tu iras chez les Renards. Il n'y a que là que tu seras vraiment en sécurité. Tu rencontreras Mahl-Kahr et la reine Loo-Nah, et tu leur rapporteras ce que tu as vu.

— Mais toi, que vas-tu devenir ?

— Je suis une vieille femme. Sans doute me tueront-ils un jour, mais je ne peux pas abandonner les gens de ce village. Ils vont avoir besoin de moi pour panser leurs plaies.

Pah-Lys ne se trompait pas. Dès le lendemain, tandis que Baï-Rahm restait à l'abri dans sa demeure, Haar-Skonn et une troupe importante de guerriers quittèrent le

172

village pour la vallée des Loutres, où ils trouvèrent les indices semés par les assassins. A leur retour, ils braillaient tous de colère en brandissant les « preuves » récoltées sur place.

— Si les Chouettes voulaient seulement ouvrir un peu les yeux, ils comprendraient que tout cela est honteusement fabriqué, dit Pah-Lys à Baï-Rahm. Ils ont rapporté au moins une dizaine d'objets « perdus » sur place par les Chauves-souris. Certains veulent attaquer tout de suite, mais Haar-Skonn veut se garantir le soutien de son suzerain. Il part demain pour rencontrer Bahr-Kynn.

La vieille femme soupira.

— Et personne ne voit rien, personne n'entend rien. Le conseil des mères a bien essayé de se réunir, Haar-Skonn le leur a interdit. Je n'ai même pas cherché à intervenir. Ils m'auraient massacrée.

— Ils n'iraient pas jusque-là, répondit le jeune homme, horrifié.

— Je ne serais pas la première reine à être tuée. Mon amie Lynn a péri dans de bien étranges circonstances. De même que Shi-Nah. D'ailleurs, je crois qu'il serait sage que les reines quittent les villages hostiles pour se réfugier chez les Renards. Le temps que cette folie cesse. Sinon, je crains que nombre d'entre elles ne disparaissent.

Baï-Rahm secoua la tête d'un air désespéré.

— Que nous est-il arrivé ?

— L'ambition des uns, la lâcheté des autres. Et la peur, la terreur inspirée par la prophétie de Ly-Rah. Il semble qu'elle soit confirmée par des voyageurs venus de tribus extérieures. Là-bas aussi certains chamans ont prédit un grand cataclysme. Mais alors que les hommes devraient s'unir pour faire face, certains ne pensent qu'à en profiter pour assouvir leur soif de pouvoir et de gloire. Sans doute est-ce dans la nature de l'homme.

Heureusement, il reste encore quelques tribus chez lesquelles prévaut la sagesse.

Haar-Skonn fut de retour un jour plus tard. Comme s'y attendait la vieille reine, Bahr-Kynn avait bondi sur l'occasion pour déclencher la guerre. Haar-Skonn parla longuement des préparatifs, de la convocation lancée auprès des vassaux pour qu'ils se rangent derrière leur suzerain. Il fulmina contre les Ours gris qui refuseraient probablement d'obéir.

Mais dans tout ce fatras, une information glaça le sang de Pah-Lys et de Baï-Rahm : Veh-Rah, la reine des Aurochs, avait péri à son tour, apparemment sous les crocs d'une meute de loups contre laquelle Bahr-Kynn avait ensuite lancé une troupe de chasseurs. Des larmes coulèrent des yeux fatigués de la vieille dame.

— Veh-Rah avait six ans de moins que moi, dit-elle. C'était une amie très proche. Et ils me l'ont tuée.

Il n'y avait aucune colère dans sa voix. Seulement une tristesse profonde et une sorte de résignation. Que pouvait une vieille femme de soixante soleils contre la violence qui s'était emparée du monde ? Baï-Rahm la prit dans ses bras.

— Viens avec moi, Pah-Lys. Tu ne peux pas rester ici.

— Comment veux-tu que j'entreprenne un tel voyage, mon garçon ? Je suis trop âgée. Et qui soignerait les blessés ? Si je reste sagement dans mon coin, ils m'épargneront peut-être.

— Tu sais bien que non. La mort de Veh-Rah le prouve. Ne te fais pas de souci pour les blessés. Le chaman se chargera des soins. Mais toi, tu dois rester en vie. Tu es la mémoire de notre tribu. Tu vas venir avec moi. Je te porterai.

— Avec ta cheville blessée ?

— Elle va beaucoup mieux, grâce à toi. Et si je souffre, tu seras là pour me soulager. Nous nous rendrons d'abord chez les Ours gris. Ils nous protégeront.

174

— Il faut traverser le territoire des Aurochs ou celui des Chevreuils. C'est trop dangereux, même si tu étais seul. Il y a une autre solution : nous allons nous rendre chez les Loutres. Notre territoire est proche du leur et leur reine, Ma-Nahi, est une grande amie. C'est notre doyenne. Elle saura quoi faire.

— Mais si Bahr-Kynn décidait d'attaquer les Loutres...

— Il ne le fera pas. Les Loutres sont les vassaux des Serpents. Et les Serpents sont trop puissants pour les Aurochs. Nous serons en sécurité chez eux.

L'attitude pleine d'humilité de la reine porta ses fruits. En raison de son âge, Haar-Skonn ne se méfiait pas d'elle. De plus, les Chouettes adoraient leur reine. Il ne pouvait prendre le risque de la malmener sans se mettre à dos une partie du village. Baï-Rahm et la reine bénéficièrent donc d'une relative tranquillité tandis que le chef préparait ses troupes à la guerre.

Cependant, Bahr-Kynn avait été très clair : le survivant des chasseurs massacrés devait disparaître. Haar-Skonn était bien décidé à obéir à cet ordre. Il n'avait jamais aimé ce Baï-Rahm, trop indépendant et trop intelligent à son goût. Il était de ceux qui osaient discuter ses ordres. Ce n'était pas sans raison qu'il l'avait envoyé dans la vallée des Loutres. Mais il était aussi délicat de l'éliminer. Bah, il verrait ça plus tard. Il devait d'abord rassembler la troupe la plus importante possible. D'ici quelques jours, Bahr-Kynn et ses Aurochs arriveraient au village avec les Chevreuils. Et les Ours gris... s'il parvenait à les convaincre. Mais rien n'était moins sûr. D'ici là, il aurait bien trouvé le moyen de se débarrasser de ce témoin gênant.

Malheureusement, le troisième jour, il fut impossible de retrouver la moindre trace de Baï-Rahm et de la reine. L'un des gardes avait bien vu l'un et l'autre errer dans le village peu avant l'aube, mais il ne s'était pas inquiété. La reine marchait à pas lents en raison de son âge. Quant à

Baï-Rahm, il traînait toujours la jambe. Il ne pouvait aller bien loin dans cet état...

— Bougre d'imbécile ! explosa Haar-Skonn. Tu ne comprends pas qu'ils t'ont joué la comédie ! Ils se sont enfuis !

Il organisa aussitôt des recherches. Mais les fuyards avaient plusieurs heures d'avance, et Baï-Rahm était réputé pour être l'un des plus habiles chasseurs du village. De plus, on ignorait dans quelle direction ils avaient pu partir.

Par chance, Pah-Lys ne pesait pas lourd. Dès le début de leur fugue, Baï-Rahm avait chargé la vieille dame sur son dos, marchant d'un pas vif. Sa cheville, solidement bandée, ne le faisait pas trop souffrir. Il franchit ainsi les gorges de la vallée des Loutres, qui en fait n'appartenaient pas au territoire de la tribu du même nom, mais dont le prolongement amenait, en aval, jusqu'à leur domaine. Suivant le cours d'eau heureusement calme à cette époque de l'année, il ne lui fallut qu'une journée pour rejoindre le village des Loutres, qu'il atteignit après avoir franchi, vers l'est, une barre montagneuse peu élevée. Là seulement, il put se reposer.

Ma-Nahi, doyenne des reines, écouta gravement Pah-Lys raconter les raisons de leur fuite. Elle conforta son amie dans sa décision.

— Tu as bien fait de partir. Bahr-Kynn et Haar-Skonn ne pouvaient courir le risque de vous laisser vivre l'un et l'autre. Car le piège dans lequel tu es tombé, Baï-Rahm, prouve qu'ils ont conclu une alliance avec les ennemis inconnus.

— Que pouvons-nous faire ?

— Nous allons prévenir Sryn-Khan et la reine Myh-La, chez les Serpents. Il faut aussi avertir les Renards. En passant par les territoires des Fils de l'Eau et de leurs vassaux, on peut se rendre à No'Si'Ann sans danger.

— J'irai là-bas, déclara Baï-Rahm. Il faut empêcher cette guerre.

— Je crains qu'il ne soit trop tard, hélas, soupira la vieille reine.

20

Bahr-Kynn n'avait pas renoncé à rallier les Ours gris à sa cause. Immédiatement après la visite de Haar-Skonn, il se rendit dans leur village de Last'Ann. Mais Mohr-Lahn, fort de l'appui des Renards, avec lesquels il avait déjà passé alliance, se montra inflexible.

— Je ne te suivrai pas dans cette guerre stupide, Bahr-Kynn. Je sais que tu l'as délibérément provoquée.

— C'est faux, tempêta le chef des Aurochs, furieux. Ces chiens de Chauves-souris ont massacré trois chasseurs des Chouettes.

— Et l'on a retrouvé, comme par hasard, des indices qui les accusent... Ne me prends pas pour un imbécile, Bahr-Kynn !

— Tu dois m'obéir ! Tu es mon vassal.

— C'est terminé. J'ai décidé de rompre cette vassalité. Je ne te reconnais plus pour mon suzerain. Désormais, mon allégeance va aux Renards.

— Tu n'en as pas le droit ! Tu dois obéir à la tradition. De tout temps, les Ours gris ont été vassaux des Aurochs.

— L'ancien chef des Aurochs ne te ressemblait pas. Il nous respectait. Toi, tu refuses d'inscrire les tributs dans les livres et tu exiges toujours plus. Mais cette année a été la dernière où nous t'avons payé un tribut. Si, parmi les Ours gris, certains veulent te suivre, ils sont libres. Mais je doute qu'ils le fassent.

Bahr-Kynn se tourna vers la foule rassemblée autour d'eux. Les Ours gris étaient les plus nombreux de ses vassaux. Leur contribution lui assurait la victoire. Pourtant, aucun des hommes présents ne répondit à son appel. Au contraire, tous se rangèrent derrière leur chef pour montrer leur solidarité avec sa décision.

Bahr-Kynn avait envie de frapper Mohr-Lahn. Mais il eût signé son arrêt de mort. La petite troupe qu'il avait amenée avec lui n'était pas assez nombreuse pour imposer sa loi. Fou de rage, il quitta les lieux et reprit le chemin de son village. Ces chiens s'étaient moqués de lui. Mais ils ne perdaient rien pour attendre.

Après le départ de Bahr-Kynn, Mohr-Lahn demeura un long moment silencieux. Il se doutait bien qu'il n'en resterait pas là. Bahr-Kynn avait décidé d'attaquer les Chauves-souris et les Fils de la Nuit. Mais on ne pouvait exclure qu'il ne s'en prendrait pas d'abord aux Ours gris, afin d'asseoir son autorité. Bien sûr, il courrait alors le risque de se mettre la puissante tribu des Renards à dos. L'alliance que Mohr-Lahn avait passée avec eux ne resterait pas lettre morte, même si les Renards étaient pacifiques. Mais Bahr-Kynn était orgueilleux et dénué de scrupules. La manœuvre mise en place pour provoquer une guerre prouvait qu'il avait un contact avec l'ennemi extérieur.

Un autre élément aiguisait l'inquiétude du vieux chef. Il avait appris par un colporteur arrivé peu avant le chef des Aurochs que leur reine, Veh-Rah, était morte, dévorée par des loups. Une telle attaque était très rare à cette époque de l'année où les forêts regorgeaient de gibier. Les loups ne s'en prenaient pas aux humains, sauf au plus fort de l'hiver, quand la famine sévissait. Il était donc très possible, sinon probable, que Bahr-Kynn fût à l'origine de la mort de Veh-Rah. Les reines gênaient les nouveaux chefs, à tel point qu'ils n'hésitaient pas à les supprimer, rejetant ainsi leur caractère sacré. Elles étaient en danger, même au sein des tribus qui les respectaient. Vy-Niah, la reine des Ours gris, n'avait que dix-neuf ans. Elle avait succédé à sa mère l'année précédente. Celle-ci était morte d'une maladie qui lui avait rongé le ventre et contre laquelle il n'y avait rien eu à faire.

Vy-Niah n'était pas en sécurité à Last'Ann. Elle devait partir.

— Une guerre se prépare, ma belle, dit Mohr-Lahn à la jeune reine.

Il éprouvait pour elle l'affection d'un père pour sa fille. Il n'avait eu que des fils.

— Bahr-Kynn n'acceptera jamais de renoncer à sa suzeraineté sur nous, poursuivit-il. S'il nous attaque, il te tuera, comme il a sans doute tué Veh-Rah. Aussi, tu vas quitter Last'Ann.

— Mais je ne peux pas laisser les Ours gris sans protection.

— Ils sont moins exposés que toi. Plusieurs reines sont mortes récemment, dans des conditions plus que douteuses. J'ignore pourquoi, mais l'ennemi veut votre disparition, et il a réussi à rallier certains chefs des Montagnes de feu à sa cause. Je ne veux pas qu'il t'arrive malheur. Tu vas te rendre à No'Si'Ann. C'est le seul endroit où tu ne risqueras rien. Bahr-Kynn n'osera jamais s'attaquer aux Renards.

La jeune femme soupira :

— Que le grand Ours t'entende, Mohr-Lahn.

Dès le lendemain, Vy-Niah quittait Last'Ann, escortée par une trentaine d'Ours gris solidement armés.

21

Nessah n'avait aucune confiance envers les membres de la tribu des Hermines. Mais Dah-Renn et elle étaient obligés de traverser leur territoire pour quitter le pays des Montagnes de feu. Au-delà s'étendait celui des Belettes, une autre nation inféodée aux Aigles. Elle aurait pu compter sur l'aide d'une amie dans cette tribu, mais ce qu'elle avait vu au cours de l'assemblée des rheuns l'incitait à la plus grande prudence. Les jeunes guerriers de tous les peuples vassaux ne juraient plus que par Mohn-Kaï. Leurs chefs, tous du même âge que son frère, hurlaient à l'unisson. Elle avait compris qu'ils ne seraient pas en sécurité non plus chez les Belettes. Aussi avait-elle décidé de contourner leurs terres par le sud pour atteindre le grand lac qui bordait le pays des volcans au nord-est[1].

Au-delà, on pénétrait dans le territoire des tribus extérieures. Elles n'appartenaient pas au pays des volcans, mais elles participaient chaque année à l'assemblée des rheuns. D'une nature curieuse, Nessah s'était rapprochée de ces étrangers qui ne parlaient pas la même langue, mais dont elle avait fini par apprendre quelques mots en bavardant avec les colporteurs et les artisans qui visitaient régulièrement le village des Aigles. Au cours de la

---

1. Il s'agit de la Limagne, dont le nom vient du latin « lac magnus », le grand lac. La Limagne fut recouverte pendant longtemps d'un grand lac marécageux, qui fut asséché au XVIIIe siècle.

dernière assemblée, elle s'était même liée d'amitié avec une jeune fille appartenant à une tribu qui vivait dans les collines situées de l'autre côté du grand lac. Là-bas, elle était sûre de trouver asile.

Dah-Renn avait le même âge qu'elle, seize ans. Pourtant, il était déjà l'un des meilleurs pisteurs des Aigles. Après l'incendie de la bibliothèque, elle n'avait pas hésité une seconde à prendre sa décision. Elle avait rejoint Dah-Renn au cours de la nuit, puisqu'il était interdit à son fiancé de l'approcher. Mohn-Kaï avait trahi sa parole. Elle n'avait aucune raison de se soumettre à son projet. Elle n'aimerait jamais un autre homme que Dah-Renn. Mais elle savait aussi qu'elle n'aurait pas gain de cause face à la tyrannie de son frère. Ils n'avaient donc pas d'autre solution que de s'enfuir. Le plus loin possible.

Ils avaient quitté le village peu avant l'aube, profitant des premières lueurs pour s'échapper, déjouant sans difficulté la surveillance des gardes somnolents. Puis ils avaient gagné l'abri de la forêt, prenant soin d'effacer leurs traces à l'aide de branchages. Ils n'avaient cessé de marcher afin de mettre la plus grande distance entre le village et eux. Ils savaient que Mohn-Kaï lancerait ses hommes sur leurs traces dès que l'on découvrirait leur fuite. Mais Dah-Renn connaissait bien la forêt, aussi bien sur le territoire des Aigles que sur celui des Hermines.

La fatigue broyait les membres de Nessah. Parfois, elle avait envie de s'arrêter, de s'écrouler sur le sol pour reprendre des forces. Alors, Dah-Renn la chargeait sur son dos et poursuivait leur chemin sans mot dire. Dah-Renn ne parlait jamais beaucoup. Il observait, écoutait. D'humeur toujours égale, il vouait une véritable adoration à Nessah. Il s'étonnait encore que, parmi tous les garçons du village, la plus belle fille des Aigles, sœur du chef de surcroît, soit tombée amoureuse de lui. Aussi, il ne sentait pas le poids de la jeune fille, qu'il emportait au loin comme un trésor. Et si ses jambes le rappelaient à l'ordre de temps à autre, il serrait les dents et ignorait la douleur.

Chaque pas qui les éloignait de la tribu était une petite victoire.

Ils ne s'arrêtèrent qu'à la nuit tombée, lorsqu'il fut impossible de voir quoi que ce fût. Alors, Dah-Renn trouva encore assez de forces pour les hisser tous deux dans un arbre dont la frondaison épaisse suffirait à les dissimuler au cas où leurs traqueurs s'aventureraient trop près. Enfin, recrus de fatigue, ils prirent le temps de se nourrir d'un peu de viande séchée que Nessah avait emportée dans un sac de cuir. Puis ils s'endormirent dans les bras l'un de l'autre, au creux d'un large embranchement.

Nessah s'éveilla en sursaut. Pendant un court instant, elle se demanda où elle se trouvait. Puis le souvenir de leur fuite éperdue lui revint et une angoisse sourde lui broya les entrailles. A travers les feuillages, elle scruta les environs. Mais tout semblait calme. Les oiseaux menaient grand tapage, preuve qu'il n'y avait aucun danger proche. Elle frissonna. La couverture de peau dans laquelle ils s'étaient enveloppés s'était révélée bien mince face à la fraîcheur du matin. Les bras de Dah-Renn étaient restés serrés autour d'elle. Elle frémit de plaisir. Elle aimait sentir la chaleur de son corps contre le sien. Cela faisait belle lurette qu'elle s'était donnée à lui. Elle aimait son calme inébranlable. Dah-Renn était rassurant. Il ne s'énervait jamais. Tout le contraire d'elle, qui se mettait à bouillir à la moindre provocation. Mais il savait calmer son impulsivité. Elle se sentait en sécurité avec lui. Il s'éveilla, déposa un baiser léger dans son cou, provoquant un frisson délicieux dans le corps de la jeune fille. Une envie impérieuse monta au creux de ses reins. Mais ils ne pouvaient pas se permettre de perdre du temps. Avec mille précautions, ils descendirent de leur arbre et se mirent en route. Bientôt, le relief s'assagit. On approchait de la plaine immense qui bordait le lac, qu'ils atteignirent vers le milieu de la matinée. Ils touchaient à la partie la plus périlleuse du voyage. Il leur fallait traverser les marécages pour atteindre les collines de l'autre côté. Là, ils trouveraient la tribu étrangère dans laquelle elle avait tissé des liens au cours de l'assemblée des rheuns. Mais ils devaient s'avancer à découvert. Si les chasseurs des Aigles les avaient suivis jusqu'ici, ils risquaient de les apercevoir. Aussi décidèrent-ils de contourner le lac par le sud. Le trajet serait plus long, mais il était plus sûr.

Deux jours plus tard, ils atteignirent le pied des collines. Ils étaient sauvés.

Il leur fallut encore une journée pour découvrir le village, dans lequel ils furent accueillis selon les lois de l'hospitalité. Nessah retrouva avec plaisir la petite Khleo, qui lui avait appris les rudiments de la langue. Cependant, ils avaient estimé qu'il était plus prudent de taire leur fuite. Ils expliquèrent qu'ils s'étaient égarés au cours d'une partie de chasse et s'étaient retrouvés sur les rives du lac. Sachant que leur village se trouvait non loin, ils avaient décidé de poursuivre pour rendre visite à Khleo. Celle-ci était ravie de leur présence. Elle ne connaissait pas Dah-Renn, puisqu'il n'avait pas été autorisé à accompagner Nessah à l'assemblée des rheuns, mais elle en avait beaucoup entendu parler.

Kerrog, le chef du village, s'étonna bien un peu de les voir si loin de leur territoire, mais il ne posa aucune question. Il se contenta de leur déclarer qu'ils étaient les bienvenus et qu'ils pouvaient demeurer le temps qu'il leur plairait. On leur octroya une maison dans laquelle ils se retrouvèrent le soir.

— Nous allons rester quelques jours ici, proposa Nessah. Il nous faut reprendre des forces. Puis nous repartirons. Nous ferons semblant de regagner les Montagnes de feu, puis nous descendrons vers le sud. Si nous parvenons à gagner le territoire des Serpents, nous serons vraiment sauvés.

Dah-Renn acquiesça.

Malheureusement, deux jours plus tard, au moment où ils s'apprêtaient à quitter le village, une silhouette inquiétante se dressa devant eux : Mohn-Kaï.

Nessah eut l'impression que son sang se figeait dans ses veines. Elle regarda son frère. Derrière lui se tenait Kerrog, ainsi qu'une trentaine de guerriers aigles. Plus loin, Khleo pleurait silencieusement, les joues rougies. Des bleus marquaient ses bras et ses jambes. Visiblement, elle avait été frappée.

Mohn-Kaï s'avança vers sa sœur et la considéra d'un regard noir. Puis, sans aucun avertissement, il la gifla avec une telle force qu'elle en fut projetée au sol. Elle se mit à hurler. Aussitôt, Dah-Renn bondit à la gorge de Mohn-Kaï. Mais l'autre s'y attendait. Il avait dégainé son poignard de silex qui s'enfonça avec un bruit effrayant dans la poitrine du jeune homme, juste sous le sternum. Le cœur déchiré, il fut arrêté net dans son élan. Un étonnement sans borne se peignit sur ses traits. Il ne pouvait plus respirer. Il trouva la force de se tourner vers Nessah, tendit la main vers elle, puis vomit un flot de sang et s'écroula sans vie aux pieds de son meurtrier. Mohn-Kaï retira son poignard ensanglanté et déclara d'un ton satisfait :

— Je l'avais pourtant prévenu de ne plus t'approcher.

La joue endolorie, Nessah contemplait la scène comme s'il s'agissait d'un cauchemar.

— Tu l'as tué… murmura-t-elle.

Elle rampa jusqu'au corps de Dah-Renn, les yeux brouillés par les larmes. Puis elle leva la tête sur son frère, qui lui adressa un sourire de triomphe.

— Tu m'as désobéi !

— Tu n'es qu'un porc !

L'instant d'après, elle eut l'impression que sa joue éclatait sous la seconde gifle.

— Emmenez-la, dit Mohn-Kaï à ses hommes. Et attachez-la. Nous avons une longue route à faire pour nous rendre chez les Grands Cerfs.

La tête douloureuse, Nessah parvint à se remettre debout. Tandis que Mohn-Kaï remerciait le chef, la petite Khleo parvint à se glisser près d'elle.

— Kerrog t'a trahie, souffla-t-elle. Il s'est étonné de te trouver si loin de ta tribu. Il a envoyé des hommes pour prévenir ton frère. Il te cherchait de l'autre côté du lac. J'ai voulu t'avertir, mais on ne m'a pas laissée t'approcher.

Nessah n'eut même pas le temps de lui répondre. Deux guerriers la saisirent et lui lièrent les mains dans le dos. Peu après, les Aigles reprirent le chemin du grand lac. Elle avait tout perdu. Mais elle savait une chose : jamais elle ne pardonnerait à Mohn-Kaï.

Un jour, elle lui ôterait la vie.

22

De retour à Ayd'Ann, Nessah avait espéré s'échapper de nouveau. Mais Mohn-Kaï l'avait fait entraver avec des liens solides. De plus, elle était surveillée constamment par six jeunes guerriers ravis de l'aubaine car, afin de lui ôter toute velléité d'évasion, on lui avait confisqué tous ses vêtements. Nue comme au jour de sa naissance, elle n'aurait pu aller très loin, en admettant qu'elle parvienne à se débarrasser des cordes passées à ses chevilles et ses poignets. Durant les jours qui suivirent, au cours desquels on ne lui déliait les mains que pour se nourrir et pour ses besoins naturels, elle traversa des moments de désespoir intense. Elle n'avait plus aucune raison de vivre. Le souvenir de Dah-Renn tué par Mohn-Kaï ne quittait pas sa mémoire. Autrefois, cela eût été considéré comme un crime et il aurait eu à rendre des comptes, tout chef qu'il était. Mais il avait eu beau jeu de dire que Dah-Renn l'avait agressé et qu'il n'avait fait que se défendre. La tribu avait bien été obligée d'accepter ses explications, confirmées par les guerriers qui l'accompagnaient. Cependant, on n'avait pas oublié que Dah-Renn devait épouser Nessah, et que Mohn-Kaï avait donné sa parole de les unir pendant l'été. Mais Mohn-Kaï n'avait plus de parole, plus d'honneur. Tout cela s'était effacé devant son ambition. Quelques jours après leur retour, il vint la voir dans la demeure où elle était retenue prisonnière.

— Ecoute-moi bien, sale garce ! L'alliance avec les Grands Cerfs est conclue. Haar-Thus est disposé à t'épouser pour sceller cette alliance. Il est même fort désireux de t'avoir à lui.

— Il est vieux et laid.

— Aucune importance. Je te préviens que tu as tout intérêt à te montrer docile avec lui. Tu te laisseras faire sans te rebeller. Dans le cas contraire, je te promets que tu le regretteras. Je te ferai mourir d'une façon si horrible et si lente que tu me supplieras de t'achever. Tu m'as bien compris ?

Ce disant, il dégaina son couteau de pierre et le posa sur la gorge de la jeune fille. Elle aurait voulu répondre, mais le regard noir de son frère la désarçonna. Elle comprit qu'il n'hésiterait pas à la torturer pour la faire obéir. Il se moquait bien de ce qu'elle pouvait ressentir. Tout devait plier devant lui. Elle renonça à discuter et décida de se montrer docile... en apparence.

— Je ferai ce que tu voudras, répondit-elle en baissant les yeux.

— Je l'espère pour toi.

Trois jours plus tard, les Aigles arrivaient à Ghy'Ann, le village des Grands Cerfs. Ils furent accueillis par une foule enthousiaste. L'alliance réjouissait les jeunes hommes de la tribu, qui espéraient bientôt de belles batailles. Plusieurs dizaines de guerriers des tribus vassales des Loups noirs et des Ours bruns étaient arrivés pour célébrer les noces.

Nessah, plus morte que vive, avait été vêtue d'une magnifique robe de lin blanc. Les femmes lui avaient confectionné une coiffure compliquée, entrelacée de lanières de cuir colorées et de fleurs. Outre sa sœur, Mohn-Kaï avait amené un troupeau composé de deux bœufs, de dix chèvres et de douze mouflons. La jeune fille avait l'impression de n'être pas autre chose qu'un animal. Elle gardait les dents serrées afin de ne pas céder aux larmes qui lui brûlaient les yeux. L'image de Dah-Renn ne la quittait pas.

Enfin, elle se trouva devant Haar-Thus. Elle frémit. Elle le connaissait déjà pour l'avoir entrevu lors de l'assemblée des rheuns, mais elle ne lui avait pas accordé d'attention. Aujourd'hui, il se tenait devant elle et elle ne pouvait accepter l'idée qu'elle allait être unie à un homme aussi âgé et aussi laid. Il avait dépassé la quarantaine et, surtout, son visage restait marqué par des blessures qui l'avaient défiguré. Il avait perdu son œil droit au cours d'une partie de chasse, bien des années plus tôt, et son visage se zébrait d'une vilaine balafre autour d'une orbite vide et fermée. De plus, il boitait. Comment son frère avait-il pu imaginer la livrer à ce monstre ? Si leurs parents avaient été encore vivants, jamais ils n'auraient permis une telle abomination.

Haar-Thus lui adressa un sourire, qui l'enlaidit encore, si c'était possible. Elle eut envie de prendre ses jambes à son cou, mais le regard furieux que lui adressa Mohn-Kaï la dissuada d'en rien faire. D'ailleurs, où aurait-elle pu aller ? Elle était cernée par la foule.

L'idée de mourir l'effleura un instant. Mais elle y renonça aussitôt. Au fond d'elle-même, la haine était incrustée, enracinée. Elle devait rester en vie pour venger Dah-Renn. Elle se força à répondre au sourire d'Haar-Thus. Mais son sourire ressemblait à une grimace.

Le reste de la journée lui sembla un cauchemar. Tout d'abord se tint la cérémonie du mariage, au cours de laquelle le chaman des Grands Cerfs, Man-Khar, et la reine My-Nah, lièrent ses poignets avec ceux de son époux. Haar-Thus fronça les sourcils lorsqu'il remarqua les marques laissées par les lanières de cuir qui l'avaient entravée. Mais il ne fit aucun commentaire.

Ensuite eurent lieu les festivités destinées à célébrer le mariage et l'alliance entre les deux nations et leurs vassaux. Assise près de son mari, Nessah ne voyait plus rien, n'entendait plus rien. Elle ne toucha à aucune nourriture, malgré les encouragements d'Haar-Thus. Elle voyait arriver la nuit en songeant à ce qui allait se passer et une envie de vomir la tenait. Comment pourrait-elle accepter que ce monstre pose ses mains sur elle ?

Enfin, le soir venu, la reine My-Nah elle-même la conduisit dans la demeure d'Haar-Thus. Restée seule avec elle, elle lui ôta ses vêtements et l'invita à s'étendre sur le grand lit de peaux d'ours et de loups qui occupait le fond de la demeure, au-delà de la salle de réunion. Nessah leva un regard empli de panique sur la reine, qui lui répondit d'un sourire.

— Ton mari va te rejoindre bientôt, dit-elle. Mais ne tremble pas. Il n'est pas très beau, mais ce n'est pas un mauvais homme.

Puis elle quitta les lieux.

Un peu plus tard, alors qu'elle commençait à somnoler, épuisée par la journée, une ombre se glissa près d'elle.

— Comment va ma belle épouse ? demanda la voix rauque d'Haar-Thus.

Elle ne répondit pas. La terreur s'était emparée d'elle. Elle replia ses bras autour de sa poitrine pour se protéger. Elle s'attendait à ce que les mains d'Haar-Thus se posent sur ses seins, son sexe, ou toute autre partie de son corps. Mais il n'en fit rien. A la lueur qui émanait du foyer, elle distingua le profil de son mari, celui qui n'était pas abîmé. Elle constata alors qu'il n'était pas aussi laid qu'elle l'avait cru. S'il n'avait pas été défiguré, il eût même été beau.

— Tu n'as guère envie que je te touche, n'est-ce pas ?

Elle acquiesça d'un signe de tête. La voix était douce, apaisante.

— Je comprends.

Il soupira.

— Notre union n'est sans doute pas une bonne chose. Je l'ai acceptée parce que je t'ai vue au cours de l'assemblée des rheuns. Et je suis tombé amoureux de toi. Jamais je n'ai vu de fille plus belle que toi, plus vivante, plus souriante. Il y avait une sorte de lumière en toi.

Il lui prit la main.

— Mais je ne suis plus un jeune homme. Jamais je n'aurais osé demander à ton frère de t'épouser s'il n'était venu me voir lui-même pour me le proposer en échange d'une alliance. J'ai dit oui. C'était comme un rêve inaccessible qui devenait soudain réalité. Je lui ai demandé si tu étais d'accord et il me l'a confirmé. Mais je vois bien aujourd'hui qu'il n'en est rien. Il m'a menti sur tes intentions. J'ai appris aussi que tu avais un fiancé que tu devais épouser à l'été. Un fiancé qu'il a tué pour t'imposer ce mariage avec moi. Si j'avais su tout cela, je n'aurais pas accepté. Je croyais que tu étais libre. Malgré mon âge, je n'ai pas d'autre ambition que de te rendre heureuse. Et j'ai appris aujourd'hui que celui que tu aimais est mort à cause de moi. C'est pourquoi je comprends ta réaction.

Des larmes lourdes se décidèrent à couler sur les joues de Nessah. Au moins, cet homme âgé auquel on l'avait unie n'était pas mauvais, ainsi que l'avait dit la reine My-Nah. Désemparée, elle finit par éclater en sanglots. Haar-Thus la prit contre lui avec douceur, sans rien dire. Alors, elle se laissa aller. Elle pleura longtemps, laissant libre cours au chagrin qui la rongeait depuis la mort de Dah-Renn.

Lorsque enfin elle se calma, il prit une pièce de lin et lui essuya les yeux avec délicatesse. Même Dah-Renn n'avait jamais eu de gestes aussi doux avec elle. Elle leva les yeux vers lui et le remercia.

— Bien que j'en aie très envie, je ne te toucherai pas cette nuit, petite Nessah, dit-il. Je suis âgé, et de vilaines blessures m'enlaidissent. J'ai conscience de ce que je suis, un vieil homme qui a épousé une fillette dont il pourrait être le père. Si je pouvais réparer le mal qui t'a été fait par ton frère, je le ferais et je te rendrais ta liberté. Mais tu es seule désormais, comme je le suis. Aussi, je crois qu'il est préférable que tu restes près de moi. Parmi les Grands Cerfs, tu seras en sécurité. Si tu repars avec Mohn-Kaï, il te tuera. Cet homme est un monstre. Je ne me suis allié avec lui que pour éviter la guerre à mes peuples. Bien sûr, il veut que je lui fournisse des hommes pour mener son combat. Je lui en donnerai le moins possible, mais je suis contraint d'honorer notre alliance.

Il lui caressa le visage et ajouta :

— Je vais rester près de toi cette nuit. Ainsi, il pensera que tout s'est bien passé et il repartira en te laissant tranquille.

Il laissa passer un silence, puis reprit :

— Il y a un an, j'ai perdu mon épouse. C'était une femme très belle et très douce. Malheureusement, elle n'a jamais pu me donner d'enfants. Peut-être avons-nous mécontenté les dieux. Pourtant, je n'ai jamais pris d'autre femme, car je l'aimais. Et elle m'aimait aussi, malgré mon visage abîmé. Quand elle est morte, j'ai songé à prendre une autre épouse, plus jeune, qui pourrait me donner des fils et des filles. Mais je ne me suis jamais décidé. Aucune femme ne m'attirait. Jusqu'au moment où je t'ai vue à l'assemblée des rheuns. Je t'ai observée de loin, sans jamais t'aborder. Tu étais bien trop jeune pour moi. Mais quand ton frère m'a proposé ta main, j'ai cru que c'étaient les dieux qui l'envoyaient. Aussi, je ferai tout pour t'apprivoiser. Je ne désespère pas, à force de patience, de me faire aimer de toi.

— Je te promets d'essayer, murmura-t-elle.

Le lendemain, lorsque Haar-Thus quitta leur demeure, elle l'accompagna en lui tenant la main. Il était important qu'elle donne le change à son frère. Celui-ci l'observa. Elle lui jeta un regard glacial, mais se serra contre Haar-Thus.

Mohn-Kaï s'adressa à lui :

— T'a-t-elle donné satisfaction, mon frère ?

192

— Pleinement, mon frère. Nous nous entendrons très bien tous les deux. Tu ne pouvais pas me faire de cadeau plus magnifique pour sceller notre alliance.

— C'est bien. Mais n'hésite pas à la frapper si elle te désobéit.

— Je ne pense pas que cela sera nécessaire.

Haar-Thus se tourna vers Nessah et lui sourit. Elle lui rendit son sourire. Stupéfait, Mohn-Kaï déclara :

— Je ne sais pas ce que tu lui as fait, mais c'est la première fois que je la vois aussi docile. Tu es vraiment un homme étonnant, Haar-Thus.

Les Aigles quittèrent Ghy'Ann le lendemain. Avant le départ, Mohn-Kaï fit promettre à Haar-Thus de préparer ses hommes au combat.

— Nos peuples réunis seront invincibles. Bientôt, les nations des Montagnes de feu auront le roi qu'elles méritent. Je reviendrai bientôt.

Nessah regarda la délégation des Aigles s'éloigner. C'était sa propre tribu ; une tribu qui lui était devenue hostile. Elle avait pourtant vécu une enfance heureuse, entre des parents qui l'aimaient parce qu'elle était leur seule fille survivante. A cette époque, Mohn-Kaï se tenait tranquille. Jamais son père ne l'aurait autorisé à la traiter ainsi qu'il l'avait fait. Mais ses parents étaient morts et Mohn-Kaï était devenu de plus en plus autoritaire. Elle-même avait été pourtant épargnée. Jusqu'au moment où il avait décidé de rompre la promesse qu'il lui avait faite d'épouser Dah-Renn. Depuis, sa vie n'était plus qu'un cauchemar.

Haar-Thus se tenait près d'elle, un bras autour de ses épaules. Il avait tenu parole. Il avait passé la nuit près d'elle, mais n'avait pas cherché un seul instant à abuser d'elle. De cela elle lui était reconnaissante. Mais elle savait aussi que, malgré tous les efforts qu'il déploierait, il lui serait impossible de l'aimer.

Et elle comptait bien profiter de la liberté qu'il paraissait prêt à lui accorder pour s'enfuir à nouveau. Elle n'avait pas envie de lui faire de la peine, mais comment pourrait-elle jamais aimer un homme qui avait vingt-cinq ans de plus qu'elle ?

23

A No'Si'Ann, après l'assemblée des rheuns, chacun avait repris ses activités. Les hommes des Roches pâles étaient repartis vers leurs lointaines contrées. Seuls restaient Krigs, chef des Mohondos, et Gristan, chef des Palkawans, avec leurs compagnons. Parmi eux, se trouvaient Ken-Loh, enchanté de passer quelques jours de plus en compagnie de Ly-Rah, ainsi que Heh-Ming, le vieil homme de la nation des Vorhans, qui avait souhaité approfondir ses connaissances en matière de signes sacrés. Ly-Rah était ravie qu'il soit resté. Dans toutes les tribus des Roches pâles, il était considéré comme un grand sage, dont on recherchait les conseils.

En raison des menaces qui pesaient sur les Montagnes de feu, Mahl-Kahr avait renforcé le nombre des guetteurs. Un matin, ceux-ci annoncèrent l'arrivée d'une petite troupe en provenance du sud. Un peu plus tard, la délégation des Ours gris pénétrait dans No'Si'Ann.

— Je suis venu te demander l'hospitalité pour notre reine, expliqua Mohr-Lahn à Mahl-Kahr. Bahr-Kynn est venu à Last'Ann. Il n'a pas accepté que les Ours gris dénoncent leur vassalité. Il exige que nous participions à la guerre qu'il va mener contre les Fils de la Nuit.

— Sous quel prétexte ?

— Il prétend que les Chauves-souris auraient massacré plusieurs chasseurs de la nation des Chouettes. Mais je sais que tout cela n'est qu'une mise en scène.

Mahl-Kahr soupira.

— Mohn-Kaï ne tient pas en place, lui non plus. Ni l'un ni l'autre n'ont renoncé à devenir roi du pays des volcans. Et comme ils ne pourront pas obtenir ce titre avec l'accord des autres rheuns, ils vont tenter de s'en emparer par la force.

— Bahr-Kynn a cherché à m'intimider en me rappelant que je lui devais obéissance.

— Ce système de vassalité est très ancien, et il n'a jamais été possible de le supprimer, malgré nos efforts. Mais il ne repose sur rien, sinon d'antiques allégeances et une tradition qui veulent que les peuples les plus faibles versent tribut aux nations les plus puissantes. Nous avions réussi à faire en sorte que ces tributs soient fixés par les livres, mais il semble que Bahr-Kynn et Mohn-Kaï ne soient plus décidés à accepter ce principe. Cela s'explique : à cause des batailles qu'ils préparent, leurs hommes n'ont plus le temps de cultiver la terre. Il faut donc que d'autres s'en chargent à leur place.

— A la dernière saison blanche, il a doublé le tribut dont nous étions convenus à l'automne. Nous avons payé sous la contrainte, mais cette année, nous ne paierons pas. Nous avons tout juste de quoi tenir l'hiver. A condition que l'étoile de la prophétie ne se manifeste pas.

— J'ai conclu une alliance avec toi, Mohr-Lahn. S'il te cherche querelle, nous serons à tes côtés.

— Sois remercié, Mahl-Kahr. Mais il y a plus grave. Les reines sont menacées et beaucoup ont déjà été tuées. Shi-Nah a péri dans les flammes. Lynn a été assassinée pendant l'assemblée des rheuns. La reine des Aurochs, Veh-Rah, est morte, soi-disant dévorée par les loups. Quant à celle des Chouettes, Pah-Lys, elle a disparu. Je crains qu'elle n'ait été tuée également. Aussi, je suis très inquiet pour

Vy-Niah. Si les Aurochs nous attaquent, ils la tueront. C'est pourquoi je voudrais la mettre en sécurité à No'Si'Ann. Le temps que le danger soit écarté.

— Elle y sera la bienvenue.

Ainsi la reine des Ours gris fut-elle accueillie chez les Renards. Elle ne fut pas la seule. Dans les jours qui suivirent, des petits groupes de colporteurs arrivèrent à No'Si'Ann. Parmi eux, des femmes dissimulaient leurs traits sous des capuchons. Ly-Rah reconnut Derynn, la reine des Lynx, Xyan, celle des Hermines, et Vrohn, celle des Belettes. Elles étaient accompagnées par les scribes de ces tribus, menés par le vieux Graff. Tous venaient demander asile à No'Si'Ann.

— Il n'y a plus aucune reine dans les tribus des Aigles, expliqua Derynn. Toutes les bibliothèques ont été détruites. Mohn-Kaï a brûlé lui-même celle de sa tribu, en prétendant que les livres ne servaient à rien aux guerriers. Dans chaque nation vassale, les jeunes ont fait de même. Chez les Lynx, deux scribes qui voulaient s'opposer à la destruction des manuscrits ont été jetés dans le brasier. Je n'ai rien pu faire. Ils attendaient que j'intervienne pour me faire subir le même sort. Des femmes m'ont obligée à m'écarter pour me protéger. J'entends encore les hurlements de mes malheureux scribes.

— Ils sont devenus fous ! fit Ly-Rah.

Xyan prit la parole :

— Mohn-Kaï affirme que les livres et les reines sont la cause de la menace que les dieux font peser sur le monde.

— D'où peut lui venir une idée aussi absurde ? demanda Loo-Nah.

— Nous ne savons pas. Chez les Hermines, les jeunes guerriers se montraient de plus en plus agressifs. J'ai pris peur, et je suis partie clandestinement avec mes scribes, avec l'aide des gens qui me restaient fidèles. Ce sont eux qui m'ont incitée à m'en aller. Ils ont protégé notre fuite. Nous nous sommes mêlés à des colporteurs. Nous avons réussi à rejoindre la tribu des Fils de l'Eau, où nous avons retrouvé Derynn et Vrohn. J'ignore s'ils ont cherché à nous poursuivre.

— J'ai vécu la même chose dans ma tribu des Belettes, confirma la reine Vrohn. Il semble que l'on veuille nous rendre responsables de la prochaine fin des temps.

— Il n'y aura pas de fin des temps ! s'exclama Ly-Rah. La prophétie de Noï-Rah n'a rien montré de tel.

— Mais les gens y croient. Des prêcheurs sont passés par nos villages et ils ont accusé les reines et les livres d'être la cause de la colère d'un dieu inconnu, qu'ils situent au-dessus de tous les autres. Mohn-Kaï les laisse faire.

— Il y trouve son compte, confirma Loo-Nah. La disparition des reines lui donne tous les pouvoirs.

— Il y a autre chose, continua Vrohn. Mohn-Kaï a imposé à sa sœur Nessah un mariage dont elle ne voulait pas.

— Je croyais qu'elle avait un fiancé, remarqua Mahl-Kahr.

— Il s'appelait Dah-Renn. Nessah a refusé cette union. Son frère l'a battue. Elle s'est enfuie avec son fiancé, mais ils ont été rattrapés dans une tribu de l'extérieur. Mohn-Kaï a tué Dah-Renn, puis il a ramené sa sœur. Ils sont passés par notre village. La pauvre petite était ligotée comme du gibier, pour lui ôter toute envie de s'évader à nouveau. Il l'a ensuite amenée à Haar-Thus. Le mariage a été conclu pour concrétiser l'alliance des Aigles et des Grands Cerfs. Là-bas, on ne parle plus que de la prochaine guerre.

— Qui Mohn-Kaï veut-il attaquer ?

— Sans doute les Fils de l'Eau ou les Serpents, dont les territoires sont situés au sud des siens. Mais les Serpents sont puissants. Il s'en prendra plutôt aux Fils de l'Eau, qui ne sont pas très nombreux, mais qui possèdent de vastes territoires. Il cherche un prétexte. Et il va le trouver.

Graff, le scribe des Aigles, intervint :

— Depuis quelques années, Mohn-Kaï a pris pour conseiller un homme étranger à notre tribu. Il s'appelle Nor-Gül. J'ai toujours détesté cet individu. Peu après son arrivée, notre ancien chef est mort et Mohn-Kaï l'a remplacé. C'est à ce moment-là qu'il est devenu son conseiller. Il passe son temps à le flatter.

Loo-Nah précisa :

— Veh-Rah m'a appris que Bahr-Kynn avait lui aussi un conseiller venu de l'extérieur, qui s'est installé à Trex'Ann depuis cinq ou six ans.

Mahl-Kahr hocha la tête.

— Et comme par hasard, ces deux conseillers ont été introduits auprès des deux chefs les plus belliqueux des Montagnes de feu. Il s'agit donc d'un plan longuement médité pour semer le chaos dans les nations des dieux volcans. Ils veulent nous dresser les uns contre les autres pour nous affaiblir. Et ils nous attaqueront lorsque nous nous serons entre-tués.

— Je ne suis pas sûre que ce soit aussi simple. Il ne faut pas oublier ces hommes qui se sont suicidés plutôt que d'être capturés. Un ennemi classique n'agirait pas ainsi. Il y a autre chose.

— Et quoi ?

— La conquête n'est pas son seul but. Pour une raison inconnue, il cherche à détruire les bibliothèques et à exterminer les reines.

— Cela s'explique : il estime que notre puissance vient de nos livres.

— Pas seulement. Cet ennemi hait les femmes. Il n'accepte pas le pouvoir dont elles disposent dans les tribus des volcans. J'ai vu comment ils se sont acharnés sur le corps de la pauvre Lynn. Ces gens-là sont des fanatiques. Un conquérant tenterait de s'approprier notre savoir. Ces gens-là veulent l'éradiquer au nom de leur dieu.

— Nous éradiquer au nom de leur dieu ? C'est absurde !

— Pas pour eux ! Tu as entendu ce qu'a dit Xyan : les livres et les reines sont la cause de la destruction du monde annoncée par la prophétie de Ly-Rah.

— Qui est ce dieu inconnu ?

— On n'en sait rien. Peut-être ce Trohm dont parlent certains prêcheurs. J'en ai rencontré un sur le hah'koom. Mais il ne semblait pas particulièrement enclin à la guerre.

— Nous avons aussi entendu parler de ce dieu de l'extérieur, précisa Graff. Ceux qui le vénèrent prétendent qu'il est le seul dieu, que les nôtres n'existent pas. Certains disent qu'on ne doit pas prononcer son nom.

Depuis toujours, chaque nation des Montagnes de feu avait ses propres divinités. Cela n'avait jamais posé de problèmes. Personne n'aurait songé à imposer son dieu aux autres et affirmer qu'il était unique. Les dieux des autres tribus étaient respectés. Dans leur grande majorité, ces dieux étaient bienfaisants, à l'image de Noï-Rah. Aussi, l'idée d'un dieu refusant l'existence des autres paraissait-elle aberrante aux Renards. Surtout si, pour honorer ce dieu, ses adeptes massacraient des femmes.

Plus tard, Ly-Rah se retrouva seule avec sa mère. L'histoire des deux scribes précipités dans les flammes l'avait bouleversée.

— Il ne faut pas que les hommes adoptent un dieu qui rejette tous les autres, dit-elle. Un tel dieu ne peut qu'amener l'intolérance et le fanatisme. Tous ceux qui le refuseront seront massacrés. Et les hommes perdront leur liberté.

— C'est juste, ma fille. Mais les dieux n'y sont pour rien. Ce sont les hommes qui sont en cause. Ce dieu intransigeant, quel qu'il soit, n'est que le reflet de leur propre intransigeance.

Deux jours plus tard, les guetteurs annoncèrent l'arrivée d'un autre groupe, cette fois en provenance du nord. Les Fils du Tigre.

24

Kehrry-Lann, chef des Fils du Tigre, n'était pas un homme, mais une femme à la silhouette fine et élancée. Agée d'une trentaine d'années, elle ne bénéficiait pas de la musculature noueuse des hommes qui s'imposaient par la force. Pourtant, il émanait d'elle une grande autorité, contenue dans son regard d'un bleu magnétique. Autrefois rattachés à la nation des Grands Cerfs, les Tigres avaient exigé et obtenu leur indépendance. Leur tribu ne représentait pas plus de trois cents personnes, mais ils avaient réussi à apprivoiser depuis des millénaires des tigres à dents de sabre, disparus partout ailleurs, à tel point que même les légendes ne les évoquaient pas. Il n'en restait que quelques dizaines dans la région habitée par les Fils du Tigre, qui en avaient fait leur totem. Une alliance insolite avait été passée depuis très longtemps entre les grands fauves et les humains. Parce qu'il n'existait plus de tigres à l'état sauvage, tous ceux qui survivaient étaient nés dans le village et se montraient aussi dociles et obéissants que des chiens. Les Fils du Tigre étaient, tout comme les Renards, des cultivateurs et des éleveurs, mais ils étaient aussi des chasseurs. Ayant adopté très tôt le mode de vie de leurs voisins, les hommes et les femmes étaient égaux, à tel point que la place de chef était souvent occupée par une femme, ce dont personne ne s'étonnait. Noï-Rah n'avait-elle pas dirigé la tribu des Renards lorsqu'elle l'avait fondée ?

Les femmes participaient aux grandes chasses au même titre que les hommes. La différence – de taille – avec les autres nations reposait sur cette association insolite avec les grands félins. Lorsqu'une femelle mettait un petit au monde, celui-ci était adopté, après le sevrage, par un chasseur ou une chasseresse qui l'éduquait. Il se tissait ainsi une grande complicité entre les humains et leurs compagnons à quatre pattes. Chasser en leur compagnie était une expérience impressionnante, car ils n'hésitaient pas à s'attaquer aux grands ours des montagnes. Les Fils du Tigre fournissaient les plus belles fourrures du pays.

Kehrry-Lann était flanquée, comme il se devait, de son tigre, un animal magnifique au pelage d'un brun sombre et aux crocs démesurés, qui marchait à ses côtés de son pas tranquille. Quatre autres guerriers constituant la garde personnelle du chef suivaient, eux aussi accompagnés de leur animal. A No'Si'Ann, on était habitué à la présence des fauves lors des visites des Tigres, et l'on ne s'en inquiétait pas... tout en restant prudemment à distance. Mais jamais les tigres n'avaient provoqué de drames. Ils se contentaient de considérer les créatures à deux pattes avec une condescendance de prince, sans quitter leurs maîtres respectifs d'une semelle.

Mahl-Kahr, qui les connaissait bien, les traitait avec familiarité. Il ouvrit les bras à Kehrry-Lann.

— Sois la bienvenue, Kehrry-Lann.

Après les salutations d'usage, la visiteuse exposa les raisons de sa venue :

— Nous sommes très inquiets, Mahl-Kahr. Sans doute sais-tu déjà que les Aigles et les Grands Cerfs se sont alliés. Nous avons appris par un colporteur qu'ils se préparent à attaquer les Fils de l'Eau.

— Nous le savons.

— Mais il s'est passé quelque chose de nouveau. Mohn-Kaï avait contraint sa sœur Nessah à épouser Haar-Thus. Or, Nessah a disparu du village des Grands Cerfs. Haar-Thus l'a fait rechercher, mais personne ne sait ce qu'elle est devenue.

— Haar-Thus a plus de quarante ans. Il n'est pas étonnant qu'elle n'ait pas voulu de lui. Sans doute s'est-elle enfuie.

— A moins qu'elle n'ait été tuée. Ce colporteur nous a dit que les chemins n'étaient pas sûrs. Des inconnus masqués rôdent dans la montagne. Nous avons appris aussi que les reines des tribus des Aigles ont disparu et que les bibliothèques ont toutes été détruites.

— Rassure-toi. Les reines sont ici, en sécurité.

— La nôtre, Lyz-Bel, est venue avec moi. Cette alliance m'inquiète beaucoup. Lorsque les Aigles auront envahi les territoires des Fils de l'Eau, ils n'hésiteront pas à s'attaquer à nous, malgré nos tigres. Avec les Grands Cerfs et leurs vassaux, ils peuvent réunir plus de mille guerriers, peut-être deux mille. Je crains pour ma tribu. Je voudrais que tu accueilles Lyz-Bel à No'Si'Ann. Il n'y a qu'ici qu'elle sera en sécurité. J'ai aussi apporté nos manuscrits les plus précieux. Si les Aigles nous attaquent, ils brûleront notre bibliothèque et tueront Lyz-Bel.

— Je comprends ton inquiétude. Nous offrirons l'hospitalité à votre reine. Et nous prendrons soin de vos livres.

— Sois remercié, Mahl-Kahr.

— Quant à Mohn-Kaï, il nous trouvera à vos côtés s'il s'en prend à vous.

Ainsi une nouvelle reine fut-elle accueillie à No'Si'Ann.

Après le départ des Tigres, Loo-Nah réunit Mahl-Kahr, Thol-Rok, Khrent et Ly-Rah.

— Kehrry-Lann a agi sagement en nous demandant de protéger ses manuscrits. Mais je pense que nous devrions en faire autant. Nous ne sommes pas non plus à l'abri d'une attaque. Si Mohn-Kaï parvient à s'emparer du territoire des Fils de l'Eau, il recrutera de nouveaux guerriers et ses troupes grossiront. Nous devons même envisager qu'il puisse faire alliance avec Bahr-Kynn contre nous. Nous aurions du mal à résister à une telle armée. Aussi, je pense que nous devrions créer une seconde bibliothèque, dans un endroit sûr, à distance du village.

Mahl-Kahr approuva.

— Que comptes-tu y mettre ?

— Tous les ouvrages essentiels sur les remèdes et l'histoire de notre nation.

— Et où comptes-tu installer cette bibliothèque ?

— Il existe une grotte difficile d'accès, à une demi-journée de marche en direction du couchant. Il n'y a pas d'humidité. Les livres y seront en sécurité. Avec toi, seuls Khrent, Ly-Rah, Ham-Khal et les scribes connaîtront son emplacement. Ainsi que les guerriers qui nous aideront à transporter les manuscrits. Nous les choisirons parmi les hommes les plus sûrs de la garde de Khrent.

La préparation de l'expédition ne demanda pas beaucoup de temps. Chaque ouvrage existait déjà en double exemplaire, l'un que l'on pouvait consulter, l'autre qui restait en place et que l'on utilisait pour les copies. Il ne fut pas difficile de constituer la collection qui serait mise en sécurité dans la grotte. Une fois les livres entassés sur des travois tirés par de grands chiens, Loo-Nah, Ly-Rah, Khrent et leurs compagnons se mirent en route.

Ils revinrent deux jours plus tard. Les livres avaient été placés sur des étagères construites sur place. Deux guerriers de la garde d'élite de Mahl-Kahr furent affectés à la surveillance des lieux. Il était prévu de les relayer tous les dix jours.

A leur retour à No'Si'Ann, Mahl-Kahr convoqua Ly-Rah et Brahn-Hir dans le ho'mah. Loo-Nah et Khrent étaient présents, de même que Thol-Rok, Gristan, Krigs, Ken-Loh et le vieil Heh-Ming.

— Ly-Rah, nous avons une mission importante à te confier. Nos amis des Roches pâles vont bientôt regagner leurs territoires. Les Renards ont décidé d'envoyer une ambassade auprès d'eux pour consolider nos relations. C'est toi que nous avons choisie pour mener cette délégation. Ta mère ne peut quitter No'Si'Ann. Aussi, si tu l'acceptes, c'est toi qui seras à la tête de cette expédition.

Le cœur de Ly-Rah fit un bond dans sa poitrine. Cette perspective l'aurait déjà enchantée en temps normal. Mais Ken-Loh serait à ses côtés. Mahl-Kahr poursuivit :

— Ce voyage durera au moins trois lunes. Ton rôle consistera à offrir nos présents aux chefs des tribus alliées. Tu écouteras ce qu'ils te diront. Tu recevras les cadeaux qu'ils te feront au nom de notre peuple. Tu parles couramment leur langue. Tu étudieras aussi leur manière de vivre, leurs coutumes, leur façon de travailler le bois, le cuir, la pierre et la terre. Tu apprendras. Tu partageras également notre connaissance. Gristan est très intéressé par certains remèdes. Ce n'est qu'en échangeant leur savoir que les hommes pourront progresser. Lo-Kahr t'accompagnera pour veiller sur toi comme il l'a toujours fait. Ton frère Brahn-Hir commandera ton escorte. Tu auras une vingtaine de guerriers pratiquant l'art de Brahn pour te protéger.

— Me protéger ?

— Vous allez traverser les territoires de certaines tribus belliqueuses. Gristan sait comment les éviter, mais vous serez seuls pour le trajet du retour. Il vaut mieux être prudent. Acceptes-tu ?

— J'accepte, Mahl-Kahr. Ce sera un honneur pour moi.

Le vieux chef eut un petit sourire. Le contraire l'eût beaucoup étonné. Il avait très vite remarqué l'attirance existant entre Ly-Rah et Ken-Loh. Les mœurs des Renards offrant aux femmes une grande liberté, il ne s'en était pas inquiété. A dix-huit ans, Ly-Rah avait déjà eu des rapports avec des jeunes hommes de son âge. Toutefois, aucun n'avait suffisamment retenu son attention pour qu'elle envisage de l'épouser. Cela n'avait rien d'anormal. Loo-Nah avait attendu vingt ans avant de choisir Khrent. Cependant, Ken-Loh n'appartenait pas à la nation des Renards, et il n'était pas destiné à rester. Mahl-Kahr savait qu'il prenait un risque en confiant la responsabilité de cette mission à Ly-Rah. Une fois sur place, peut-être déciderait-elle de rester avec son amoureux. Mais il la connaissait bien. Il savait qu'elle ferait passer son devoir avant ses sentiments personnels. Elle était destinée à devenir la reine des Renards et elle ne fuirait pas ses responsabilités. Même si pour cette raison elle devait souffrir. Lui-même était prêt à accueillir Ken-Loh dans la tribu. Le jeune homme était sympathique et intelligent. Il saurait trouver sa place parmi les Renards. Mais il était destiné à succéder à son père Gristan.

Cependant, le choix de Ly-Rah avait une autre motivation, qu'il ne lui révéla pas : parce qu'elle était la future reine des Renards, elle devait à tout prix être préservée. Et ce voyage au pays de Pehr-Goor, qui ne comportait pas de grands dangers, était une manière de la mettre à l'abri d'une possible attaque de No'Si'Ann, au cas où l'ennemi mystérieux tenterait de s'en prendre aux reines désormais réfugiées dans le village.

Le départ eut lieu un matin de grand soleil, une lune après le retour de l'assemblée des rheuns.

25

A l'ouest du lac des Aurochs coulait un petit cours d'eau dont Ly-Rah savait qu'il prenait sa source sur les flancs du Maï'Sankh, la montagne la plus élevée du pays, située sur le territoire des Fils de l'Eau. Au cœur de la saison chaude, son débit restait calme et l'on pouvait y pêcher des truites superbes que l'on faisait ensuite griller sur la braise. Il fallait toutefois se méfier des orages soudains, qui pouvaient provoquer en quelques instants une brusque montée des eaux. Le cours d'eau se transformait alors en un monstre furieux emportant tout sur son passage, comme en témoignaient les énormes rochers qui encombraient son lit. En hiver, les neiges et les pluies gonflaient le torrent, qui envahissait ses rives, formant parfois de petits lacs éphémères. Les tribus des Montagnes de feu l'appelaient Dor'Ohn, nom curieusement proche de celui que lui donnaient les hommes des Roches pâles, Dorondo[1].

C'est vers ce cours d'eau que se dirigèrent les voyageurs après avoir quitté No'Si'Ann. Les hommes des

---

1. Il s'agit bien sûr de noms imaginaires. Cependant, ils sont inspirés des anciens noms de la Dordogne. D'après une croyance couramment admise, l'origine de son nom viendrait des deux torrents, la Dore et la Dogne. Selon d'autres sources, il serait issu de Doronnia fluvius, qui évolua en Dordonia, nom utilisé pour la première fois par Aimoin de Fleury, chroniqueur périgourdin du Xe siècle.

Roches pâles étaient au nombre d'une trentaine, commandés par Gristan et Krigs. Ly-Rah, qui menait la délégation des Renards, était suivie par son inséparable Lo-Kahr et son escorte d'une vingtaine de guerriers, hommes et femmes, sous les ordres de son frère Brahn-Hir. Une dizaine de travois tirés par de grands chiens transportaient les vivres et les cadeaux destinés aux tribus de Pehr-Goor.

Ken-Loh ne quittait pas Ly-Rah. Il la sentait soucieuse, mais n'osait pas lui poser de questions. Sans doute souffrait-elle de quitter les siens au moment où de telles menaces pesaient sur les Montagnes de feu. Mais, un peu égoïstement, il y trouvait son compte. Il allait rester en sa compagnie plus longtemps que prévu, et surtout, il serait sur son territoire. Il brûlait de lui faire découvrir son pays, de lui parler des paysages qu'ils allaient rencontrer au cours de leur périple. C'était un monde qu'elle ne connaissait pas.

Lorsqu'ils arrivèrent près du Dor'Ohn, il expliqua :

— Ce cours d'eau va nous conduire jusqu'à Pehr-Goor. Ici, il est encore petit, mais plus loin, il va devenir beaucoup plus large.

— Plus large ?

— Dans mon pays, il fait plus de soixante pas de large. Et au-delà, encore plus. Lorsqu'il se jette dans le grand fleuve salé, c'est à peine si l'on aperçoit l'autre rive quand on se trouve sur l'une d'elles.

— Tu te moques de moi...

— Pas du tout. Il reçoit les eaux d'autres torrents, d'autres rivières. Le village des Palkawans se situe au confluent du Dorondo et du Viz'Ara, une rivière près de laquelle vivent plusieurs tribus, dont celle de Krigs. Ils habitent des maisons très particulières.

Longeant le cours d'eau par des sentiers tracés par les animaux, ils s'engagèrent ainsi en direction du sud-ouest. Le Dor'Ohn serpentait entre de hautes collines couvertes d'épaisses forêts. Parfois, un passage plus difficile les contraignait à quitter le fond de la vallée pour franchir un saut ou une cascade. A d'autres endroits, ils coupaient par les monts pour éviter un méandre. Peu à peu, comme l'avait annoncé Ken-Loh, le Dor'Ohn prenait de l'importance et de la profondeur. Un soleil de plomb pesait sur les voyageurs. Heureusement, la proximité du torrent leur permettait, le soir, au bivouac, de se plonger dans les eaux fraîches. On évitait de monter le campement trop près du fleuve, au cas où la nuit aurait amené un orage qui aurait gonflé les eaux, comme ce fut le cas au troisième jour. Vers le soir, le ciel se couvrit d'énormes nuages noirs au-dessus des collines. Les ténèbres s'abattirent sur la vallée bien avant la tombée de la nuit. On monta à la hâte quelques tentes de peau à distance du fleuve, sur une petite esplanade. Ils avaient à peine terminé qu'un déluge s'abattit sur eux, les trempant jusqu'aux os. Après la touffeur de la journée, les eaux firent monter du sol des odeurs puissantes de terre et d'humus. Ken-Loh s'était réfugié sous le même abri que Ly-Rah. La luminosité avait décru et bientôt, la nuit fut là, déchirée par les lueurs éblouissantes d'éclairs qui illuminaient la vallée en de fugaces visions bleutées, qui s'effaçaient l'instant d'après. De formidables grondements leur succédaient, faisant vibrer les entrailles des voyageurs.

— Tu n'as pas peur ? demanda Ken-Loh.

— Non.

Devant la moue un peu déçue de son compagnon, qu'elle devina à l'éclat d'une brève illumination, elle ajouta :

— Enfin, un peu.

Il voulut la rassurer :

— Lorsque le grondement du tonnerre suit l'éclair d'un bon moment, nous ne risquons rien. Par contre, s'ils se rapprochent, il y a du danger.

Elle lui aurait bien répondu qu'elle connaissait les orages, ceux des montagnes étant particulièrement dangereux, mais elle se tut. Il se sentait tellement fier de pouvoir la protéger. Il en était attendrissant. Elle dut résister violemment à son envie de poser sa tête sur son épaule. Elle aurait aimé qu'il passe son bras autour d'elle et la serre contre lui. Mais elle devait résister. Elle n'était pas destinée à rester à Pehr-Goor. Il était inutile d'ajouter d'autres souffrances à celles qu'ils éprouvaient déjà.

En deux mois, Ken-Loh avait fait de remarquables progrès dans la langue des Renards, mais il conservait sa prononciation chantante qui l'amusait et la charmait. Cependant, malgré l'attention qu'il lui témoignait, elle ne pouvait s'empêcher de penser à ses parents et à la mine soucieuse de sa mère au moment du départ. Les nouvelles n'étaient pas bonnes. Chaque jour amenait de nouveaux voyageurs qui venaient chercher refuge à No'Si'Ann. Quelques révoltes avaient éclaté dans certains villages du territoire des Aigles. Des hommes refusaient de prendre les armes pour aller combattre, surtout parmi les plus âgés. Alors, les plus jeunes les traitaient de lâches et les malmenaient. Le respect des anciens se perdait. Chez les Faucons, deux hommes âgés avaient été tués pour avoir voulu se rebeller contre Mahn-Ry. Mohn-Kaï, s'inspirant des anciennes traditions belliqueuses datant d'avant la venue de Noï-Rah, avait instauré des rituels destinés à prouver la vaillance et la résistance de ses jeunes guerriers. D'après différents récits, les sorciers faisaient absorber aux jeunes hommes des potions à base de champignons qui leur permettaient de dominer la douleur et décuplaient leurs forces. Ils devaient alors accepter des scarifications, des blessures rituelles pour prouver leur bravoure. Tous avaient à cœur de triompher de ces épreuves. Lorsqu'ils y parvenaient, ils gagnaient le droit de choisir une vierge et de la déflorer. Les femmes s'étaient rebellées contre ces pratiques d'un autre âge. Elles avaient été battues et humiliées. La barbarie s'installait de nouveau dans le pays des volcans.

C'était dans cette atmosphère délétère que Ly-Rah avait quitté No'Si'Ann. Elle resterait absente plus de trois lunes et ne reviendrait qu'au début de la saison des feuilles rousses. D'ici là, tout pouvait arriver. Elle ne pouvait chasser de son esprit la prophétie de Noï-Rah. Celle-ci lui avait dit clairement qu'elle devrait sauver son peuple. Mais si elle devenait reine, quel sort connaîtraient son père et sa mère ? Et ses deux petites sœurs ?

Parfois, elle se reprochait d'avoir accepté cette mission. Mais Loo-Nah s'était montrée intransigeante. Nul mieux que la future reine des Renards ne pouvait les représenter auprès des tribus amies des Roches pâles. Ly-Rah se reprochait aussi d'avoir fait preuve d'égoïsme. Elle avait consenti à ce voyage d'autant plus facilement que Ken-Loh serait avec elle. Cependant, elle ne pouvait s'empêcher de penser que, d'une certaine manière, elle avait fui son village au moment où il risquait d'affronter des événements terribles. Serait-il seulement encore là à son retour ?

La nuit, elle tentait de rappeler l'image de Noï-Rah, mais celle-ci ne se montrait pas. Elle n'avait pas eu d'autres visions depuis la prophétie. Elle aurait pourtant aimé que la Bienveillante l'éclaire sur la conduite à tenir. Elle ne pouvait compter que sur elle-même. Comme Noï-Rah avait dû le faire à l'époque.

Le lendemain de l'orage, le soleil avait repris ses droits. Mais les pluies avaient amené une fraîcheur bienvenue. De temps à autre, ils traversaient le territoire d'une petite tribu installée sur les rives. On pratiquait alors un peu de troc et l'on partageait le repas des autochtones. S'ils furent reçus avec hospitalité la plupart du temps, ce ne fut pas le cas à un endroit où le Dor'Ohn s'enfonçait dans une gorge étroite. Le cours d'eau se fit plus tumultueux. Il aurait été possible malgré tout de suivre les gorges, mais Gristan emprunta une autre voie à travers les collines. Ken-Loh expliqua :

— La tribu qui vit dans ce défilé n'aime pas les étrangers. A l'aller, nous avons essuyé une attaque et un homme a été tué. Je pense que nous en avons blessé plusieurs, mais ces gens-là sont des brutes. Il vaut mieux les éviter.

Ils firent ainsi un large détour, qui les ramena, deux jours plus tard, sur les rives du fleuve. Là, une surprise attendait Ly-Rah et les Renards. A cet endroit, le Dor'Ohn s'élargissait, dégageant une longue grève sur laquelle attendaient d'étranges assemblages de troncs d'arbres, au nombre de cinq.

— Qu'est-ce que c'est ? demanda Ly-Rah.

— Des radeaux, répondit Ken-Loh. A présent, nous allons voyager sur l'eau.

— Sur l'eau ? Mais c'est impossible.

— Au contraire, tu vas voir.

Sous les yeux stupéfaits des Renards, les hommes des Roches pâles poussèrent les radeaux jusqu'à l'eau, où ils flottèrent sans difficulté, ballottés doucement par le courant. Puis ils commencèrent à charger le contenu des travois au centre des embarcations, en l'arrimant solidement avec des cordes. Déconcertés, les Renards se décidèrent à les aider, un peu inquiets. Sur l'invitation de Ken-Loh, Ly-Rah posa le pied sur l'un des radeaux et poussa un cri. Le pont de bois bougeait sous ses pieds.

— C'est pire qu'un tremblement de terre, dit-elle, affolée.

Mais Ken-Loh l'installa au milieu, sur des ballots de fourrures, où le tangage se faisait moins sentir. Les Renards inquiets furent ainsi cantonnés au centre des radeaux. Chaque embarcation accueillait une douzaine de personnes, mais elle aurait pu en embarquer deux fois plus. A côté de Ly-Rah, Lo-Kahr éclata de rire devant son visage soucieux. Il avait déjà effectué le voyage plusieurs fois et connaissait la navigation. Ken-Loh était ravi. Il avait enfin réussi à étonner Ly-Rah. Enfin, il pouvait lui faire découvrir quelque chose qu'elle ignorait. Cependant, la première surprise passée, la curiosité l'emporta et elle estima que ces radeaux auraient pu se révéler utiles pour les peuples des Montagnes de feu.

— Pourquoi est-ce que nous n'utilisons pas ces choses ? demanda-t-elle à son garde du corps.

— Ils sont trop larges pour nos torrents, répondit-il.

— Mais pas pour nos lacs.

— On ne peut pas voyager sur les lacs.

— Non, mais on peut aller poser des filets loin de la rive. Nous pourrions pêcher plus de poissons. Il faudra en parler à Mahl-Kahr.

Lo-Kahr secoua la tête, amusé. Sa protégée ne manquait pas d'imagination.

Lorsque tout fut embarqué, voyageurs, animaux et marchandises, les hommes des Roches pâles saisirent de longues perches sur lesquelles ils s'arc-boutèrent pour pousser les radeaux au milieu du fleuve. Alors commença la seconde partie du voyage.

26

Au moment où Ly-Rah et ses compagnons embarquaient, Khrent s'apprêtait à quitter No'Si'Ann à son tour. Devant les nouvelles de plus en plus alarmantes en provenance des différentes nations, Mahl-Kahr avait décidé d'envoyer une délégation de Renards pour tenter de convaincre les belligérants de renoncer à leurs projets. Conscient des risques qu'une telle entreprise comportait, il avait chargé Khrent de former une petite armée d'une centaine d'hommes, tous maîtrisant l'art de Brahn. Même s'il se montrait plutôt sceptique quant aux chances de ramener la paix, il espérait néanmoins parvenir à apaiser les esprits. L'envoi de Renards solidement armés et bien entraînés devrait refroidir les ardeurs des plus excités. Chacun d'eux valait au moins trois ou quatre guerriers. Tous portaient un bouclier de cuir et une longue lance. Placés les uns près des autres, les boucliers formaient des remparts solides contre les volées de flèches ou de pierres. Hérissées de lances, ces formations étaient propres à briser les assauts désordonnés des guerriers les plus vindicatifs. Une centaine de guerriers ainsi équipés constituait une armée redoutable, et c'était bien sur cet aspect que Mahl-Kahr comptait pour ramener la paix dans les Montagnes de feu. Sans toutefois se faire trop d'illusions.

Avant le départ, Khrent serra longuement son épouse et ses filles dans ses bras. Il aurait voulu être là pour les protéger lui-même en cas d'attaque. Mais il était le plus qualifié pour mener à bien cette mission. Il quitta le village sous un soleil impitoyable. Depuis la fin de l'assemblée des rheuns, le beau temps dominait, mais aussi la chaleur, ce qui provoquait souvent de violents orages le soir venu. Les torrents se gonflaient d'une eau furieuse en provenance des hauteurs, à l'image de la colère subite qui s'était emparée du pays des volcans. Mais le beau temps revenait le lendemain. Khrent voulut y voir un signe d'encouragement.

Il fallut trois jours pour gagner Ghy'Ann, le village des Grands Cerfs. En accord avec Loo-Nah, Thol-Rok et Mahl-Kahr, Khrent avait choisi cette première destination par stratégie. S'il réussissait à dissuader Haar-Thus d'entreprendre une guerre contre les Fils de l'Eau, Mohn-Kaï se trouverait seul et il lui serait plus difficile de se lancer dans la conquête de leurs territoires. Lorsqu'il parvint en vue du village, une grande effervescence régnait. L'arrivée d'une centaine de guerriers armés provoqua une vive émotion, jusqu'au moment où l'on reconnut les Renards. Il fut immédiatement reçu par Haar-Thus, qui était en compagnie de Mo-Syhr, le chef des Loups noirs, et de la reine, My-Nah.

— Sois le bienvenu, mon ami. Peut-être pourras-tu nous offrir ton alliance. Je viens juste d'apprendre que la reine des Loups noirs a été massacrée avec son mari. Mo-Syhr est venu me demander de l'aide.

— Nay-Lah ?

Khrent avait en mémoire la jeune reine enlevée par les hommes masqués, qu'ils avaient recueillie et empêchée d'incendier la bibliothèque des Ours noirs, laquelle avait tout de même été détruite un peu plus tard. Haar-Thus poursuivit :

— Elle a été tuée par les Fils de l'Eau.

— C'est impossible ! s'exclama Khrent. Les Fils de l'Eau sont pacifiques. Et ils respectent les reines.

216

Mo-Syhr intervint sur un ton agressif :

— Les Fils de l'Eau sont des chiens ! Ils envoient leurs troupeaux dans notre vallée parce que leurs montagnes sont trop sèches !

— Il y a toujours eu une bonne entente entre les Fils de l'Eau et les Loups noirs. Pourquoi cela a-t-il changé ?

— Nous avons chassé leurs bœufs et leurs moutons.

— Et tu en as abattu quelques-uns.

— Pour les dissuader de revenir !

— Et tu imagines que les Fils de l'Eau auraient tué votre reine en représailles ? Tu oublies que la vie d'une reine est sacrée.

— Pas pour eux ! Mes hommes ont trouvé des empreintes de bottes de montagne. Seuls les Fils de l'Eau utilisent ces bottes.

Khrent soupira.

— Et cette preuve te suffit ?

— Pour moi, le crime est signé.

— Eh bien, pas pour moi. Pour tous les crimes commis dernièrement, on dirait que les assassins prennent un malin plaisir à laisser des indices compromettants derrière eux. Cela ne te semble pas suspect ?

Haar-Thus leva la main.

— Attends, Khrent, tu ne sais pas tout. Mon épouse Nessah a disparu.

Khrent évita d'avouer qu'il le savait déjà.

— Je sais qu'elle est beaucoup plus jeune que moi, continua Haar-Thus. Son frère, Mohn-Kaï, m'a offert de l'épouser à condition que je noue une alliance avec les Aigles. J'ignorais alors qu'elle avait déjà un fiancé. Mohn-Kaï l'a assassiné et exigé que sa sœur lui obéisse. Il l'a battue. Elle s'est soumise, par peur. Quand j'ai appris ce qui s'était passé, j'ai essayé d'adoucir son sort. Je l'ai respectée. Mohn-Kaï est repassé une demi-lune après notre mariage. Il voulait s'assurer qu'elle était toujours docile. Peut-être lui a-t-il fait peur et s'est-elle enfuie. Mais peut-être aussi a-t-elle été enlevée. Mes hommes ont exploré

217

les vallées et les montagnes jusqu'aux limites du territoire des Fils de l'Eau. Personne ne sait ce qu'elle est devenue. Je suis très inquiet, Khrent. Plusieurs reines ont été massacrées, Nay-Lah, Shi-Nah, Lynn... D'autres ont disparu. Il n'y en a plus une seule sur le territoire des Aigles.

— Nessah n'est pas reine.

— Mais elle est femme de chef.

— Je suis désolé, Haar-Thus. Nous n'avons aucune nouvelle de Nessah. J'espère qu'il ne s'agit que d'une nouvelle fugue et qu'elle va bien. Pour les reines des Aigles, sois rassuré. Elles se sont réfugiées à No'Si'Ann.

— Mais pourquoi ?

— Parce qu'elles ne se sentaient plus en sécurité dans leur tribu.

My-Nah prit la parole :

— Je te l'ai déjà dit, Haar-Thus. Dans les nations vassales des Aigles, elles n'étaient plus respectées. Sans compter ces prêcheurs venus de nulle part qui prétendent qu'elles seraient responsables de la chute prochaine de l'étoile. Ils disent qu'elle est envoyée par un dieu du ciel qui n'accepte pas que les hommes écrivent des livres.

— Il en est passé un à Ghy'Ann. Il t'a accusée. Je l'ai chassé.

— Et je t'en remercie. Mais les autres chefs n'ont pas eu la même attitude. Pas plus que les chamans. Elles se sont senties en danger. Elles n'ont même pas osé passer par ici. Sans doute à cause de l'alliance que tu as conclue avec Mohn-Kaï. J'ai cru qu'elles avaient été tuées, elles aussi.

— Cela aurait fini par arriver, si j'en crois ce qui s'est produit chez les Loups noirs, dit Khrent.

— Nay-Lah a été tuée par les Fils de l'Eau, s'obstina Mo-Syhr.

— Je ne crois pas, non. Mais je vais tenter d'en savoir plus. Je vais me rendre chez eux.

Après avoir passé la nuit chez les Grands Cerfs, Khrent et ses compagnons se mirent en route vers le sud, suivant la vallée qui montait vers le territoire des Fils de l'Eau. Il ne leur fallut qu'une journée pour parvenir sur les rives du lac Guehr, où vivait la tribu. Au sud se dressait un massif volcanique élevé, qui avait nom Ma'Haï. En contournant ce volcan par l'ouest, une autre vallée menait vers le territoire des Loups noirs. Les limites de cette vallée prospère n'avaient jamais été clairement définies, ce qui expliquait les petits conflits qui éclataient parfois entre les deux nations. Mais jamais ils n'avaient déclenché la mort d'un être humain. L'assemblée des rheuns parvenait toujours à trouver un compromis entre ces deux tribus turbulentes.

L'arrivée de Khrent provoqua le même émoi que chez les Grands Cerfs. Les Fils de l'Eau n'ignoraient pas que Mohn-Kaï recherchait un prétexte pour envahir leur territoire, et les Renards se trouvèrent face à plusieurs centaines d'hommes armés. Jusqu'au moment où on les reconnut. Les Renards étant réputés pour leur neutralité, les armes s'abaissèrent.

— Pardonne cet accueil, mon frère, dit Wakh-Har, le chef.

Un peu plus tard, Khrent était reçu dans le ho'mah.

— Je sais par des colporteurs que les Loups nous accusent d'avoir tué Nay-Lah. Mais nous n'y sommes pour rien. Ce ne sont pas mes hommes qui ont laissé ces traces de bottes. On a voulu nous faire accuser pour déclencher un conflit.

— C'est un moyen déjà utilisé pour provoquer la haine entre deux tribus. Malheureusement, certains chefs s'appuient sur ces prétextes pour déclencher des combats. Il faut t'attendre à ce que les Grands Cerfs envahissent tes terres. Mais ils ne seront pas seuls. Mohn-Kaï sera à leur tête.

— Les tribus vassales de Mohn-Kaï n'ont plus de reines, Khrent. Elles se sont enfuies. Elles sont passées par Dohr'Ann. Ensuite, elles sont parties pour No'Si'Ann. Sont-elles bien arrivées ?

— Elles sont en sécurité, rassure-toi.

— Elles ne pouvaient plus rester dans leurs tribus. Leurs bibliothèques ont été détruites. Des scribes ont même été massacrés. Mohn-Kaï ne respecte plus les lois de Noï-Rah. Il veut la guerre. Je ne serais pas surpris qu'il soit le véritable responsable de la mort de Nay-Lah. Jamais les Fils de l'Eau ne feraient de mal à une reine. Je te demande de me croire.

— Je te crois, mon ami.

— Nous ne voulons pas de ce conflit, mais nous sommes prêts à nous défendre. Mes vassaux, les Fouines et les Aigles bruns, seront là dès demain. Les Ours noirs sont aussi nos vassaux, mais ils veulent rester neutres, à cause de l'assemblée des rheuns qui a lieu sur leur territoire. Aussi, je crains de ne pas avoir assez de guerriers pour lutter contre l'alliance des Aigles et des Grands Cerfs.

— Je vais rester quelques jours avec mes guerriers pour tenter d'empêcher cette bataille stupide.

— Sois remercié, Khrent. Mais il faut que je te montre quelque chose. Ou plus exactement quelqu'un.

Il donna un ordre à l'un de ses guerriers. Il revint quelques instants plus tard en compagnie d'une jeune femme que Khrent reconnut immédiatement pour l'avoir rencontrée sur le hah'goor.

— Nessah ?

— Bonjour, Khrent.

Etonné, il se tourna vers Wakh-Har, qui lui fit signe d'interroger la jeune femme.

— Que t'est-il arrivé ? As-tu été enlevée ?

— Non, je me suis enfuie. Mon frère a tué mon fiancé pour me marier avec Haar-Thus. Mais je ne veux pas de lui. Il est trop vieux. Il pourrait être mon père. Il s'est montré bon avec moi, mais je ne peux pas accepter l'idée… qu'il me touche. Je ne comprends pas. Les filles étaient libres avant, chez les Aigles. Pourquoi mon frère ne l'accepte-t-il plus ?

— Pour satisfaire son ambition.

— Mais je me moque de son ambition ! A cause d'elle, il va être responsable de nombreux morts. Il n'était pas comme ça avant.

— Avant ?

— Il a toujours été brutal et il aimait commander. Mais c'est devenu pire depuis que ce maudit Nor-Gül s'est installé à Ayd'Ann. Mon frère croit être le chef de la tribu parce que l'autre le flatte. En réalité, il fait tout ce que l'autre lui suggère. Je ne veux pas retourner là-bas. S'il te plaît, emmène-moi à No'Si'Ann. Haar-Thus ne doit pas savoir que je suis ici. Ce mariage n'a pas de valeur. Les lois de Noï-Rah affirment que l'on ne doit pas marier une fille contre son gré à un homme qu'elle n'aime pas. Les temps ont-ils tant changé qu'on ne respecte plus les lois de la Bienveillante ?

— Elles sont respectées chez les Renards, répondit Khrent. Tu es libre de nous suivre quand nous regagnerons nos terres. Mais nous allons rester quelques jours pour essayer d'éviter la guerre. Tu devras te cacher.

Réconfortés par la présence des Renards, les Fils de l'Eau reprirent un peu confiance. Le lendemain, les Aigles bruns et les Fouines répondaient à l'appel de leur suzerain. Wakh-Har les accueillit avec reconnaissance. Cependant, les nouvelles troupes n'étaient guère nombreuses. Elles représentaient moins d'une centaine de guerriers. Les deux nations n'étaient pas très importantes. Elles étaient constituées d'éleveurs vivant dans les montagnes. Autrefois composées exclusivement de chasseurs-cueilleurs, elles avaient appris l'agriculture. L'âpreté de leurs terres élevées ne leur permettait pas d'obtenir de bonnes récoltes, mais l'une comme l'autre restaient attachées à leurs territoires difficiles d'accès, qui les garantissaient des invasions. Cependant, les Aigles bruns et les Fouines avaient adopté le code d'honneur édicté par Noï-Rah et tenaient à respecter la parole donnée à leur suzerain. S'ils étaient peu nombreux, tous étaient de solides gaillards, qui comptaient quelques femmes dans leurs rangs, des montagnardes robustes que la perspective des combats ne semblait pas effrayer.

Malheureusement, cet apport supplémentaire serait bien insuffisant pour tenir tête aux hordes réunies par Mohn-Kaï. Même avec l'appui de ses compagnons formés à l'art de Brahn, Khrent doutait qu'il puisse réussir à les contenir. Il fallait à tout prix empêcher cette bataille.

Mais comment ?

27

Khrent avait établi son campement en aval du lac Guehr, en un point où les envahisseurs étaient obligés de passer. De part et d'autre de la vallée se dressaient de hautes montagnes forestières impénétrables par une armée importante. De plus, Mohn-Kaï, fort d'une armée largement supérieure en nombre, n'avait aucune raison d'attaquer par surprise. Au contraire, connaissant le personnage, Khrent supposait qu'il ferait le plus de vacarme possible pour effrayer ses ennemis.

Il fallait donc tenter de les décourager en adoptant une stratégie susceptible d'arrêter l'envahisseur. Sur la largeur de la vallée, de part et d'autre du torrent qui descendait vers le territoire des Grands Cerfs, les Renards avaient constitué une ligne de défense solide, composée de deux rangs de boucliers. A la demande de Khrent, Wakh-Har avait placé ses hommes à l'arrière, sur deux lignes. Tous étaient armés d'arcs et de frondes, ainsi que de javelots d'ordinaire utilisés pour la chasse. Une grande nervosité avait pris possession des villageois. S'ils étaient fermement décidés à se défendre, ils ne s'étaient jamais battus contre d'autres êtres humains. C'était une chose que d'entendre les récits des combats menés par le grand roi Atham-Kahr, c'en était une autre de livrer ces batailles dans la réalité. Les Fils de l'Eau et leurs alliés ne manquaient pas de courage, mais ils ignoraient tout de la guerre. Et surtout, l'idée d'affronter des hommes qu'ils avaient sans doute croisés au cours des assemblées des rheuns leur répugnait. Ils avaient parlé avec eux, peut-être partagé un repas, des rires, des souvenirs. Par la faute d'un chef ambitieux, ils allaient se retrouver face à ces gens qu'ils avaient considérés jusqu'à présent comme des alliés, sinon des amis, en particulier les Grands Cerfs, leurs voisins, avec lesquels les échanges étaient réguliers. Tout cela relevait de la stupidité la plus totale.

Deux jours s'écoulèrent ainsi sans qu'il se passât rien. Parfois, on se prenait à espérer que l'attaque n'aurait pas lieu, que Mohn-Kaï avait renoncé. Parfois, au contraire, on redoutait que les assaillants aient réussi à tromper la surveillance des Renards et s'apprêtent à livrer un assaut meurtrier contre le village. On en venait à espérer que l'ennemi soit déjà là. En découdre valait mieux que cette attente insoutenable.

Ce fut avec un mélange de soulagement et de terreur que les guetteurs postés sur les collines annoncèrent l'arrivée d'une troupe nombreuse qui remontait la vallée en direction du lac.

L'ennemi était là. Bientôt, un concert de vociférations se fit entendre, répercuté et amplifié par les montagnes. Khrent s'était posté en avant de la ligne des Renards. Bientôt, une armée impressionnante apparut. A sa tête marchaient Mohn-Kaï et Haar-Thus. Les Renards relevè-rent leurs boucliers, qui se hérissèrent d'une rangée de longues lances à pointe de silex. Les bras croisés, Khrent observait l'ennemi.

Apercevant la ligne de défense des Renards, Mohn-Kaï s'arrêta. Ses troupes se figèrent. Il apostropha son adver-saire :

— Ainsi, tu oses te ranger aux côtés des ennemis de mon peuple !

Khrent s'avança vers lui, armé seulement de son poi-gnard. Il avait conscience de se mettre en danger. Si un écervelé décidait de lui décocher une flèche, il serait blessé ou tué avant même d'avoir pu combattre. Mais il savait aussi que les jeunes guerriers de toutes les nations l'admiraient et le prenaient en exemple. Son geste courageux ne pouvait que les séduire, ou tout au moins les déconcerter. Il s'en rendit compte en constatant un flottement dans les rangs opposés.

— Je ne suis l'ennemi de personne, Mohn-Kaï ! répliqua-t-il d'une voix forte. Tu déclenches une guerre contre un peuple qui ne t'a causé aucun tort.

— C'est faux, hurla l'autre. Les Fils de l'Eau ont tué la reine des Loups noirs. Ils doivent payer leur crime.

— Les Fils de l'Eau n'ont rien à voir avec cet assassinat et tu le sais très bien. Il te fallait un prétexte pour envahir leur territoire et tu as pris le premier qui se présentait, non pour venger Nay-Lah et son mari, mais seulement pour assouvir ta soif de pouvoir. Je me demande même dans quelle mesure tu n'as pas provoqué toi-même ce prétexte...

— M'accuserais-tu d'avoir fait tuer cette reine moi-même ?

— Disons que l'on peut se poser la question.

— Tu m'insultes !

— Et toi, tu insultes tes alliés en les entraînant dans une guerre injuste, dont les dieux risquent fort de s'irriter si vous massacrez des innocents. Tu ferais bien d'y réfléchir à deux fois.

— Mais...

— Je suis ici pour t'empêcher de commettre un crime. Je ne suis pas venu te combattre, mais je m'opposerai à tes troupes si elles s'avisent de faire un pas de plus.

Il fit un signe à ses guerriers, qui aussitôt se dressèrent avec un bel ensemble. La vue du rempart compact de lances et de boucliers plantés d'éclats de silex acérés refroidit l'ardeur des jeunes guerriers qui piaffaient d'impatience. Haar-Thus, embarrassé, ne disait mot. Mohn-Kaï se tourna alors vers ses hommes et clama :

— Regardez bien cet homme ! En s'opposant à nous, il fait le jeu de l'ennemi qui a infiltré nos rangs et qui nous divise. Atham-Kahr, en son temps, a prouvé que la seule manière de combattre cet ennemi était de nous rassembler. Mais depuis le début, les Renards font tout pour éviter l'élection d'un roi qui seul saura rassembler tous les peuples des Montagnes de feu. Alors, mes braves guerriers, je vous pose la question : que veulent les Renards ? En empêchant nos tribus de s'unir, ils les affaiblissent et s'apprêtent à les livrer à la merci de l'ennemi. Il est temps que ce pays redevienne la nation de fiers guerriers qu'il était autrefois. Khrent n'est rien face à Atham-Kahr ! C'est l'exemple de ce roi que nous devons suivre, et non un prêcheur de paix inconscient et irresponsable ! Un prêcheur de paix qui tremble de peur qu'un jour une nation des Montagnes de feu devienne plus puissante que celle des Renards ! Allez-vous supporter plus longtemps la domination que ce peuple exerce sur les autres ?

Un concert de hurlements enthousiastes lui répondit. Mohn-Kaï savait parler à ses hommes en les touchant au point sensible. Khrent attendit que la clameur fût un peu retombée, puis il rétorqua :

— Les Renards n'exercent aucune domination sur aucun peuple. Ce que tu viens de décrire, c'est ce que tu t'apprêtes à faire avec les Fils de l'Eau. Asservir les tribus pour les obliger à se ranger derrière toi.

— Allons-nous l'écouter encore longtemps ?

Une nouvelle clameur retentit, essentiellement du côté des Aigles et de leurs vassaux, ainsi que chez les Loups noirs. En revanche, les Grands Cerfs demeuraient perplexes.

Khrent s'avança de nouveau et apostropha Mohn-Kaï :

— Si tu veux absolument réparation d'un crime, nous pouvons éviter une bataille qui fera trop de blessés et de morts. Je suis prêt à te combattre pour décider du sort de ce conflit.

— La belle affaire ! Tous mes guerriers savent que tu maîtrises l'art de Brahn, que je ne possède pas. Tu es certain de me vaincre, comme l'a fait ton chef. Parce que vous vous gardez bien d'enseigner cet art à vos prétendus alliés. Vous conservez vos secrets pour vous seuls, afin d'asseoir votre domination. Ta proposition est la preuve de ce que j'affirme. Les Renards sont les alliés de l'ennemi extérieur qui les aide à garder leur puissance. C'en est trop !

Ce disant, il brandit sa hache et poussa un long hurlement. Khrent adressa un signe à ses guerriers, lesquels se mirent à avancer en rangs serrés, abrités derrière leurs boucliers. Les longues lances s'étaient abaissées, prêtes à accueillir les premiers attaquants. Il y eut un moment d'hésitation dans les rangs des assaillants. Si les jeunes guerriers des tribus des Aigles étaient prêts à se battre, d'autres l'étaient beaucoup moins. La vue de la longue ligne de lances qui avançait vers eux ne les encourageait pas à charger. Et surtout, on admirait le courage de Khrent, qui n'avait pas bougé malgré les vociférations de Mohn-Kaï. D'autant plus que les arguments de ce dernier n'étaient pas absolument convaincants. Les Renards n'avaient jamais utilisé leur puissance pour imposer leur volonté aux autres nations des volcans. Au contraire, ils s'étaient toujours montrés prêts à aider les tribus en difficulté. Mais qui aurait le courage de le faire remarquer à Mohn-Kaï ?

Celui-ci continuait à s'égosiller. Il disposait de cinq fois plus d'hommes que l'armée opposée par les Renards et les Fils de l'Eau. Il pouvait en une seule bataille porter un coup fatal à la tribu honnie de ces maudits Renards. Bientôt, il sentit que les guerriers, derrière lui, commençaient à prendre confiance, même dans les rangs des Grands Cerfs. Il allait donner l'ordre de charger quand il se produisit un incident auquel il ne s'attendait pas.

Auquel personne ne s'attendait.

Là-bas, à la sortie du village, une petite silhouette apparut. Une silhouette de femme, frêle, fragile, revêtue d'une robe de lin légère, toute blanche, et largement échancrée. Haar-Thus l'aurait reconnue entre mille. Tout comme Mohn-Kaï.

Nessah.

Interloqués, les guerriers des deux camps se figèrent. L'assaut voulu par le chef des Aigles n'eut pas lieu. Il hurla :

— Les Fils de l'Eau ont enlevé ma sœur !

Mais Haar-Thus s'avança. Il craignait trop pour sa jeune épouse. Faisant signe à ses hommes de rester sur place, il se dirigea vers les Renards, qui s'étaient immobilisés sur un ordre de leur chef.

— Est-ce vrai, Khrent ?

— Non. Nessah s'est enfuie parce qu'elle avait été mariée contre son gré à un homme qui a l'âge d'être son père, et après que son propre frère a tué son fiancé, malgré la promesse qu'il avait faite de les unir à l'été.

— Elle m'a fui...

— Il faut la comprendre. Ton nom reste entaché du sang de Dah-Renn.

— Je n'y suis pour rien. J'ignorais qu'elle était déjà engagée avec un autre. Depuis qu'elle est partie, je ne vis plus. Je l'ai cherchée. J'ai cru qu'elle était morte.

— Mais elle est vivante. Et tu l'as épousée contre son gré.

— Je ne le savais pas, plaida-t-il.

— Tu connais comme moi les lois de Noï-Rah, Haar-Thus. Les hommes et les femmes sont libres de leurs actes, dans le respect des autres. Nulle femme ne doit être contrainte à épouser un homme contre son gré. Nessah a été forcée par son frère. Votre mariage n'a donc aucune valeur aux yeux de la loi de la Bienveillante.

Mohn-Kaï piaffait d'impatience et de colère. Mais il n'avait pas osé s'approcher de Khrent. Tous les regards étaient à présent rivés sur la jeune femme qui franchissait les lignes guerrières d'un pas rapide.

— Je lui avais dit de rester cachée dans le village, dit Khrent. Je ne sais pas pourquoi elle a décidé malgré tout de se montrer.

Les Renards s'écartèrent pour la laisser franchir leurs rangs. Elle se trouva devant Haar-Thus. Tous les hommes avaient les yeux braqués sur elle. Sa robe laissait deviner les courbes charmantes de son corps de jeune femme. Ses cheveux blonds croulant sur ses épaules nues, son regard à la fois effrayé et volontaire achevèrent de séduire tous ces hommes sur le point de s'étriper. Sa présence insolite et inattendue au milieu du champ de bataille avait provoqué une retombée de la haine que Mohn-Kaï s'était évertué à provoquer. Il continuait de vociférer, mais ses guerriers ne l'écoutaient plus. Ils attendaient.

Nessah regarda Haar-Thus dans les yeux, tenant ses mains resserrées autour de ses épaules. Elle paraissait si fragile, si désirable. Il eut envie de la prendre dans ses bras pour la protéger, l'emporter. Visiblement, elle avait peur. Mais elle avait trouvé le courage, malgré sa frayeur, de s'aventurer au milieu des guerriers. Elle avait longuement hésité. Elle savait que son frère trouverait toujours des réponses à opposer aux arguments de Khrent, qu'il insisterait pour déclencher une bataille hasardeuse au cours de laquelle nombre d'hommes perdraient la vie. Elle savait aussi qu'il ferait tout pour isoler Khrent et le tuer, privant ainsi les Renards de leur meilleur guerrier. Mais elle avait compris qu'elle avait peut-être le pouvoir d'empêcher cela.

— Pourquoi t'es-tu enfuie ? demanda doucement Haar-Thus. N'avais-je pas été bon avec toi ?

— Tu connais déjà la réponse, répondit-elle. Je ne pourrai jamais oublier Dah-Renn, assassiné par mon propre frère. Mais il n'est plus là et il ne reviendra jamais. Aussi, je suis venue te dire que je suis prête à revenir vers toi si tu renonces à livrer cette bataille stupide. Les Fils de l'Eau sont innocents et tu le sais aussi bien que moi. Mohn-Kaï a tout fait pour déclencher cette guerre dans le seul but de satisfaire son ambition. Quitte à assassiner celui auquel il avait donné sa parole et à faire accuser à tort un peuple qu'il désire asservir.

— Tu mens ! cracha le chef des Aigles, qui s'était enfin approché. Dah-Renn s'est jeté sur moi. Je n'ai fait que me défendre !

— Tu l'as tué ! cria Nessah. Tu es un assassin !

— Les assassins, ce sont les Fils de l'Eau qui ont tué la reine des Loups noirs ! Ils doivent payer.

Il se tourna vers ses guerriers pour les haranguer, mais Haar-Thus s'écria :

— Non, Mohn-Kaï. Je crois qu'elle dit la vérité.

Khrent poussa un soupir de soulagement. L'espoir d'empêcher cette bataille renaissait. Sans le soutien des Grands Cerfs, Mohn-Kaï n'oserait pas attaquer. Celui-ci tendit le poing vers sa sœur.

— Maudite garce ! vitupéra-t-il. Tu m'as trahi !

Si le moment n'avait été aussi dramatique, Khrent aurait éclaté de rire. Cet imbécile accusait Nessah de trahison alors même qu'il n'avait pas hésité à tuer Dah-Renn pour la forcer à épouser Haar-Thus. Celui-ci n'avait d'yeux que pour la jeune femme.

— Nessah, est-ce librement que tu reviens vers moi ? demanda-t-il.

— Oui. Je te promets de ne plus m'enfuir si tu te montres toujours bon avec moi. Et je deviendrai une véritable épouse pour toi. Je le jure devant les dieux des volcans.

Un large sourire illumina le visage du chef des Grands Cerfs. Nessah lui rendit son sourire et, un peu timidement, se réfugia dans ses bras. Une clameur jaillit soudain des rangs des Grands Cerfs et de leurs alliés. Haar-Thus attendit que le calme revienne, puis s'adressa à ses guerriers :

— C'est fini. Nous rentrons.

L'instant d'après, les Grands Cerfs s'écartaient, à la grande déconvenue de Mohn-Kaï, qui se mit à hurler de dépit :

— Vous n'avez pas le droit. Nous avons conclu une alliance.

Puis il apostropha Haar-Thus :

— Prends bien garde ! Si tu romps notre accord, je te reprends ma sœur.

Haar-Thus allait répondre, mais Nessah fut plus rapide :

— Tu ne m'obligeras pas à te suivre, Mohn-Kaï. A partir de ce jour, je ne te considère plus comme mon frère, mais comme l'assassin de mon fiancé. Même si pour le moment tu t'abrites derrière tes guerriers, tu as commis un crime dont tu devras rendre compte devant les dieux.

— Je n'ai fait que me défendre ! répéta-t-il. Tu vas venir avec moi !

— Non ! Je suis l'épouse de Haar-Thus et je le suis librement.

Mohn-Kaï poussa un rugissement d'impuissance. Ayant pris l'habitude de voir les autres plier devant sa volonté, il n'acceptait pas de voir sa propre sœur lui désobéir délibérément. Il pointa le doigt sur elle.

— Tu regretteras ce que tu viens de faire !

Puis il cracha sur le sol, tourna les talons et fit signe à ses guerriers de repartir. Khrent prit Nessah par les épaules.

— Tu as fait preuve d'un grand courage, petite Nessah. Es-tu bien sûre de ton choix ?

— Oui, noble Khrent. Haar-Thus ne m'a jamais fait de mal. Je lui ai promis de revenir avec lui et je tiendrai parole. Ainsi que Noï-Rah nous l'a enseigné.

Khrent s'adressa ensuite à Haar-Thus :

— Est-ce que j'ai aussi ta parole de la respecter et de ne lui causer aucun tort ?

Le chef des Grands Cerfs hocha la tête.

— C'est une parole que je n'aurai aucun mal à tenir.

231

Khrent admirait Nessah. Son sacrifice avait permis d'éviter un massacre. Il connaissait assez Haar-Thus pour savoir qu'elle ne serait pas malheureuse avec lui. C'était un brave homme bien que son aspect ne fût guère engageant, mais il prendrait soin d'elle. Cependant, elle n'était pas sauvée pour autant.

Khrent prit la jeune femme à part.

— Je crains que Mohn-Kaï ne se retourne contre les Grands Cerfs, dit-il. Haar-Thus doit s'y préparer.

La colère envahit le visage de Nessah.

— Il vaudrait mieux qu'il reste tranquille. S'il attaque notre village, je le tuerai de mes mains. Je n'oublie pas qu'il a assassiné Dah-Renn. Et je sais me servir d'un arc.

— Ça ne sera peut-être pas suffisant...

— Les Grands Cerfs sont de taille à résister.

— Ils sont moins nombreux que les Aigles.

— Crois-tu que nous devrions conclure une alliance avec les Fils de l'Eau ?

— Haar-Thus peut toujours leur en parler. Cependant, je ne suis pas persuadé qu'ils accepteront. Ils vont se méfier, non sans raison. Si les Renards ne s'étaient pas interposés, les Grands Cerfs les auraient massacrés. Je crois qu'il vaut mieux laisser le temps apaiser les tensions. Mais ce sera à toi de renouer de bonnes relations entre vos deux tribus. Les Fils de l'Eau ont confiance en toi, et ils te sont reconnaissants de ta décision. C'est par toi que la paix reviendra. En attendant, prends soin de toi. Mohn-Kaï vient de subir une terrible humiliation dont il te rend responsable. Haar-Thus doit se montrer prudent et surveiller ses terres à l'est et au nord. Si votre village était attaqué, n'hésite pas à fuir. Réfugie-toi chez les Fils du Tigre, à l'ouest. Ils te conduiront à No'Si'Ann où tu seras en sécurité.

— Je ne peux pas quitter Haar-Thus. J'ai donné ma parole.

— Je sais que tu la respecteras. Mais si Haar-Thus était tué, ton frère te ferait périr dans des conditions atroces.

Nessah pâlit. Elle avait entendu parler de ces scribes qui avaient voulu défendre leur bibliothèque et qui avaient fini brûlés vifs, au milieu de leurs livres en flammes. Mohn-Kaï était un monstre. Mais il avait su s'entourer d'une cour d'admirateurs auxquels il avait fait miroiter la gloire d'un avenir de conquérants, des terres nouvelles et des femmes soumises à tous leurs caprices.

— Si cela arrive, je ferai ce que tu me dis.

Ils revinrent vers Haar-Thus, qui prit les mains de Khrent dans les siennes.

— Mon ami, sois remercié de m'avoir ouvert les yeux à temps. Je sais qu'il est trop tôt pour cela, mais je voudrais que tu assures aux Fils de l'Eau qu'ils n'ont plus rien à craindre des Grands Cerfs.

— Je leur dirai.

Ils se saluèrent, puis Haar-Thus et Nessah se dirigèrent vers leurs guerriers. Les rangs s'ouvrirent et la petite silhouette féminine vêtue de blanc, serrée jalousement par son mari, disparut à l'intérieur de la foule armée, qui prit lentement le chemin du retour. Khrent fit alors signe à ses hommes de reposer lances et boucliers.

28

Ly-Rah n'était guère rassurée. Les orages qui avaient gonflé les eaux du Dor'Ohn ces derniers jours provoquaient des remous impressionnants. Dès que les radeaux eurent quitté l'abri de la grève, ils furent emportés par le courant et se mirent à caracoler sur les tourbillons. La jeune fille s'était réfugiée au centre du bateau en compagnie de son frère, sous l'œil amusé de Ken-Loh, qui s'était emparé d'une perche et l'enfonçait dans les flots pour guider l'embarcation. Lo-Kahr s'était mêlé aux navigateurs.

L'inquiétude de Ly-Rah fut de courte durée. Les radeaux étaient stables et elle s'habitua très vite à leurs mouvements. Fascinée, elle contempla les rives qui défilaient à toute allure. Jusqu'au moment où elle se rendit compte que l'impression de vitesse était trompeuse. Les embarcations progressaient à peine plus vite qu'un homme marchant à bonne allure. Elle prit alors le temps de découvrir le paysage. Le Dor'Ohn s'insinuait entre des collines aux pentes douces, couvertes de bruyère mauve, d'herbes hautes, parfois de forêts de chênes et de hêtres. On rencontrait beaucoup moins de sapins, comme si ceux-ci avaient été chassés par les arbres à feuilles. Des parfums de végétaux chauffés par la chaleur se mêlaient aux effluves aquatiques. Parfois, sur les rives, on entrevoyait un petit groupe de daims ou de chevreuils venus s'abreuver. Ils s'égaillaient dans la forêt à l'approche des radeaux. Ailleurs, c'était un ours pêcheur de saumons, des castors bâtisseurs de barrages de branchages ou des loutres agiles. Dans les airs planaient des aigles ou des milans à l'affût de rongeurs. Leurs cris stridents résonnaient entre les collines.

Parfois, on apercevait, sur les hauteurs, les huttes d'un petit village. Mais les traces de présences humaines étaient rares. Les rives du fleuve étaient pourtant accueillantes. Ly-Rah s'en étonna. Ken-Loh lui expliqua :

— Les habitants de ce pays se méfient de tous ceux qui circulent sur le Dorondo. C'est toujours par l'eau que viennent les envahisseurs. Nous avons essayé de nouer des contacts avec eux, mais nous avons dû renoncer. Ils nous jettent des pierres quand on essaie de les approcher. Je ne suis pas sûr que ces gens sachent cultiver la terre. Ils vivent de la chasse et de la pêche, et des racines qu'ils déterrent. Certains utilisent encore le propulseur.

Lorsque la nuit s'apprêtait à tomber, les radeaux touchaient la rive à des endroits où les navigateurs étaient habitués à accoster. Ils y retrouvaient des tas de bois préparés pour les feux, que l'on allumait au milieu d'un cercle de pierres, afin d'éviter tout risque d'incendie. Dans la journée, on laissait traîner des nasses à l'arrière des embarcations. Quand on les remontait, elles contenaient le repas du soir, que l'on faisait griller sur la braise.

C'était alors de longues soirées de repos, où l'on se remettait des efforts de la journée en chantant ou en écoutant les plus anciens narrer quelque récit de chasse ou quelque légende. Lo-Kahr, sur qui la fatigue ne semblait pas avoir de prise, entraînait Ly-Rah et Brahn-Hir à l'écart, et leur enseignait les subtilités de l'art de Brahn. Celui-ci comportait le combat au corps-à-corps, au poignard, à la hache, à la lance. Lo-Kahr leur montrait comment se servir de la force de l'adversaire pour la dévier et la retourner contre lui. L'art de Brahn comportait aussi de larges notions de stratégie de groupe, mettant en jeu l'utilisation des lances, des boucliers, des arcs et des frondes, l'adaptation au terrain.

— Un petit nombre d'hommes bien organisés, disait-il, peut vaincre un adversaire cinq ou six fois plus nombreux s'il combat avec efficacité, courage et discernement.

Il leur apprenait également à contrôler leurs émotions, afin que ni la peur ni la colère ne puissent amoindrir leur efficacité. L'art de Brahn enseignait que, dans la mesure du possible, il était préférable d'éviter le combat. Dans ce but, il fallait faire preuve d'une grande maîtrise pour inspirer de la peur à l'ennemi, afin qu'il renonce à attaquer. La lutte ne devait intervenir qu'en ultime recours, et toujours dans un but défensif.

Ly-Rah, qui avait déjà appris les rudiments de cette discipline comme la plupart des enfants de No'Si'Ann, se montra une élève remarquablement douée, à tel point qu'elle battait régulièrement son frère, pourtant plus grand et plus fort qu'elle. Lo-Kahr n'était pas peu fier de son élève.

Cependant, Ly-Rah n'avait pas abandonné l'idée d'apprendre la technique du sommeil hypnotique de Heh-Ming. Certains soirs, elle délaissait l'enseignement de Lo-Kahr pour suivre celui du vieil homme. Brahn-Hir et Ken-Loh lui servaient de cobayes. A la grande surprise de Heh-Ming, Ly-Rah parvint très vite à maîtriser le phénomène. Stupéfait et ravi, il l'amena à pénétrer de plus en plus loin dans la maîtrise de l'hypnose.

— Ton esprit est puissant, petite Ly-Rah, disait-il avec enthousiasme. Il y a en toi une force que je n'ai jamais encore rencontrée. Tu possèdes l'autorité d'un chef, celui qui commande et que l'on écoute. Mais il y a autre chose de bien plus étonnant encore.

— Et quoi ?

Le vieil homme ne répondit pas immédiatement. Une sorte de fébrilité s'était emparée de lui. Enfin, il dit :

— Tu es en contact direct avec les divinités. Je ressens en toi une faculté que peu d'hommes et de femmes possèdent. Tu es capable d'entrer en communication avec les esprits disparus. J'y ai pensé depuis que tu as parlé de cette prophétie, où tu dis avoir vu ton ancêtre Noï-Rah. Nous ignorons tout de ce qui se passe après la mort. Les chamans disent que l'âme rejoint le monde des dieux. Mais certains esprits restent en contact avec les vivants. Nous avons tellement de choses à apprendre encore. J'aimerais tenter une expérience avec toi, si tu le permets.

D'une nature curieuse, Ly-Rah accepta. Sous les yeux inquiets de Ken-Loh et de Brahn-Hir, Heh-Ming endormit la jeune fille. Puis il lui demanda de remonter le plus loin possible dans ses souvenirs. Elle revécut ainsi son adolescence, sa petite enfance, puis dépassa le seuil des souvenirs conscients. Elle se retrouva bébé, accrochée dans le dos de sa mère dans une toile de lin colorée, décrivit son frère à peine plus âgé qu'elle, qui accumulait les chutes en apprenant à marcher. Mais cela ne suffisait pas à Heh-Ming. Peu à peu, il l'amena au moment même de sa naissance. Fascinés, Ken-Loh et Brahn-Hir écoutaient les paroles étranges de Ly-Rah, qui, passée une légère hésitation, expliqua comment elle était sortie du ventre de sa mère.

— Mais personne ne peut se souvenir de cet instant-là, souffla Brahn-Hir.

Heh-Ming lui fit signe de se taire. Puis il poussa l'expérience encore plus loin.

— Tu n'es pas encore née. Que vois-tu à présent ?

— Une grande lumière. Je suis en paix. Je ne ressens aucune peine, aucune douleur.

Elle frissonna.

— A présent, la lumière a disparu. Je vis à nouveau. Mais je suis très vieille. Mon corps souffre de partout. Cela m'importe peu. J'ai une tâche à accomplir. Je sais que je ne l'achèverai jamais, mais j'y consacre chaque instant de ma vie.

Sa voix avait changé légèrement. Elle avait pris une plus grande assurance.

— Mais que dit-elle ? s'inquiéta son frère.

Nouveau signe de Heh-Ming.

— Tais-toi. Ce n'est plus Ly-Rah qui parle.

La jeune fille poursuivit :

— Je n'ai plus mal. Un homme est venu de loin. Il m'a soignée alors que je croyais mourir. Il a ôté le mal dans ma tête.

Nouveau frisson.

— Il y a une bataille. Je dirige mon peuple. Mes Renards. L'ennemi est venu pour nous détruire, mais nous sommes plus puissants que lui. Il est vaincu.

Elle poussa un cri.

— Une pierre m'a frappée à la tempe. J'ai mal...

La respiration de Ly-Rah s'était accélérée. Heh-Ming lui prit la main.

— Détends-toi. Tu ne risques rien. Tu vas bientôt te réveiller. Dis-moi simplement quel est ton nom ?

— Je m'appelle... Noï-Rah.

Brahn-Hir étouffa un cri de surprise. Heh-Ming leva sa main à hauteur des yeux de la jeune fille.

— A présent, je vais frapper dans mes mains. Trois fois. La troisième fois, tu te réveilleras.

— Alors, que s'est-il passé ?

Ly-Rah avait repris conscience. Ken-Loh et Brahn-Hir la considéraient avec effarement. Quant à Heh-Ming, il jubilait.

— Tu as fait le voyage le plus extraordinaire que l'on puisse accomplir, déclara-t-il.

— Comment ça ?

— Tu es remontée au-delà de ta naissance, dans d'autres vies.

— Tu as dit que tu t'appelais Noï-Rah, intervint son frère, très ébranlé.

— Mais je ne suis pas... commença-t-elle.

238

— Non, tu n'es pas Noï-Rah, acheva le vieil homme. Mais tu l'as peut-être été dans une autre vie. Tu lui ressembles beaucoup.

— Alors, cela veut dire... que la mort n'est qu'un passage d'une vie à l'autre ? Que nous vivons plusieurs fois...

— Peut-être. Mais cela signifie peut-être aussi que ton esprit est en contact avec l'âme et la mémoire de Noï-Rah. Et cela te donne une force extraordinaire. C'est pour cette raison qu'elle t'a choisie pour délivrer sa prophétie. Les esprits voient bien au-delà de ce que nous pouvons percevoir.

— Alors, cela signifie que sa prédiction va s'accomplir...

— Sans doute. Mais je sais qu'elle sera à tes côtés pour t'apporter son aide.

Bouleversée par cette expérience stupéfiante, Ly-Rah eut quelque peine à trouver le sommeil cette nuit-là. Le temps s'étant remis au beau après les orages des jours précédents, on dormait à la belle étoile. Ken-Loh s'installait toujours près d'elle. Autour d'eux, les ténèbres étaient impénétrables. Seules les lueurs des foyers éclairaient chichement les corps des voyageurs allongés sur l'herbe ou le sable de la grève. Quelques hommes montaient la garde, mais il n'y avait guère de danger. Les lieux étaient déserts.

Les yeux plongés dans l'infini du ciel constellé d'étoiles, Ly-Rah ne dormait pas. Elle se demandait où allaient les âmes après la mort. Certaines légendes prétendaient qu'elles rejoignaient les étoiles. Alors, Noï-Rah était-elle quelque part, là-haut ?

Les astres de la nuit paraissaient si lointains. Comme elle laissait errer son esprit, un phénomène l'intrigua. Elle se demanda pourquoi, le jour, le ciel ne comportait aucune étoile. Se pouvait-il qu'elles disparaissent ? Certaines d'entre elles, celles qu'on appelait les vagabondes, mettaient plus de temps à s'éteindre. Elle les avait souvent observées en compagnie de Ham-Khal. Au matin, l'une d'elles en particulier durait longtemps, un peu comme la lune, mais beaucoup plus petite. Puis elle s'éteignait, peu à peu, et disparaissait. Alors, avait-elle cessé d'exister ? Ou bien était-elle toujours là ? Peut-être qu'on ne la voyait plus parce que le soleil luisait trop fort. Cela voulait-il dire... que les étoiles étaient toujours là pendant le jour, mais qu'on ne les voyait plus à cause de la lumière ? Elle se promit d'en parler à Ham-Khal dès son retour.

L'évocation du vieux scribe ramena ses pensées vers No'Si'Ann et ses parents. Elle avait confiance dans la puissance des Renards. Mais la prophétie n'avait laissé planer aucun doute : elle devait devenir la reine de la tribu dans un avenir proche. Ce qui signifiait que ses parents auraient disparu.

Elle observa attentivement le ciel, à la recherche d'une étoile différente des autres, mais elle eut beau écarquiller les yeux, elle ne remarqua rien d'anormal. Elle finit par s'endormir, l'esprit peuplé de visions d'un autre âge, de visages qu'elle ne connaissait pas, et qui lui étaient pourtant familiers.

Après quinze jours de voyage, les radeaux arrivèrent en vue de Lymo, le village des Palkawans. A cet endroit, le Dor'Ohn rejoignait une rivière, le Viz'Ara. Le village était implanté sur la rive nord du fleuve, mais des maisons s'étaient installées sur la pointe, entre les deux cours d'eau, et même sur la rive sud. Des radeaux guidés par un système de cordage permettaient la traversée. Une foule importante s'était massée sur la rive septentrionale pour accueillir les voyageurs. Un détail frappa immédiatement Ly-Rah : les femmes portaient des robes de lin de couleurs chatoyantes, rouge, vert, bleu, jaune. Elle s'en étonna auprès de Ken-Loh.

— Nos femmes connaissent les secrets qui permettent de colorer le lin, expliqua-t-il.

— Quelle chance ! Nous avons essayé avec des terres, des fruits écrasés ou certains insectes broyés, mais les couleurs ne tiennent pas.

— Peut-être parviendras-tu à les convaincre de te confier leurs secrets...

Elle en avait fermement l'intention.

Dès qu'elle mit le pied à terre aux côtés de Ken-Loh et de Gristan, la foule se rapprocha. Tout le monde jacassait en même temps. Ly-Rah avait peine à comprendre ce qui se disait. Ils parlaient très vite en faisant de grands gestes. Mais les visages étaient illuminés de larges sourires.

— Ils te trouvent très belle, lui souffla Ken-Loh. Certains se demandent si tu n'es pas venue ici pour devenir mon épouse.

Elle secoua la tête.

— Il faut leur dire que je ne suis pas destinée à rester.

— Ils vont être déçus.

— Nous avons déjà parlé de ça, Ken-Loh. Tu sais bien que c'est impossible.

Il eut une moue de contrariété.

— Tu ne m'empêcheras pas de le regretter.

— Comme je le regrette moi-même. Mais nous ne sommes pas libres. Nous appartenons chacun à nos peuples. C'est un honneur de les servir. Nous ne devons penser à nous qu'après. Sinon, nous ne serions pas dignes de la confiance qu'ils ont placée en nous.

Le soir même, une grande réception eut lieu pour célébrer le retour du chef et honorer les visiteurs venus des Montagnes de feu. Ly-Rah fut assaillie de questions, auxquelles elle répondit dans la langue locale, ce qui ravit ses interlocuteurs. A ce qu'elle put en juger, Pehr-Goor était un pays d'abondance. Les corbeilles de rotin tressé regorgeaient de fruits et de légumes de toutes sortes, de galettes d'épeautre cuites sur des pierres chauffées au feu. Des plats en terre proposaient des fruits confits dans du miel, dont les Palkawans faisaient une grosse consommation. Des chèvres et des moutons avaient été sacrifiés et mis à rôtir. Ly-Rah trouva cependant que la viande avait un goût inhabituel. Ken-Loh lui expliqua :

— A No'Si'Ann, vous vous contentez de faire griller la viande et de la saler. Ici, nous rajoutons des herbes afin de lui donner un goût différent, de la sauge, du romarin, du thym, de l'ail.

Ly-Rah convint que le résultat était très agréable. Elle s'étonna que, depuis le temps que des contacts avaient été établis entre les Montagnes de feu et Pehr-Goor, personne à No'Si'Ann n'ait eu l'idée de faire la même chose. Elle se dit qu'elle en parlerait à sa mère.

Le lendemain, Krigs quitta Lymo en remontant le Viz'Ara. Eyz'Tay, le village des Mohondos, était situé à deux jours de navigation en amont. Ly-Rah devait lui rendre visite quelques jours plus tard.

— Tu verras, lui dit-il en partant, Eyz'Tay est vraiment un village surprenant.

Peu après le départ des Mohondos, Ly-Rah fut reçue par Dranos, le chaman des Palkawans. Outre l'entretien des liens d'amitié qui unissaient les deux pays, Ly-Rah avait pour mission de faire connaître la prophétie de Noï-Rah aux peuples de Pehr-Goor. En présence de Gristan et de Ken-Loh, la jeune fille dut revivre, dans la langue locale cette fois, la vision impressionnante de l'étoile tombant sur le monde. Les images restaient très précises dans son esprit, tout comme le visage de la Bienveillante. Lorsqu'elle eut terminé, Dranos hocha la tête d'un air sombre.

— Dans le pays de Pehr-Goor, les femmes n'ont pas accès au monde caché. Les transes sont réservées aux sorciers. Et j'ai peine à croire qu'une femme puisse ainsi recevoir un message des dieux. Mais j'ai eu moi-même une vision effrayante, qui semble confirmer que tu dis vrai.

Ly-Rah soupira. Ken-Loh l'avait prévenue. Elle n'était plus dans le pays des volcans. Partout ailleurs, les femmes ne jouissaient pas de la même liberté. La plupart du temps, elles étaient considérées comme des êtres humains de rang inférieur, qui devaient obéissance aux hommes et ne pouvaient en aucun cas communiquer avec les divinités. La réaction du sorcier agaça un peu Ly-Rah. Elle répliqua :

— No'Si'Ann a été fondé par une femme, Dranos. Noï-Rah est devenue une déesse qui veille sur nous. Nous l'appelons la Bienveillante, ou la Bienfaisante, parce qu'elle nous a apporté une connaissance que nous n'avions pas avant.

Le vieux chaman soupira.

— Je sais. C'est elle qui a inventé ces mystérieux signes sacrés qui vous permettent de transmettre la mémoire de génération en génération. J'ai appris quelques-uns de ces signes, mais ils sont très compliqués. Peut-être avons-nous tort de ne pas accorder aux femmes la même considération qu'aux hommes, mais il en est ainsi depuis toujours. Pourtant, j'ai visité ton pays autrefois, et j'avoue que j'ai été surpris par votre façon de vivre. Les femmes des volcans sont libres. C'est peut-être à cause de ça qu'elles sont belles. Comme toi.

Ly-Rah le remercia d'un léger sourire. Les filles de No'Si'Ann fabriquaient des onguents particuliers pour protéger leurs yeux et leur peau, ce qui leur donnait un regard particulier et un teint éclatant.

— Je pourrais confier à vos filles quelques-uns de nos secrets, proposa-t-elle. En échange, j'aimerais connaître celui des couleurs de leurs robes.

Le sorcier éclata de rire, imité par Gristan et son fils.

— Voilà bien un souci de femme, dit-il.

— Tu m'en remercieras, lorsque tu constateras que les femmes de Lymo sont aussi belles que celles de No'Si'Ann.

— Voilà qui est bien. Mais... que devons-nous faire en prévision de la chute de cette étoile ?

Ly-Rah éprouva une vive satisfaction intérieure. Bien qu'elle ne fût qu'une femme, ce chaman persuadé de la supériorité masculine lui demandait conseil.

— Il faut engranger le maximum de vivres, faire sécher la viande, les légumes et les fruits, fumer et saler du poisson, et les protéger dans des silos où ils ne risquent pas de pourrir à cause de la pluie. Les Renards s'y sont attelés dès l'annonce de la prophétie.

— Sais-tu quand cela se produira ?

— J'ai vu la saison des feuilles rousses, mais j'ignore s'il s'agit de cette année ou d'une autre.

Elle laissa passer un silence, puis ajouta :

— Pourtant, j'ai l'intuition que cela aura lieu cet automne.

La nuit suivante, comme elle ne parvenait pas à dormir, elle sortit de la maison qu'elle occupait avec Brahn-Hir et observa une nouvelle fois le ciel nocturne. Son attention fut attirée par un phénomène insolite. A plusieurs reprises, des traînées lumineuses fugaces traversèrent le firmament. Ly-Rah connaissait déjà ce phénomène. Il se produisait surtout en été. Les légendes disaient qu'il s'agissait des messagers des dieux qui venaient rendre visite aux hommes pendant leurs rêves.

Soudain, elle remarqua, en direction du couchant, une étoile singulièrement plus éclatante que les autres. Un long frisson la parcourut. Bien qu'elle fût encore très loin, elle eut la conviction qu'elle se dirigeait droit vers eux. Elle avait sous les yeux l'étoile de la prophétie.

La destructrice de mondes...

29

Deux jours plus tard, les Grands Cerfs retrouvaient leur village de Ghy'Ann. Haar-Thus avait craint que Mohn-Kaï n'exerce des représailles, mais il ne s'était rien passé. Des chasseurs avaient signalé le passage des Aigles au sud, mais ils avaient quitté la vallée pour remonter par les chemins de montagne qui menaient vers le territoire des Fouines.

— Ils ont dû se venger sur eux, dit-il sombrement.

Le soir, il s'isola avec Nessah et la contempla longuement.

— Tu ne t'enfuiras plus.

— Je t'ai donné ma parole, Haar-Thus. Je resterai avec toi.

— Je sais. Mais je comprendrais que tu n'aies aucune envie de vivre auprès d'un homme qui a plus de deux fois ton âge et qui est défiguré. A cause de toi, à cause de l'amour que je te porte, j'ai failli entraîner mon peuple et mes vassaux dans une aventure qui aurait causé la mort de beaucoup de monde. Si Khrent et ses Renards n'avaient pas été là pour empêcher cette folie, j'aurais ce soir le sang de nombreux innocents sur les mains. La Bienveillante nous a pourtant enseigné le sens de l'honneur et de la justice. Qu'ai-je fait de sa sagesse ?

— Tu l'as retrouvée, Haar-Thus. Cela seul compte.

— Tu m'as prouvé que les femmes peuvent se montrer plus courageuses que les hommes. Tu aurais pu t'enfuir à nouveau. Mais tu as évité une bataille meurtrière en acceptant de revenir avec moi. C'est pourquoi, si tu le souhaites, je te rends ta liberté. Je ne peux pas accepter de vivre avec une femme qui ne m'aimera pas et qui ne se donnera à moi que par obligation. Je veux une femme qui m'aime comme je l'aimerai.

Il hésita, puis ajouta :

— Cependant, si tu veux partir, fais-le tout de suite. Cela sera moins cruel pour moi.

Nessah ne répondit pas. Elle observait le visage ravagé par les terribles cicatrices, cet œil blanc qui ne voyait plus rien. Pourtant, elle n'en éprouvait aucune gêne, aucun dégoût. Elle avait appris que Haar-Thus avait reçu ces blessures en prenant la défense de l'un de ses hommes attaqué par un ours. Il lui avait sauvé la vie, mais avait payé son courage au prix fort. Elle avait appris aussi que son ancienne épouse l'aimait vraiment et souffrait de ne pas avoir pu lui donner d'enfants. Il aurait pu reprendre femme après sa mort, mais il n'avait pu s'y résoudre. Il s'était résigné à ne plus jamais avoir de compagne. Puis il l'avait vue, elle, sur l'hah'goor, et il s'était pris à rêver. Il l'avait longuement contemplée, de loin, avait aimé sa beauté, mais surtout son caractère volontaire, sa joie de vivre, sa grâce naturelle. Nessah le faisait penser à l'une de ces chevrettes de montagne qui bondissaient de rocher en rocher en haute altitude, tout près du ciel. Inaccessibles. Quand Mohn-Kaï était venu le trouver pour lui proposer une alliance en échange d'un mariage avec elle, il avait accepté immédiatement, sans trop songer aux conséquences.

Parce qu'elle lui avait été imposée, Nessah avait rejeté cette union. Et malgré la délicatesse d'Haar-Thus, qui ne l'avait pas touchée depuis qu'il l'avait épousée, elle s'était enfuie. Elle avait trouvé refuge chez les Fils de l'Eau qui l'avaient accueillie avec hospitalité. Et puis, curieusement, elle avait songé aux quelques jours passés auprès d'Haar-Thus, à son caractère heureux parce qu'elle était près de lui, à ces nuits chastes au cours desquelles il s'était contenté de la regarder dormir. Un tel homme ne pouvait pas lui faire de mal. Elle avait bien compris qu'il n'était pour rien dans la mort de Dah-Renn.

— Je ne partirai pas, répondit-elle enfin.

Puis elle défit sa robe de lin et vint se blottir contre lui.

Après le départ des Grands Cerfs, Khrent était resté à Dohr'Ann. Il redoutait un retour des Aigles. Le chemin le plus aisé pour rejoindre leur territoire passait par le village des Grands Cerfs. Il était à craindre qu'ils aient exercé leur vengeance sur leur village. Mais ils avaient emprunté une autre route, qui traversait les montagnes.

Khrent s'apprêtait à repartir lorsque l'on vit arriver une petite délégation des Fouines. Les montagnards avaient regagné leur village le lendemain de la bataille évitée. Trois jours plus tard, leur chef, Prit-Han, et quelques compagnons, étaient de retour. Wakh-Har les reçut en compagnie de Khrent.

— Notre village a été détruit ! se lamenta Prit-Han. Les Aigles ont brûlé la bibliothèque et incendié nos maisons.

— Ils ont tué les vôtres…

— Non. Par chance, des bergers les ont vus arriver. Les nôtres ont eu le temps de se réfugier dans la forêt, sur les hauteurs, avec nos troupeaux. Les Aigles les ont cherchés, mais ne les ont pas trouvés. Ils ne connaissent pas les montagnes comme nous. Alors, ils se sont vengés sur notre village. Toutes nos récoltes sont détruites, toutes nos richesses.

— Les chiens ! s'exclama Wakh-Har.

— L'important est qu'il n'y ait pas eu de morts, déclara Khrent.

— Mais nous n'avons plus rien !

— Vous avez la vie. Vous avez vos bras et votre courage. Un village se reconstruit, tout comme une bibliothèque. Quant aux vivres, nous vous aiderons.

Plus tard, Khrent fit quelques pas en compagnie de Wakh-Har.

— Sans doute devons-nous nous réjouir que Mohn-Kaï n'ait pas réussi à massacrer les Fouines, dit-il. Cependant, j'ai le sentiment d'un gâchis aussi vaste que stupide. Peut-être aurais-je dû défier cet imbécile et le tuer.

— Les autres auraient voulu le venger.

— Je ne crois pas. Il les a influencés. Leur idole à terre, ils auraient été perdus. J'aurais pu les reprendre en main. Mais à présent, il n'aura de cesse de prendre sa revanche. Je crains qu'il ne s'attaque aux Grands Cerfs. Et aux Fils de l'Eau. Il reviendra. Il faut te préparer à une nouvelle agression, mon ami. Je ne serai pas toujours là pour empêcher les combats.

Il soupira.

— Je ne comprends pas comment les esprits ont pu changer à ce point. Que s'est-il passé que nous n'avons pas su voir ? Pourquoi certaines tribus rejettent-elles les reines, les livres et les lois de Noï-Rah ?

Wakh-Har hésita, puis répondit :

— Il y a peut-être une explication. Il est passé ici des hommes qui parlaient d'un autre dieu, qu'ils appelaient Trohm. Quelques-uns les ont écoutés dans le village. Mais nous sommes trop attachés à notre déesse de l'eau, Haïwah, pour nous détourner d'elle. Elle est présente partout dans nos montagnes. Nous n'avons rien à faire d'un dieu qui voudrait éliminer tous les autres. Nous respectons les divinités des autres peuples, qu'ils respectent la nôtre.

— Il en a toujours été ainsi au pays des volcans, Wakh-Har. J'ai croisé quelques-uns de ces prêcheurs sur le hah'koom.

— Ils ne sont pas violents. Ils ne font que parler de leur dieu, de sa colère, de son esprit dominateur. Quand ils ont constaté qu'ils ne nous intéressaient pas, ils sont repartis. Mais je me demande s'ils n'ont pas un rapport avec la folie qui s'est emparée de certaines tribus.

Khrent ne répondit pas immédiatement.

— La prophétie de Ly-Rah a engendré la peur, dit-il enfin. Et lorsqu'ils ont peur, les gens sont prêts à croire n'importe quoi, notamment que les signes sacrés sont un défi lancé aux dieux, et en particulier à ce mystérieux Trohm. Cela expliquerait les incendies des bibliothèques et les crimes contre les reines. La peur peut influencer les esprits faibles. Certains peuples résistent, comme le tien, mais d'autres sont plus fragiles et enclins à remettre leurs dieux en question.

Il soupira.

— Nous aurions dû chasser ces prêcheurs de malheur. A présent, le mal est fait. Ils ont semé la discorde entre les nations des Montagnes de feu. Et même si nous avons évité une bataille, je ne crains que ça ne fasse que commencer. Je vais me rendre auprès des Aurochs pour tenter de les empêcher de mener leur guerre.

— Que les dieux te protègent, mon ami.

Le village des Aurochs se situait au sud du massif montagneux du Maï'Sankh, qui dominait la vallée suspendue des Fils de l'Eau. A cette époque de l'année, il était possible de gravir les pentes de ces reliefs, mais ce n'était pas une entreprise aisée étant donné l'altitude des cols. En hiver, les passer se révélait impossible. Pour cette raison, les relations entre le nord et le sud du pays des volcans n'étaient pas très développées. Il fallait contourner le massif par les vallées de l'est ou de l'ouest, ce qui exigeait plusieurs jours de voyage. Pour gagner du temps, Khrent choisit de franchir les cols. Il espérait arriver chez les Aurochs avant que Bahr-Kynn ait pu déclencher sa guerre.

Malheureusement, il était déjà trop tard. Alors qu'ils s'apprêtaient à quitter les Fils de l'Eau, une petite délégation de Serpents fut annoncée. Parmi eux se trouvaient un jeune chasseur et une vieille femme en qui Khrent reconnut Pah-Lys, la reine des Chouettes, que des guerriers transportaient sur une litière. On fit cercle autour de la vieille dame. Khrent s'inclina respectueusement devant elle.

— Pah-Lys, mes yeux se réjouissent de te revoir. Nous redoutions que tu aies été tuée.

Elle eut un petit rire joyeux.

— Cela a bien failli arriver. Ces voyages à travers les montagnes ne sont plus de mon âge, mes enfants.

— Pourquoi as-tu quitté ton village ?

— Je ne voulais pas partir, mais ce brave garçon m'a convaincue de le suivre.

Elle désigna un jeune chasseur.

— Il s'appelle Baï-Rahm. Il m'a portée sur son dos jusqu'au territoire des Loutres, puis chez les Fils du Serpent. Là, le chef Sryn-Khan m'a donné une escorte pour que je puisse me rendre à No'Si'Ann. Il estimait que je devais parler à Loo-Nah et à Mahl-Kahr de ce qui se passe dans le sud. Mais ce garçon va t'en parler mieux que moi.

Le jeune chasseur s'inclina devant Khrent. Puis il raconta comment il avait échappé au massacre de ses compagnons par des hommes masqués, dans la vallée des Loutres.

— Je les ai vus semer des objets destinés à faire croire que l'attaque était le fait des Chauves-souris. J'ai voulu en faire part à Haar-Skonn, mais il a refusé de m'écouter.

— Ceux qui ont tué la reine Nay-Lah ont utilisé le même piège grossier, dit Khrent. Il est difficile de s'y laisser prendre, à moins d'en avoir vraiment envie. Or, aussi bien Haar-Skonn que Bahr-Kynn y ont cru, ou plutôt fait semblant d'y croire. Car Haar-Skonn savait que cette attaque allait avoir lieu, cela ne fait aucun doute.

— Il nous a envoyés à la mort en toute connaissance de cause, confirma Baï-Rahm. Pour provoquer une guerre. C'est monstrueux.

— Et ça prouve que Bahr-Kynn et lui ont partie liée avec ces hommes masqués.

Un long silence suivit la conclusion de Khrent.

— La guerre est inévitable, reprit Baï-Rahm. Peu avant l'assemblée des rheuns, trois pêcheurs Chauves-souris ont été tués. Les indices ont accusé les Chouettes. A l'époque déjà, les Chauves-souris voulaient se venger. Leur suzerain Hokh-Thar a refusé de tomber dans le piège des indices et la guerre n'a pas eu lieu. Les rheuns ont ramené le calme au cours de l'assemblée, mais ce nouveau crime va rallumer la haine. Les Chauves-souris et les Chouettes sont prêts à en découdre. Cela fait plusieurs jours que Pah-Lys et moi avons quitté notre village de Khom'Ann. A présent, Bahr-Kynn a dû envahir les territoires des Fils de la Nuit. Même sans les Ours gris, qui ont refusé de participer à la guerre, les Aurochs et leurs alliés sont beaucoup plus nombreux que les Fils de la Nuit.

— Les reines de ces tribus sont en danger, dit Khrent. Il faut faire quelque chose pour elles.

— Il est sans doute trop tard, soupira Wakh-Har. Si Bahr-Kynn a vraiment noué une alliance avec l'ennemi, il ne les épargnera pas. Veh-Rah, la reine des Aurochs, a déjà péri.

— Je vais tout de même me rendre là-bas, déclara Khrent avant de s'adresser à Pah-Lys : Quelles sont les reines de ces tribus ?

— Chez les vassaux des Aurochs, il reste Marah, la reine des Chevreuils, et Vy-Niah, celle des Ours gris.

— Vy-Niah est déjà à No'Si'Ann. Et les Fils de la Nuit ?

— Leur reine s'appelle Na-Pahl. Il y a aussi la reine des Ecureuils, Tah-Nyah, et celle des Chauves-souris, So-Ohn.

— Je vais aller avec vous, proposa Baï-Rahm. Je connais bien la région. Je pourrai vous être utile.

— Sois le bienvenu parmi nous, mon garçon. Nous partons dès demain. Nous passerons par les montagnes. Wakh-Har, je voudrais que tu prennes le relais de nos amis Serpents pour conduire Pah-Lys à No'Si'Ann. Il n'y a que là qu'elle sera en sécurité.

— Mes guerriers vont s'en charger.

Le lendemain, tandis qu'une douzaine d'hommes prenaient le chemin de No'Si'Ann en compagnie de Pah-Lys, Khrent et ses guerriers s'engageaient sur les flancs de cette montagne que, bien plus tard, on appellerait le Puy de Sancy, le mont le plus élevé du pays des volcans. Il savait qu'il n'avait plus aucune chance d'empêcher cette guerre. Mais il devait tenter de sauver les reines.

Si elles étaient encore vivantes...

30

Un sombre pressentiment taraudait Khrent alors qu'il gravissait les pentes du Maï'Sankh. S'il avait pu empêcher le conflit entre les Aigles et les Fils de l'Eau, il avait peu de chance de renouveler cet exploit dans le sud, où les Aurochs avaient déjà dû entamer les hostilités, poussés par l'ennemi inconnu avec qui ils avaient fait alliance. Mais ni lui ni aucun de ses hommes n'auraient renoncé avant d'avoir essayé de sauver les reines. Fuir le danger eût été de la lâcheté.

Comme pour s'accorder à ses pensées funestes, le temps maussade qui s'était installé sur la région immédiatement après le départ de Ly-Rah s'était encore dégradé, alternant les périodes de ciel bas et couvert et les tempêtes soudaines, qui dégénéraient bien souvent en violents orages. Les torrents furieux débordaient de leur lit, envahissaient les berges, emportant des troncs d'arbres arrachés et de lourds blocs de pierre ayant dévalé des montagnes. Leur progression n'en était pas facilitée, mais la traversée de la barre montagneuse leur ferait gagner au moins deux jours.

Au soir du premier jour, un brouillard épais les contraignit à faire halte sur les flancs du Maï'Sankh, à un endroit d'où, par temps clair, on pouvait découvrir aussi bien les vallées élevées du nord, où vivaient les Fils de l'Eau, que le relief tourmenté du sud, où s'étendait le territoire des

Aurochs et de leurs vassaux. Mais le brouillard du crépuscule noyait la vue à une distance de quelques dizaines de pas.

Khrent et ses hommes établirent leur campement. Il était impossible de continuer dans ces conditions. Après avoir avalé des morceaux de viande séchée et des fruits, chacun s'enroula dans sa couverture de laine pour essayer de récupérer quelques forces.

Ce fut vers la fin de la nuit qu'un vent puissant se leva, qui balaya la montagne de ses nappes de brouillard et réveilla les guerriers. Alors, dans un ciel redevenu limpide, chacun aperçut, dans la direction du couchant, une étoile d'une taille inhabituelle. En quelques instants, tous les Renards se levèrent pour contempler le phénomène. Un sentiment de peur et d'impuissance s'empara de chacun. On pouvait lutter contre un ennemi, lutter contre les torrents en crue, contre les incendies. Mais que pouvait-on faire contre une étoile qui s'apprêtait à tomber sur le monde ?

La prophétie se concrétisait d'un coup sous leurs yeux. Khrent sentit le doute qui planait. Il se tourna alors vers ses hommes :

— Ecoutez-moi tous ! Nous ne devons pas céder à la peur et nous résigner. Souvenez-vous de ce qu'a dit Ly-Rah. L'avertissement envoyé par la Bienveillante ne parle pas de la destruction de notre monde. Elle évoque seulement des cataclysmes d'une ampleur jamais connue, auxquels viendront s'ajouter l'orgueil et la soif de pouvoir de quelques chefs inconscients. Mais elle a chargé ma fille de sauver notre peuple. Cela veut dire que nous pouvons survivre à cette catastrophe. Pour cela, plus que jamais nous devons faire preuve de courage et de solidarité. Plus que jamais nous devons essayer de sauver tous ceux qui refuseront la tyrannie de l'ennemi. Nous avons le devoir de nous montrer dignes de notre mère à tous, Noï-Rah la Bienfaisante. N'oubliez pas quel courage fut le sien à son époque. Si nous savons nous montrer ses dignes descendants, elle ne nous abandonnera pas. Etes-vous prêts à me suivre ?

Un concert de hurlements enthousiastes lui répondit aussitôt. Khrent décela bien, çà et là, quelques lueurs d'inquiétude dans les regards, mais il connaissait ses hommes. Il avait entraîné chacun d'eux à l'art de Brahn. Ils avaient confiance en lui et ils le suivraient, où qu'il les menât.

Il leur fallut encore deux jours de marche pour parvenir en vue de Trex'Ann, le village des Aurochs. Il prenait là un gros risque, car bien que sa troupe fût solidement armée, les Aurochs étaient dix fois plus nombreux. Et Bahr-Kynn n'hésiterait pas à livrer bataille. Mais s'il existait une chance de le faire renoncer à ses projets, il devait la tenter.

Khrent envoya deux hommes en reconnaissance. Ils revinrent deux heures plus tard.

— Il n'y a plus grand monde, dirent-ils. Tous les guerriers sont partis. Il ne reste que des femmes, des enfants, des vieillards, et une poignée d'individus étranges, revêtus de longues robes de laine sombre.

— Des prêcheurs... en déduisit Khrent.

La collusion entre les Aurochs et l'ennemi devenait flagrante.

— Nous allons rejoindre Trex'Ann. Il faut savoir où se trouve Bahr-Kynn.

Ils se mirent en route. Moins d'une demi-heure plus tard, ils pénétraient dans le village. Quelques hommes en armes leur barrèrent le chemin, mais Khrent leva la main en signe de paix.

— Nous ne venons pas en ennemi. Qui commande en l'absence de Bahr-Kynn ?

Personne ne répondit. Une poignée de prêcheurs se tenait à l'écart. L'un d'eux s'avança.

— Il n'y a pas de chef, dit-il. C'est nous qui commandons. Tu n'as rien à faire dans ce village.

— Où est Bahr-Kynn ? demanda Khrent d'une voix forte.

— Que t'importe ?

— Bahr-Kynn veut mener une guerre injuste contre des nations innocentes des crimes qu'on leur attribue. Ces crimes, c'est vous qui les avez commis.

Ce disant, il pointa un doigt menaçant sur le prêcheur, qui recula.

— Je ne vois pas de quoi tu veux parler.

— Tu le vois très bien. C'est vous, c'est votre tribu malfaisante qui a semé le trouble dans l'esprit des peuples des volcans. C'est vous qui avez assassiné nos reines et brûlé nos bibliothèques.

Instantanément, la haine se peignit sur le visage de l'individu.

— Vos bibliothèques sont des insultes pour le dieu des dieux ! Vos reines ne sont que des créatures démoniaques, des ennemies du tout-puissant Trohm. Elles doivent être exterminées. C'est la seule manière de détourner sa colère. As-tu vu cette lueur nouvelle dans le ciel ?

— Je l'ai vue.

— Elle va détruire le monde, parce que vous avez voulu défier Trohm en cherchant à vous emparer de son savoir. Vous devrez répondre de vos crimes devant lui !

Khrent ne répondit pas. Les yeux luisants de l'individu prouvaient qu'il devait user de ces potions étranges que préparaient les sorciers de sa tribu. Certaines permettaient d'entrer en contact avec les esprits, mais le plus souvent, elles troublaient l'entendement. Il était inutile de discuter avec ces énergumènes. Il se tourna vers ses hommes.

— Emparez-vous d'eux !

Une douzaine de guerriers s'approchèrent des prêcheurs. L'instant d'après, ceux-ci sortaient de sous leurs robes de longues sarbacanes qu'ils pointèrent sur lui. Il n'eut que le temps de se jeter à terre pour éviter les traits empoisonnés. Derrière lui, une femme hurla de douleur. Les prêcheurs n'eurent pas le temps de recharger leurs sarbacanes. Les Renards étaient sur eux. Un furieux corps-à-corps s'engagea. Les prêcheurs combattaient sans aucun instinct de survie. Les forces décuplées par les potions inconnues, ils se jetèrent sur les Renards avec la dernière férocité. Mais ceux-ci possédaient tous l'art de Brahn et ne se laissèrent pas surprendre par les poignards de silex et les haches apparus dans les mains de l'ennemi. Alors, voyant leur combat perdu, les prêcheurs poussèrent des hurlements démentiels avant de refermer leurs mains sur le manche de leur poignard. Puis, avec un bel ensemble, les lames s'enfoncèrent dans les poitrines, déchirant les cœurs. Les cinq prêcheurs périrent en quelques instants.

Eberlués, les Renards restèrent pétrifiés. Kher-Hogan, le second de Khrent, écarta les bras en signe d'impuissance.

— Nous n'avons rien pu faire, Khrent.

— J'ai vu.

La femme qui avait crié restait étendue sur le sol. Elle avait peine à respirer. La fléchette l'avait touchée au bras. Une femme s'approcha et, saisissant un poignard de silex, lui pratiqua immédiatement une entaille à l'endroit de la blessure. La victime poussa un cri de douleur. La femme expliqua à Khrent qui s'étonnait :

— C'est la seule manière de la débarrasser du poison. Mais il faut agir vite.

Tout en parlant, elle exerça une pression de chaque côté de la plaie pour faire jaillir le sang. Peu à peu, la blessée recouvra ses esprits. Mais son visage restait marqué par la souffrance.

Il y eut un moment de flottement dans la foule qui s'était rassemblée sur la place principale du village. Une foule essentiellement constituée de femmes et d'enfants, mais aussi d'hommes trop âgés pour combattre. La conclusion s'imposait d'elle-même : Bahr-Kynn avait ras-

257

semblé toutes ses forces pour se lancer à l'assaut des territoires des Fils de la Nuit. Aux visages plus détendus, Khrent comprit que l'on ne voyait pas d'un mauvais œil la mort de ces prêcheurs. Ils devaient faire régner la terreur. Mais il entrevit, çà et là, quelques regards hostiles. Sans doute les idées de l'ennemi avaient-elles fait leur chemin.

Un vieil homme s'avança vers lui.

— Sois le bienvenu, noble Khrent. Mon nom est Tah-Bahr. Je suis le seul scribe survivant de Trex'Ann. Comme tu le vois, il n'y a plus de bibliothèque.

Il désigna, au centre du village, un amoncellement de poutres noircies.

— Mes compagnons ont voulu empêcher sa destruction. Ils ont été tués et leurs corps jetés dans les flammes qui ont réduit nos livres en cendres. Je n'ai dû la vie qu'aux femmes de notre tribu, qui m'ont caché jusqu'à aujourd'hui.

— Que s'est-il passé ? D'où sortent ces individus ?

— Nous ne le savons pas. Bahr-Kynn a pactisé avec l'ennemi. Un jour, ces hommes sont arrivés à Trex'Ann. A leur tête, il y avait un homme étrange, vêtu de noir et dont on ne pouvait pas voir le visage. Il portait un masque de cuir rouge qu'il n'ôtait jamais.

Le masque rouge éveilla immédiatement l'attention de Khrent. Au cours de sa transe hypnotique, la reine Nay-Lah avait fait allusion à un homme portant un masque rouge. Tah-Bahr poursuivit :

— Il parlait avec une voix très basse, qui faisait vibrer les poitrines. Nous ignorons son nom. Il ne l'a pas dit. Il a parlé de son dieu, qu'il appelle Trohm.

— J'ai déjà entendu parler de lui.

— Bahr-Kynn a rassemblé la tribu sur la place du village et l'homme au masque a parlé. Il a dit que nos dieux n'existaient pas, que nous étions dans l'erreur. D'après lui, Trohm est le seul dieu véritable. Tous les autres, et surtout ceux des Montagnes de feu, ne sont que des faux dieux. Il a dit qu'il a fait un songe il y a plusieurs années. Son dieu lui a parlé. Il était furieux parce que les tribus des volcans, avec lesquels les siens entretenaient des relations de troc depuis très longtemps, ignoraient son existence. Bien pire encore, ils avaient inventé des signes mystérieux grâce auxquels ils apprenaient à percer les mystères du monde, des mystères qui ne doivent être connus que de Trohm lui-même et de ses chamans. Le songe lui a aussi montré une énorme boule de feu envoyée par Trohm pour anéantir le monde. Il a dit que nous étions condamnés. Il a désigné la nouvelle étoile apparue dans le ciel. Chaque jour, elle devenait plus grosse. Nous avons pris peur. Alors, il a affirmé que le seul moyen d'arrêter la fureur de son dieu consistait à détruire toutes les bibliothèques et les démones qui les entretenaient. Les reines, selon lui, étaient des envoyées de Mohrt, le reflet de Trohm dans le monde des ténèbres. Mohrt est son contraire, un être ignoble, femelle, qui inspire aux hommes des pensées sacrilèges, comme celles de percer les secrets des dieux.

— Voilà pourquoi il veut tuer les reines et raser les bibliothèques, en déduisit Khrent. Il ne veut donc pas conquérir le pays des volcans.

— Il semble que non. Il dit qu'il n'est pas l'ennemi des peuples des Montagnes de feu. Il veut les sauver de la fureur de son dieu. C'est pour cette raison qu'il a envoyé des hommes auprès des chefs de village les plus éclairés, comme Bahr-Kynn.

— Les conseillers…

— Oui. Depuis quelques années, Bahr-Kynn a un conseiller appelé Hon-Taï. Nous savons maintenant d'où il est venu. L'homme masqué a convaincu Bahr-Kynn de mener la guerre contre les Fils de la Nuit. Il les rend responsables de la mort de guerriers de la tribu des Chouettes. Pourtant, certains disent qu'un de ces hommes a échappé au massacre et qu'il raconte une version tout à fait différente.

— Ce guerrier s'appelle Baï-Rahm. Il est ici avec moi.

Il se tourna vers le jeune homme, qui sortit des rangs des Renards.

— C'est exact, confirma-t-il. Les Chauves-souris sont innocents de ces crimes. Ils ont été commis par des hommes masqués. Je les ai vus faire. Je n'ai dû la vie qu'à une blessure qui m'a obligé à rester en arrière. Sans elle, je serais mort et on ne connaîtrait pas la vérité.

Il jeta un coup d'œil sur les cadavres.

— Il ne faut pas croire ces gens. Tout ce que disent ces prêcheurs est faux.

Un vieil homme approcha, embarrassé.

— Noble Khrent, je te connais et je sais que tu es un guerrier de valeur, et surtout un homme droit et juste. Mais tu ne peux nier la colère des dieux. Cette étoile nouvelle grossit sans cesse. A présent, elle est plus brillante que Vaï'Spehr, la première vagabonde. On la voit en plein jour. Elle se dirige vers nous. Elle va s'écraser sur notre monde.

— Et tu en conclus que cette étoile est la manifestation de la colère de Trohm ?

— Je pense que nous n'aurions jamais dû tenter de connaître les secrets des dieux.

— Ne sois pas si crédule, vieil homme. Cela fait plus de quatre cents soleils que les reines et les scribes utilisent des livres, quatre cents soleils que les hommes étudient et s'instruisent. Nos dieux ne s'en sont jamais irrités. Au contraire, grâce aux livres et à la sagesse des descendantes de Noï-Rah, ils nous ont accordé une vie plus facile qu'autrefois. Nous vivons plus longtemps parce que nous savons mieux soigner les blessures et les maladies. Nous cultivons plus de plantes et d'arbres fruitiers. Nos maisons sont plus solides, nos troupeaux plus nombreux. Je ne vois pas là de quoi offenser les dieux. En revanche, il y a de quoi susciter la jalousie d'un chef aigri et convaincu d'être le représentant d'un dieu animé par la seule colère. Mais cette colère, qu'il attribue à son dieu, est la sienne. Uniquement la sienne. J'ignore pourquoi, mais cet individu hait les femmes. Et il ne pardonne pas aux femmes de nos tribus d'être indépendantes et libres. Voilà la vraie raison, la seule raison de sa prétendue prédiction. L'étoile ne tombera pas sur la terre. La prophétie de Ly-Rah est très claire : elle ne fera que passer très loin au-dessus de nous. Mais elle provoquera des cataclysmes contre lesquels nous devrons lutter, et pour cela faire preuve de solidarité.

— Comment peux-tu en être si sûr ?

— J'ai confiance en Noï-Rah la Bienveillante. Cela fait quatre siècles qu'elle veille sur nous et que ses bienfaits ont amélioré nos vies. Quant à vous, il suffit qu'un inconnu à la voix forte vienne vous parler d'un dieu dont personne ne sait rien pour que vous vous détourniez de vos dieux ? Etes-vous donc si crédules ?

— Notre chef Bahr-Kynn le croit, lui ! riposta le vieil homme.

— Bahr-Kynn croit surtout en ses seuls intérêts. Il veut devenir le chef incontesté des Montagnes de feu. La haine et les prédictions de l'homme au masque le servent pour atteindre son but.

— Le chef des Trohms ne nous hait pas, s'obstina le vieillard. Il est notre ami et notre allié. Il nous l'a dit.

— A condition que vous lui obéissiez et que vous abandonniez votre dieu, Hurus, le grand Aurochs. Qu'en sera-t-il de ceux qui voudront lui rester fidèles ?

Le vieil homme détourna le regard. La femme qui avait pratiqué l'incision intervint.

— Ceux-là seront persécutés, dit-elle en fustigeant le vieil homme du regard. Cela a déjà commencé avec ces prêcheurs. Depuis qu'ils sont arrivés, ils traquent chacun d'entre nous, et particulièrement les femmes, pour nous imposer leur croyance. Ceux qui veulent rendre hommage à Hurus sont dénoncés et battus en place publique.

Un autre homme s'interposa.

— Tais-toi donc, langue de vipère ! cracha-t-il. Ces hommes étaient là pour nous protéger de notre aveuglement. Et ils sont morts ! Qu'allons-nous devenir ?

La femme regarda Khrent et ajouta :

— Voilà ce que ces prêcheurs ont fait de notre nation, noble Khrent. Des mouflons bêlants, incapables de décider par eux-mêmes de leur vie, ainsi que le souhaitait Noï-Rah. Tous ceux qui ont le courage de se révolter ont été maltraités. Certains même tués. Il y avait beaucoup de femmes parmi eux.

— Et personne n'a réagi ?

— Les autres étaient trop nombreux. Mais surtout, la plupart tremblaient de peur. Ils ne savaient plus que croire, à cause de cette étoile qui s'approche chaque jour un peu plus.

— Quel est ton nom ?

— Nuhella, noble Khrent. Je suis l'une des mères. C'est moi qui ai présidé le conseil après la mort de notre malheureuse Veh-Rah.

Agée d'une quarantaine d'années, elle présentait encore de jolis traits malgré une silhouette qui trahissait de nombreuses naissances. Ses yeux traduisaient une grande douceur, mais aussi une grande autorité. Khrent remarqua que ses bras présentaient des traces de coups.

— Tu as résisté aux prêcheurs.

Elle eut une moue désabusée.

— J'ai essayé. Mais je n'étais pas assez forte pour m'opposer aux Trohms. Ils m'auraient tuée. Alors, avec mes compagnes, j'ai courbé la tête. J'ai réussi à sauver Tah-Bahr en le cachant. Mais je n'ai pas pu éviter la mort des autres scribes.

Ses yeux s'étaient mis à briller. Elle les essuya d'un geste vif et ajouta d'une voix brisée :

— Tu as raison, noble Khrent. Cet homme hait les femmes.

— Il ne les hait pas, rétorqua le vieil homme. Mais il dit qu'elles portent le mal en elles, et que pour cette raison elles doivent rester soumises aux hommes, comme cela se fait dans sa tribu. C'est la volonté de Trohm. Et il en est ainsi partout ailleurs, dans toutes les tribus de l'extérieur.

Agacé, Khrent se tourna vers le vieillard borné.

— Que ton adorateur de Trohm fasse ce qu'il veut dans sa tribu, mais qu'il laisse les peuples des volcans vivre selon leurs propres règles. Nous avons nos lois, ce sont celles édictées par Noï-Rah la Bienveillante il y a plus de quatre cents soleils. Ces lois stipulent que les femmes et les hommes sont égaux en droits et en devoirs. Allez-vous vous laisser dicter votre conduite par un chef étranger qui a assassiné votre reine ?

— Elle a été tuée par des loups, riposta un autre homme. Nous avons vu son corps.

— Et vous y croyez vraiment ? Les loups attaquent rarement les humains, et seulement à la fin de l'hiver. Etes-vous aveugles ou quoi ? Veh-Rah a été assassinée, comme l'a été Shi-Nah, reine des Faucons, comme l'a été Lynn, reine des Aigles, comme Nay-Lah, reine des Loups noirs.

— Et comme l'a été So-Ohn, reine des Chauves-souris, ajouta Nuhella.

Khrent se tourna vers elle.

— Que dis-tu ?

— Bahr-Kynn est parti combattre les Fils de la Nuit il y a quelques jours. Il est passé par le village vassal des Chouettes et il a continué jusqu'à Shav'Ann, le village des Chauves-souris. Il y a eu de violents combats, et des guerriers ont été blessés. Certains sont revenus ici. Ce sont eux qui nous ont raconté le sort réservé à So-Ohn. Les Trohms l'ont attachée la tête en bas à deux pieux plantés en croix, et ils lui ont ouvert le ventre alors qu'elle était encore vivante, pour lui sortir les boyaux. Ils disent que l'homme au masque rouge a pratiqué la torture lui-même.

Khrent frémit. Comment des hommes pouvaient-ils se comporter ainsi ? Nuhella poursuivit :

— Il s'est produit là-bas de terribles massacres. Les femmes ont été violées et égorgées, les enfants eux-mêmes n'ont pas été épargnés. On dit qu'une partie des Fils de la Nuit et de leurs alliés ont réussi à s'enfuir et qu'ils continuent à se battre. Mais il est à craindre que les reines de ces villages aient été tuées elles aussi.

Elle éclata en sanglots. Khrent la prit contre lui.

— Que nous est-il arrivé, Khrent ?

— La peur, la folie. Et le fanatisme imbécile d'un illuminé qui a imaginé un dieu empli de colère pour expliquer ce qu'il ne comprend pas.

— Mais tout le monde l'écoute.

— Parce qu'il possède malheureusement la capacité de convaincre les âmes faibles.

Un peu plus tard, Khrent réunit ses lieutenants, auxquels se joignit Baï-Rahm.

— Notre expédition devient inutile, déclara-t-il. Les reines Na-Pahl et Tah-Nyah ont déjà dû être tuées. Mais peut-être celle des Chevreuils vit-elle toujours.

— Elle s'appelle Marah, dit Baï-Rahm. Je la connais. C'est une très belle femme. Les Chevreuils l'adorent. Et son mari, Haar-Den, est un grand chasseur. Les Chevreuils sont les vassaux des Aurochs, et non leurs ennemis. Il n'est pas sûr qu'ils aient accepté que les Trohms assassinent leur reine sans rien faire. Elle est probablement encore vivante.

— Mais pour combien de temps ? ajouta Khrent d'un ton soucieux.

31

Quelque part dans la vallée
des Fils de la Nuit...

Les combats avaient été d'une violence inouïe. Il ne pouvait pas y avoir de quartier contre des ennemis acharnés à tuer. Hokh-Thar, le chef des Fils de la Nuit, avait rassemblé ses troupes pour porter main-forte à ses vassaux Chauves-souris dès qu'il avait été averti de l'attaque menée par les Aurochs. Mais un ennemi inconnu s'était joint à lui. Outre les Chevreuils et les Chouettes qui réclamaient vengeance pour leurs chasseurs soi-disant assassinés par les Chauves-souris, Bahr-Kynn s'était allié avec des guerriers portant des masques et armés de sarbacanes qui tiraient des flèches empoisonnées. Elles avaient fait des ravages dans les rangs de ses propres guerriers.

Ils avaient combattu avec vaillance, eux qui n'étaient pas des guerriers, mais des cultivateurs et des éleveurs. Mais ils défendaient leurs terres et leurs vies. Ils n'avaient d'autre alternative que de lutter. Malheur à celui qui tombait entre les griffes des envahisseurs. La paix avait toujours régné dans le pays des volcans. Comment imaginer qu'un tel souffle de haine balaierait tout cela en l'espace de seulement quelques mois ? Rien ne pouvait expliquer un tel déferlement de violence, de barbarie, de férocité. Rien, sinon l'apparition dans le ciel de cette étoile maudite annonçant la fin des temps, d'après ce que clamaient les envahisseurs. Une fin des temps dont, à les entendre, les reines portaient l'entière responsabilité. Pour d'obscures raisons, elles avaient mécontenté un dieu inconnu nommé Trohm, qui était le seul vrai dieu, à ce qu'en disaient les rares prisonniers qu'ils avaient pu faire. Tout au moins ceux qui ne s'étaient pas suicidés.

A ce qu'il avait pu en juger, ces combattants ne s'appartenaient plus. Leurs yeux aux pupilles dilatées trahissaient l'absorption d'un breuvage comme en fabriquaient les sorciers lorsqu'ils voulaient entrer en communication avec les dieux. Mais celui-là décuplait la fureur et la soif de tuer. Les guerriers masqués combattaient sans souci de leur propre vie et se faisaient hacher sur place lorsqu'ils étaient cernés. Ils préféraient mourir que de rendre les armes. Jamais Hokh-Thar n'avait rencontré une telle folie.

Mais l'avantage s'était très vite dessiné en faveur des agresseurs. Ils avaient débordé les défenses du village des Chauves-souris, qu'ils avaient investi en massacrant tous ceux qui n'avaient pu fuir. Hokh-Thar avait assisté de loin, impuissant, au martyre de la malheureuse reine So-Ohn, ignominieusement attachée à une croix en X avant d'être écorchée vive et éviscérée. Il n'avait eu d'autre choix que de rompre les combats et fuir la bataille en abandonnant nombre des siens sur place.

Suivi de ses guerriers survivants, il avait regagné le village des Fils de la Nuit, Haly'Ann. Situé à mi-chemin entre deux lacs, au cœur d'une région couverte de landes où les forêts étaient rares, Haly'Ann avait été le premier à subir les attaques des Molgohrs, soixante soleils auparavant. Ses habitants avaient été obligés de fuir.

Cette fois encore, Hokh-Thar avait conscience qu'ils n'étaient pas à l'abri. L'ennemi ne les avait pas suivis. Pas encore. Mais il se mettrait bientôt en chasse. Bahr-Kynn lui avait fait savoir qu'il se montrerait magnanime s'ils se rendaient et acceptaient de leur livrer Na-Pahl, leur reine, et Tah-Nyah, reine des Ecureuils. Se rendre, cela voulait dire accepter la nouvelle religion de ce dieu maudit qui interdisait les livres. Mais livrer les reines correspondrait à les envoyer à une mort ignominieuse. C'était hors de question. Cependant, jamais ils ne seraient assez forts pour résister à une nouvelle attaque.

Aussi Hokh-Thar avait-il entraîné les deux jeunes femmes et leurs maris à l'extérieur du village. Chacune d'elles avait trois enfants dont l'aîné, le fils de Tah-Nyah, venait d'avoir dix ans. La petite dernière, fille de Na-Pahl, avait six mois et sa mère la portait sur le dos, enveloppée dans une couverture de laine.

— Vous allez vous enfuir, dit-il à Na-Pahl. Vous ne pouvez pas rester avec nous.

— Je ne peux pas vous abandonner, rétorqua-t-elle. Notre peuple a besoin de moi. Il y a trop de blessés.

— Nous nous en occuperons. Tu n'étais pas à Shav'Ann. Tu n'as pas vu ce qu'ils ont fait subir à So-Ohn. Je ne veux pas qu'il t'arrive la même chose. Ils n'hésiteraient pas à ôter la vie à vos enfants. Ces gens-là n'ont aucun honneur, aucune pitié. Or, vous devez survivre, l'une et l'autre. Votre savoir est trop important. Partez !

— Mais où irons-nous ? se lamenta Tah-Nyah.

— Passez par les montagnes. Traversez le territoire des Chevreuils. La plupart des guerriers ont suivi Bahr-Kynn. Il ne doit pas rester grand monde, à part les femmes et les vieillards. Et peut-être la reine Marah, s'ils ne l'ont pas déjà tuée. Ensuite, rejoignez Last'Ann, le village des Ours gris. Ils ont rompu leur vassalité envers les Aurochs et n'ont pas participé à cette guerre. Vous y trouverez refuge. Mohr-Lahn vous protégera.

— Mais vous, qu'allez-vous devenir ?

— Avant tout, nous devons obtenir la paix. Ce sera plus facile quand vous serez parties, car nous ne pourrons pas supporter de vous voir massacrer comme ils l'ont fait de So-Ohn. Je vais accepter la reddition et dire à Bahr-Kynn que vous vous êtes enfuies. Il vous poursuivra, aussi, marchez aussi loin que vous pourrez. Allez, le temps presse.

Les deux reines se mirent en route, suivies par leurs maris et leurs enfants, et escortées de deux jeunes chasseurs qui connaissaient bien la montagne. L'un d'eux, Boh-Kahr, avait pris la tête de la petite colonne. Il les mena vers les flancs de la colline septentrionale qui dominait la vallée menant vers les terres des Chevreuils, à deux jours de marche. Les enfants se taisaient. Ils avaient bien compris qu'un grave danger les menaçait et qu'ils devaient progresser dans le plus grand silence. Même la petite Loh-Rah, solidement accrochée dans le dos de sa mère, ne se plaignait pas.

Hokh-Thar regagna Haly'Ann. Il détestait ce qu'il allait faire, mais il n'avait pas le choix s'il voulait préserver la vie de ses hommes. Il savait aussi que les Trohms, comme on les désignait à présent, allaient brûler la bibliothèque. Il chargea une demi-douzaine d'hommes de prendre les ouvrages les plus précieux pour aller les cacher dans une grotte proche, en espérant qu'ils ne seraient pas découverts. Il ne se faisait aucune illusion. Sans protection, les rouleaux ne résisteraient pas longtemps à la moisissure. Mais c'était un moindre mal s'il était parvenu à sauver les deux reines. Les livres pourraient être reconstitués.

L'ennemi arriva dans le courant de l'après-midi, Bahr-Kynn en tête. A ses côtés se tenait un homme de haute taille, squelettique, portant un masque couleur de sang. Derrière les fentes du masque, ses yeux luisaient d'une flamme inquiétante. Le chef des Trohms.

Dès l'apparition de l'envahisseur, Hokh-Thar sortit du village et s'avança au-devant des deux hommes. Ostensiblement, il déposa par terre le poignard et la lance qu'il avait emportés, en signe de paix. Bahr-Kynn s'approcha de lui.

— Reddition ! clama Hokh-Thar. Je te reconnais pour suzerain, Bahr-Kynn. Mais épargne les miens.

— Où sont les démones ? cracha l'homme au masque sans laisser à Bahr-Kynn le temps de répondre.

— Les démones ?

— Les reines, répondit Bahr-Kynn. Nous voulons que vous nous livriez Na-Pahl et Tah-Nyah.

— Elles ne sont pas là. Elles se sont enfuies.

— Enfuies ?

— Elles ont appris ce que vous avez fait à So-Ohn et elles ont pris peur.

Furieux, l'homme masqué marcha sur Hokh-Thar et le frappa violemment au visage.

— Il fallait les retenir ! Ces femmes doivent mourir !

Hokh-Thar dut faire un énorme effort pour ne pas ramasser ses armes et les planter dans la gorge de l'individu. Mais en agissant ainsi, il condamnait sa tribu à l'extermination. Le regard de l'autre reflétait la folie fanatique. Jamais encore il n'avait été confronté à ce genre d'individu.

— Par où sont-elles parties ? hurla-t-il.

— Je l'ignore. Elles ne m'ont pas demandé mon avis.

Le chef des Trohms se tourna vers ses guerriers, tous masqués de noir. Hokh-Thar se demanda pourquoi ils continuaient à dissimuler ainsi leurs visages, puisque Bahr-Kynn s'était officiellement allié avec lui à présent.

— Fouillez les alentours ! beugla le chef des Trohms.

Mais Bahr-Kynn lui posa la main sur le bras.

— Attends ! Elles vont certainement chercher à rejoindre le village de ces chiens de Renards. C'est là-bas que se sont réfugiées toutes les reines fugitives. Elles doivent être parties vers l'ouest.

L'autre acquiesça. Quelques instants plus tard, une cinquantaine de guerriers masqués quittaient Haly'Ann au pas de course. Une demi-douzaine de grands chiens de chasse les accompagnaient, des lévriers à poils longs capables de combattre les loups. Hokh-Thar blêmit. Ce chien de Bahr-Kynn avait deviné juste. Tah-Nyah et Na-Pahl n'avaient qu'une demi-journée d'avance sur leurs poursuivants et elles ne pouvaient pas courir. Les enfants les ralentissaient.

L'homme au masque rouge avait remarqué sa réaction. Il vint à lui en s'époumonant :

— Tu le savais ! Tu as cherché à les protéger ! Tu as voulu protéger les démones !

L'instant d'après, il dégainait son poignard et l'enfonçait dans le cœur de Hokh-Thar qui s'écroula, mortellement blessé. Un grondement parcourut les rangs des Fils de la Nuit, mais le chef des Trohms se tourna vivement vers eux et clama :

— Ainsi périront tous les traîtres qui tenteront de s'opposer à la volonté de Trohm.

Pétrifiés par ce qu'ils venaient de voir, désarmés, les Fils de la Nuit et leurs alliés n'avaient pas les moyens de rétorquer. Ils baissèrent le nez, partagés entre la peur et la colère.

Bahr-Kynn eut un léger sourire. La terreur était bien la meilleure manière d'amener les peuples à l'obéissance. Son allié était probablement fou, mais il était efficace. Et dangereusement intelligent. Il viendrait sans doute un jour où il deviendrait nécessaire de se débarrasser de lui...

Boh-Kahr avait obligé le petit groupe à marcher dans les torrents pour remonter le plus haut possible sur le flanc de la montagne, afin de dissimuler leur odeur. Il se doutait que les traqueurs auraient recours à des chiens. Ayant atteint la crête de la colline, ils se dirigèrent vers l'ouest, marchant jusqu'à épuisement. Les hommes se relayaient pour porter les plus jeunes des enfants. Mais ceux-ci faisaient preuve d'un courage et d'une résistance remarquables. Ils progressaient rapidement, dans un paysage de bruyères et d'arbustes décharnés. Bien que l'on fût encore en été, un vent froid balayait le relief, qui leur coupait parfois la respiration. L'absence d'arbres à cette altitude risquait de les trahir. On pouvait les voir de loin. Mais l'irrégularité de la colline compensait cet inconvénient. D'autant plus que leurs poursuivants avaient probablement suivi la vallée. Le seul passage dangereux serait pour le lendemain, lorsqu'il leur faudrait traverser la vallée reliant le village des Chevreuils à celui des Aurochs, à deux jours de marche vers le nord.

Ils marchèrent jusqu'au bout de leurs forces, jusqu'au bout du crépuscule. Loin au-dessus d'eux, le ciel s'était constellé d'étoiles. L'une d'elles brillait plus que les autres. Ils avancèrent encore, à la seule lueur de la lune en croissant. Mais les ténèbres étaient quasi totales. Epuisés, ils furent obligés de s'arrêter. La petite Loh-Rah, qui n'avait rien pris de la journée, s'était mise à geindre, réclamant le sein de sa mère. A bout de forces, Na-Pahl trouva cependant assez d'énergie pour lui donner la tétée. Ses jambes ne la portaient presque plus.

Après avoir avalé un repas frugal de viande et de fruits séchés, ils sombrèrent dans un sommeil peuplé de cauchemars. Boh-Kahr et Kah-Rym, les deux guerriers, se relayèrent pour monter la garde. Mais la nuit fut calme. Leurs poursuivants avaient eux aussi été arrêtés par la nuit.

Le lendemain, ils reprirent la route dès les premières lueurs de l'aube. Les enfants gémirent un peu ; ils n'avaient pas assez dormi. Mais la perspective d'être capturés les calma. La matinée était déjà bien avancée lorsqu'ils entendirent les premiers aboiements. Des hurlements graves, semblables à ceux des grands loups de montagne.

— Ils sont là, murmura Na-Pahl. Il faut nous hâter.

Ils avaient presque atteint les pentes de la colline menant vers Trex'Ann. Derrière eux, les hurlements des chiens se rapprochaient de manière inquiétante. Bientôt, les pentes se couvrirent d'arbres, qui les cachaient à la vue des pisteurs.

— Il faut courir, dit Boh-Kahr.

Mais au fond de lui, il savait que leurs efforts allaient se révéler inutiles à cause des chiens. Bientôt, ils entendirent derrière eux le souffle haletant des grands lévriers. Les quatre hommes armèrent leurs arcs. Quelques instants plus tard, le martèlement des pattes se fit plus proche. Une demi-douzaine de chiens surgit à vive allure des bosquets à une centaine de pas. Les hommes attendirent de les avoir à portée. Puis les quatre flèches sifflèrent, arrêtant quatre des lévriers en pleine course. Mais les deux autres se jetèrent sur leurs proies. Les enfants hurlèrent de terreur. Les guerriers s'étaient armés de leurs lances et de leurs poignards. En quelques instants, ils parvinrent à se débarrasser des chiens, au prix de quelques morsures.

Mais au loin retentissaient déjà les appels de leurs poursuivants.

— Courez ! hurla Kah-Rym, couvert de sang.

Ils dévalèrent aussi vite que possible la pente de la colline. Les petits pleuraient de panique.

Et soudain, ils s'arrêtèrent. Devant eux, des hommes en armes leur barraient la route.

— Nous sommes perdus, gémit Tah-Nyah.

32

Pays des Roches pâles...

Plus encore que l'omniprésence de l'étoile dévastatrice dans un ciel désormais vierge de nuages, la découverte de son lien étrange avec la Bienveillante déconcertait Ly-Rah. Dotée à la naissance du don de prémonition, elle l'avait encore développé grâce aux transes hypnotiques que lui faisait subir Heh-Ming. Le vieil homme était stupéfié par les résultats obtenus par son élève. Elle allait beaucoup plus loin que lui. Elle avait constaté qu'il lui était possible de se plonger seule dans cet état second qui lui permettait de remonter le temps à travers les souvenirs de Noï-Rah. Par bribes, elle avait pénétré les souvenirs de sa lointaine ancêtre, et avait revécu à travers elle la vie qu'elle avait menée, une vie très riche, mais parsemée de drames terribles.

Avait-elle réellement été Noï-Rah, ou avait-elle seulement accès à sa mémoire grâce à ce lien mystérieux qui les unissait toutes deux ? Elle l'ignorait. La personnalité de Noï-Rah n'était guère différente de la sienne. Mais sa vie avait été plus difficile, plus violente, une vie marquée par des morts douloureuses, par la bestialité des hommes de cette époque, pour qui les femmes représentaient à peine plus que des esclaves dont ils pouvaient user à leur guise. Une image s'était incrustée en elle, où l'esprit de

Noï-Rah, dépossédé de lui-même, lui avait révélé qu'elle avait été contrainte de manger de la chair humaine. Elle avait été frappée, battue, humiliée, mais toujours elle s'était relevée, et avait patiemment reconstruit ce que les brutes avaient détruit. Certains hommes cependant s'étaient montrés bons avec elle, comme son compagnon Ar'ham, le père de Brahn, ou encore Shonn, le père de Neelah.

Sous l'œil inquiet de Lo-Kahr, elle pénétrait de plus en plus loin dans les souvenirs oubliés de Noï-Rah, pour comprendre comment elle avait réussi à surmonter les épreuves qu'elle avait rencontrées. Peu à peu, une force nouvelle l'imprégnait, lui donnait une confiance nouvelle en elle.

Cette assurance lui permettait de remplir son rôle avec charme et compétence. Sous l'égide de Gristan, qui avait tenu à l'accompagner personnellement – et toujours suivie de Ken-Loh –, elle visita ainsi les sept tribus de Pehr-Goor. Elles formaient une sorte de fédération fondée sur le troc. Il existait, comme l'avait dit Ken-Loh, l'équivalent d'une assemblée des rheuns, qui se tenait au début de la saison rousse. Ly-Rah avait décidé de rester sur place jusqu'au tout début de ce rassemblement, qui avait lieu sur le territoire même des Palkawans.

A chaque voyage, elle portait à la connaissance de ses hôtes la prophétie de Noï-Rah. Parfois, le chaman de la tribu avait reçu lui aussi une vision similaire, beaucoup moins précise. Mais la plupart du temps, ils n'avaient rien vu. Aussi l'apparition de l'étoile les inquiétait-elle. Elle tentait alors de les rassurer. Elle n'avait pas vu l'astre s'écraser sur le monde, mais passer bien au-dessus. Cependant, il convenait d'engranger un maximum de vivres en prévision des grands froids qui s'annonçaient.

Les nations de Pehr-Goor ressemblaient beaucoup à celle des volcans. Les maisons comptaient aussi un toit de chaume et des murets de soubassement. Les artisans fabriquaient des objets identiques, à l'aide des mêmes matériaux. Seules leurs techniques différaient. Chacun d'eux tenait à lui montrer la sienne. Elle apprit ainsi de nouvelles méthodes de fabrication, perça également le secret de la teinture du lin, que les femmes palkawanes lui enseignèrent. En échange de ses secrets de beauté...

Afin de ne rien oublier, Ly-Rah consignait par écrit le compte rendu de ses journées. Elle faisait ainsi une belle consommation d'écorces de bouleau. Jamais avant elle n'avait autant utilisé les signes sacrés. Peu à peu, elle prenait conscience du formidable avantage qu'ils constituaient. Chaque jour, elle apprenait de nouvelles techniques dans tous les domaines, vêtements, travail de la peau et du cuir, méthode de chasse et de pêche, remèdes à base de plantes et de champignons. Le soir, elle passait de longues heures à tout retranscrire afin de ne rien perdre. Sans les signes sacrés de Noï-Rah, elle se fût trouvée parfaitement incapable de se souvenir de tout.

Un matin, on reprit les radeaux pour remonter le Viz'Ara en direction du village des Mohondos. Avec surprise, elle découvrit que Krigs ne lui avait pas menti en lui disant que son village ne ressemblait à aucun autre. Vers le milieu de l'après-midi, la flottille amorça une large courbe de la rivière. De part et d'autre s'élevaient des collines de faible altitude, bordées par une végétation épaisse. Avec un sourire espiègle, Ken-Loh dit à Ly-Rah :

— Voilà, nous sommes arrivés. Le village des Mohondos est là.

Interloquée, elle regarda autour d'elle, sans rien voir.

— Mais il n'y a rien. Leur village est sur les hauteurs ?

— Non, il est là, mais tu ne le vois pas.

Devant sa mine stupéfaite, il éclata de rire, ravi de la surprendre.

— Les Mohondos ne construisent pas de maisons. Tu vas voir.

Les radeaux abordèrent dans une anse plus large, où les hommes les tirèrent à terre. D'autres embarcations s'y trouvaient déjà, preuve que les lieux étaient habités. A ce moment-là, Ly-Rah entendit une rumeur sourdre des collines, et une population surgit de la végétation, Krigs en tête.

— Ly-Rah, sois la bienvenue parmi les Mohondos.

Elle découvrit alors un type d'habitations qu'elle n'aurait jamais imaginé. Depuis l'anse de la rivière, des sentiers remontaient vers les collines qu'ils longeaient. Et là, creusées dans la roche, des pièces se succédaient, plus ou moins profondes, protégées par des peaux d'auroch tendues. Du côté de la rivière, une végétation fournie d'arbres et d'arbustes les protégeait de la vue.

— Nos ancêtres vivent ici depuis des siècles, expliqua Krigs. De nombreuses tribus empruntent la rivière et toutes ne sont pas pacifiques. Les arbres nous cachent à la vue. Un ennemi peut passer à côté de notre village sans se douter de son existence.

— Vous avez des ennemis ?

— Pas vers le sud, où nous avons noué depuis longtemps une alliance avec les Palkawans et les autres peuples du Dorondo. Mais au nord vivent des tribus hostiles qui font des incursions de temps à autre pour s'emparer de nos récoltes ou voler nos troupeaux. Nous sommes obligés de maintenir une surveillance constante.

Des guetteurs étaient répartis tout le long du village, et plus loin en amont et en aval. Ils communiquaient entre eux par un langage sifflé, semblable à celui utilisé par les guetteurs de No'Si'Ann. A la moindre alerte, les habitants se réfugiaient dans les maisons troglodytiques et les guerriers saisissaient leurs armes.

— J'ai renforcé le nombre des sentinelles, ajouta Krigs. Nous avons fait les moissons et nos silos sont pleins. Ils le savent et c'est à cette période qu'ils se montrent. Nous sommes assez puissants pour les repousser. Malheureusement, à chaque fois, nous perdons des hommes et aussi des femmes. Ils les enlèvent et on ne les revoit jamais.

— Vous ne les poursuivez pas ?

— Nous l'avons fait par le passé. Nous avons envahi leur territoire. Mais ils sont nombreux et nous avons essuyé des pertes telles que nous avons dû renoncer.

— Ne serait-il pas possible de conclure une paix avec ces gens ?

— Nous l'avons tenté. Mais ils ne parlent pas notre langue et il est impossible de communiquer avec eux. Ils ne cultivent pas la terre. Ils vivent de chasse et de cueillette. C'est pourquoi nos récoltes les intéressent.

Ly-Rah songea à ce qu'elle avait découvert dans la mémoire de Noï-Rah. Si elle était née dans une nation pratiquant l'élevage et l'agriculture, elle avait été enlevée et avait vécu dans des tribus de chasseurs-cueilleurs. Se pouvait-il que des hommes pratiquent encore ce mode de vie ?

Le soir, pour la première fois, Ly-Rah dormit dans une maison creusée dans la roche. Ken-Loh, qui ne la quittait pas, se glissa près d'elle. Tenaillée par le désir, elle trouva néanmoins la force de résister. Il ne pourrait s'agir avec lui d'une relation sans conséquence, comme celles qu'elle avait entretenues avec quelques garçons de No'Si'Ann. Là-bas, les mœurs étaient libres. Mais elle avait remarqué qu'il en allait autrement chez les peuples de Pehr-Goor. Les femmes étaient soumises aux hommes et les pères décidaient eux-mêmes du mari de leur fille. Ken-Loh avait été élevé dans cet état d'esprit. Si elle lui cédait, elle redoutait qu'il ne veuille plus la laisser repartir. Aussi se contenta-t-elle de lui permettre de dormir non loin d'elle. Quitte à passer une nuit fiévreuse et frustrante.

Le lendemain, Krigs l'invita à visiter une grotte singulière, qui, là encore, éveilla en elle la mémoire de Noï-Rah. Plus loin sur la rive du Viz'Ara s'ouvrait une caverne dans laquelle ils pénétrèrent. Elle était beaucoup plus profonde que les maisons troglodytiques et n'avait pas été taillée par les hommes. Personne n'y vivait. Sur une centaine de pas, il n'y avait rien. Soudain, plus loin, elle découvrit avec stupéfaction des salles étranges, dont les parois étaient couvertes de dessins d'animaux, cerfs, rennes, bisons, ainsi que de grands animaux armés de défenses très longues et dont la tête se prolongeait d'un appendice très long.

— Quelles sont ces bêtes ? demanda-t-elle.

— Nous l'ignorons. Des hommes ont vécu ici il y a très longtemps, mais nous ne gardons aucun souvenir d'eux. Peut-être sont-ils nos ancêtres, nous n'en sommes pas sûrs. Ils se servaient d'outils de pierre très simples.

— Ces animaux sont magnifiques. Ces hommes possédaient un grand talent.

A cet instant, elle frémit, et une vision issue de la mémoire de Noï-Rah se superposa à la grotte qu'elle avait sous les yeux. Son ancêtre avait découvert, avec Ar'ham, une grotte similaire. C'était dans cet endroit qu'elle avait trouvé les pigments grâce auxquels elle avait pu envisager de concrétiser les signes sacrés qui la hantaient déjà.

Le soir, veille du retour chez les Palkawans, Krigs donna une grande fête en l'honneur des Renards, et plus particulièrement de Ly-Rah. Les Mohondos étaient musiciens dans l'âme. Ils utilisaient différents instruments de percussion, mais aussi des flûtes taillées dans de l'os ou de la pierre tendre, des conques percées dont ils tiraient des sons graves et puissants, propres à susciter des cauchemars.

Ce fut dans un état de fatigue avancée que Ly-Rah s'écroula sur sa peau d'ours la nuit venue.

Au matin, peu avant l'aube, elle fut réveillée par des bruits étranges, faits de sifflements et d'appels stridents. Elle comprit que quelque chose n'allait pas. Et tout à coup, le monde bascula dans le chaos. Des hurlements retentirent, puis l'écho d'une bataille féroce. Elle bondit hors de sa couche. Des silhouettes apparurent à l'entrée de la caverne, qui brandissaient des lances et des haches.

Le village était attaqué.

33

Vallée des Chevreuils…

Na-Pahl crut qu'elle allait s'évanouir. Depuis le matin qu'elle portait sa fille sur le dos, moitié marchant moitié courant, elle n'avait plus de souffle. La vue des guerriers avait achevé de lui couper la respiration. Les quatre hommes s'interposèrent immédiatement pour protéger les femmes et les enfants. Puis ils baissèrent leurs armes. Kah-Rym poussa un cri de joie :

— Ma reine ! Ce sont les Renards !

Haletante, Na-Pahl n'osait plus faire un geste. Puis elle reconnut les longs boucliers. Un homme de haute taille s'avança vers elle.

— Noble Khrent !

— Na-Pahl ! Tu es poursuivie…

— Les Aurochs ont envahi notre territoire. Il y a d'autres guerriers avec eux. Les Trohms. Ce sont des monstres. Hokh-Thar m'a demandé de fuir avec la reine Tah-Nyah et nos familles. Mais ils nous ont pourchassés.

— Calme-toi. Nous allons nous charger d'eux.

Na-Pahl constata que la troupe des Renards ne comportait pas que des guerriers. Derrière eux suivaient plus d'une centaine de femmes, d'enfants et de vieillards appartenant à la tribu des Aurochs. Quelques-uns ne lui étaient pas inconnus. Elle comprit qu'ils fuyaient eux aussi la tyrannie de Bahr-Kynn.

— Nous avons tué leurs chiens, dit Kah-Rym dont le bras dégoulinait de sang.

— Tu es blessé.

— Rien de grave. Mais ils vont être là d'un instant à l'autre.

— Combien sont-ils ?

— Aucune idée. Mais ils ne doivent pas être très nombreux. Ils savaient qu'ils avaient affaire à deux femmes avec leurs enfants et seulement quatre hommes pour les protéger.

Khrent se tourna vers Kher-Hogan.

— Tu vas emmener les femmes et les enfants dans la colline de l'ouest. Prends six hommes avec toi. Il faut les mettre à l'abri.

Son lieutenant acquiesça.

— Nous restons avec vous, déclara Boh-Kahr. Nous avons des armes, et des morts à venger.

— Alors, soyez les bienvenus.

Tandis que Kher-Hogan s'éloignait avec les deux reines et les réfugiés aurochs, Khrent positionna ses hommes. Ils n'eurent pas à attendre longtemps. Au loin, des hurlements de rage retentirent lorsque les Trohms découvrirent les cadavres de leurs chiens. Puis ils se remirent en route au pas de course, dévalant les pentes forestières.

Pour se trouver d'un coup face à une rangée de boucliers hérissés de lances. Khrent dénombra une trentaine d'hommes, parmi lesquels il reconnut quelques Aurochs. Mais la plupart étaient masqués. Le nombre parlait en faveur des Renards, mais ce n'était pas une raison pour relâcher toute méfiance. Immédiatement, des sarbacanes apparurent dans les mains des Trohms.

— Abritez-vous ! hurla Khrent.

Les flèches vinrent se ficher dans le cuir épais. Aussitôt après, les archers renards décochèrent leurs flèches, abattant une dizaine d'ennemis. Ceux-ci, comprenant qu'ils n'avaient aucune chance de vaincre, rompirent le combat et détalèrent. Khrent aurait pu les laisser fuir, mais il gardait en mémoire la mort ignoble de la reine So-Ohn. Il ordonna la poursuite. Les Renards ne furent pas longs à rattraper l'ennemi, épuisé par la longue course qu'il avait fournie depuis la veille. Une féroce lutte au corps-à-corps s'engagea. Les Trohms se battaient avec une violence inouïe, au mépris de leur propre vie. Malgré leur supériorité numérique et leur art du combat, les Renards peinèrent à se débarrasser d'eux. Aucun Trohm ne survécut. Mais avant de mourir, ils avaient eu le temps de blesser sérieusement quatre hommes. En revanche, les cinq Aurochs avaient immédiatement rendu les armes.

Khrent les fit amener devant lui.

— Vous vous apprêtiez à tuer deux femmes et leurs enfants, dit-il d'une voix dure.

— Nous avons obéi aux ordres, noble Khrent, plaida l'un d'eux.

— Qui a donné cet ordre ? Bahr-Kynn ?

— Non, le chef des Trohms. Il s'appelle Pahn-Trohm. Notre chef lui obéit à présent.

Khrent eut un léger sourire.

— Aurait-il renoncé à devenir le roi des volcans ?

L'autre secoua la tête.

— Non, noble Khrent. Mais Pahn-Trohm a un regard tel qu'on ne peut pas lui résister. S'opposer à lui, c'est défier la mort elle-même.

— Que sont devenus les Fils de la Nuit ?

— Ils se sont rendus. Mais Pahn-Trohm a tué leur chef, Hokh-Thar.

— Hokh-Thar est mort...

— Pahn-Trohm n'a pas accepté qu'il laisse partir les reines.

— L'imbécile ! cracha Khrent, en proie à une violente colère.

Hokh-Thar était l'un de ses meilleurs amis, et un chef d'une grande sagesse.

— Que va-t-il faire des Fils de la Nuit ?

— Il va leur parler pour les convaincre de combattre à ses côtés. Et beaucoup vont le suivre parce qu'ils auront peur de lui.

— Est-ce la peur qui t'a forcé à lui obéir ?

— Cet homme-là est capable du pire, noble Khrent. On n'ose pas s'élever contre sa volonté. Ses yeux percent l'esprit. A Trex'Ann, un homme, un scribe, a voulu lui résister. Il a accusé Bahr-Kynn d'avoir trahi les nations des Montagnes de feu en s'alliant avec un peuple de l'extérieur qui avait commis des massacres. Bahr-Kynn l'a frappé. Cela aurait pu en rester là, mais Pahn-Trohm a dit que le scribe était une créature démoniaque envoyée par Mohrt, l'ennemie de son dieu. Alors, il a fait allumer un grand feu dans lequel il a jeté le pauvre scribe. Il s'appelait Vrehn. C'était un vieil homme qui savait beaucoup de choses.

— Et personne n'a pris sa défense ?

— Qui aurait eu le courage ? Bahr-Kynn a laissé faire. Nous avons tous peur à cause de l'étoile. Pahn-Trohm dit qu'elle ne détruira pas le monde si nous parvenons à tuer toutes les reines.

— Je sais.

— Que... qu'allez-vous faire de nous ? gémit l'Aurochs.

— Les Renards ne tuent pas leurs prisonniers. Déguerpissez ! Si vous avez envie de retourner auprès de ce fou, libre à vous. Mais à votre place, j'en profiterais pour filer le plus loin possible.

Un autre Aurochs intervint :

— Mais il a dit que l'étoile allait s'écraser sur nous...

Khrent l'observa. L'individu semblait avoir été profondément influencé par les idées de Pahn-Trohm. Sans doute était-il plus à plaindre qu'à blâmer. La terreur obscurcit l'esprit et amène à commettre des actes extrêmes.

— Ecoute-moi bien. La prophétie est claire. L'étoile ne détruira pas le monde. Elle passera au-dessus, très loin. Le monde ne sera pas anéanti. Mais il y aura des ouragans et des éruptions volcaniques, et une longue période de froid. La prophétie dit aussi que des pierres de feu tomberont du ciel. Mais le danger viendra surtout des chefs de guerre qui dévasteront le pays des volcans. Cela a déjà commencé. Alors que nous devrions rester unis et solidaires, certains en profitent pour tenter d'asseoir leurs ambitions. Les hommes comme Bahr-Kynn ne voient jamais plus loin que leur seul intérêt. Un vrai chef de tribu ne domine pas son peuple par la force. Son rôle est au contraire de le protéger. Il est à son service et non l'inverse. Quant à ce Pahn-Trohm, c'est un fou qui s'abrite derrière son dieu pour imposer sa loi ignoble. C'est lui qui a provoqué le chaos dans les Montagnes de feu. N'oubliez pas le nombre de morts dont il porte la responsabilité.

L'homme s'obstina :

— Lui aussi a eu une vision prophétique. Son dieu lui a parlé. Et il a bien vu la destruction de la terre si les hommes s'obstinaient à essayer de percer les secrets des dieux. Et il lui a dit qu'il fallait anéantir toutes les reines parce qu'elles étaient envoyées...

— Je sais déjà tout ça, le coupa Khrent. Et vous, crétins que vous êtes, vous avez cru à ses prédictions de haine ? A cause de ça, vous avez massacré des femmes et des enfants ! Et des vieillards sans défense ! Quel grand courage a été le vôtre ! De vrais conquérants auréolés de gloire ! Mais quelle sorte d'hommes êtes-vous donc ? Le vrai courage aurait été de vous unir et de vous battre contre ce prétendu prophète.

— Tu ne l'as pas entendu parler, riposta l'Aurochs, buté.

— Pas encore, mais ça ne va pas tarder. Parce que nous, les Renards, nous allons le combattre. Et le tuer.

— Si vous faites ça, le monde sera détruit.

— A moins que Ly-Rah n'ait raison et que l'étoile se contente de frôler le monde. Que dira votre prophète alors ?

L'homme ne répondit pas.

— Allez, fichez le camp ! Je commence à perdre patience.

Ils ne se le firent pas dire deux fois. Mais, au lieu de reprendre la direction du territoire des Fils de la Nuit, quatre d'entre eux se dirigèrent vers le nord, vers leur village. Seul l'adepte de Trohm, après avoir hésité un moment, se mit en route pour rejoindre Pahn-Trohm.

— On dirait qu'ils ont commencé à réfléchir, remarqua Boh-Kahr.

Kher-Hogan observa les cadavres des Trohms, dont certains avaient encore le visage caché.

— Je me demande bien pour quelle raison ils portent ces masques.

Après avoir récupéré les deux reines et les réfugiés aurochs, Khrent et sa troupe se dirigèrent vers Bogh'Ann, le village des Chevreuils, à moins d'une demi-journée de marche vers le sud-ouest. Contrairement à ce que Khrent redoutait, la reine Marah était bien vivante.

— Kahr-Hom n'aurait eu aucun scrupule à se débarrasser de moi, dit-elle. Mais les Chevreuils ne l'auraient pas accepté. Ils ont aussi protégé la bibliothèque. Il est parti rejoindre Bahr-Kynn pour mener sa guerre contre les Fils de la Nuit.

— Les Fils de la Nuit ont été vaincus, répondit Khrent. Kahr-Hom va bientôt revenir. Mais il ne sera pas seul. Le chef ennemi sera avec lui. C'est un illuminé fanatique. Il te fera mettre à mort et il brûlera vos livres.

Marah pâlit.

— Mes Chevreuils me défendront, dit-elle d'une voix mal assurée.

— Ils ne pourront rien faire. Pahn-Trohm n'hésite pas à tuer tous ceux qui s'opposent à lui. Il pense que seule la mort de toutes les reines évitera la chute de l'étoile sur le monde. Il pense qu'elle est envoyée par son dieu, Trohm, en représailles. Tu dois t'en aller. Je suis venu te chercher.

— Mais je ne peux pas abandonner les miens.

Na-Pahl lui expliqua alors ce que les Trohms avaient fait subir à So-Ohn.

— Nous devons aller à No'Si'Ann, assura-t-elle. Toutes nos sœurs survivantes y sont déjà. Il n'y a que là-bas que nous serons en sécurité.

— Et les livres ?

— Emporte ceux que tu estimes les plus précieux. Et que les scribes t'accompagnent. Eux aussi sont en danger.

Marah baissa la tête.

— C'est bien. Nous partons avec vous.

34

Eyz'Tay, village des Mohondos...

Ly-Rah n'eut que le temps de passer ses vêtements. De partout jaillissaient des cris, des hurlements de douleur et de haine, mêlés aux chocs sourds des armes. Dans la grotte uniquement éclairée par les lueurs pâles de l'aube naissante, on ne distinguait que des ombres qui passaient en courant le long du chemin de pierre desservant les demeures troglodytiques. Lo-Kahr et Ken-Loh, qui avaient dormi près d'elle, prirent leurs armes et sortirent combattre, non sans lui avoir recommandé de rester à l'abri. Un violent corps-à-corps s'engagea dès qu'ils eurent quitté la maison. Un reflux de la bataille les entraîna hors de sa vue. Elle saisit son poignard de silex et une hache et attendit. Soudain, elle se trouva face à face avec un individu énorme qui investit la chambre taillée dans la roche. Elle poussa un cri. Il brandissait une massue imprégnée de sang. Apercevant Ly-Rah, il émit un grognement de triomphe et chargea. La massue s'abattit sur elle. Malgré l'exiguïté des lieux, elle parvint à éviter le coup, s'effaça et riposta d'un violent coup de hache sur la nuque. Mais le colosse réussit à dévier la frappe et leva de nouveau son arme. Subitement, il fut pris d'un hoquet et vomit un flot de sang, tandis que la pointe d'une lance ressortait de son abdomen. Lo-Kahr était revenu et avait embroché

287

son agresseur, qui s'effondra sur le sol de pierre. Lo-Kahr arracha sa lance, puis, à l'aide de son poignard, lui trancha la gorge.

— Tu n'es pas blessée ?

— Non !

Elle se rendit compte alors qu'elle était couverte du sang de l'individu. Elle se mit à trembler. C'était la première fois qu'elle se trouvait prise au cœur d'une bataille. Krigs apparut, armé d'une hache et d'une lance.

— Les dieux soient loués ! s'écria-t-il. Tu es sauve.

— Que se passe-t-il ?

— On les appelle les Thagons. Ils vivent dans le nord, à plusieurs jours de marche d'Eyz'Tay. Ils savaient que nous venions de rentrer nos récoltes et que nos silos étaient pleins. Nos guetteurs redoublent de vigilance à cette époque. Il ne se passe pas une année sans qu'ils nous attaquent pour nous piller. Nous arrivons à les repousser avant qu'ils n'investissent le village. Mais cette fois, ils sont venus en grand nombre. Ils ont dû repérer nos sentinelles et les éliminer. Il n'y a pas eu d'alerte. A présent, ils sont partout.

— Nous allons combattre à vos côtés.

Tout le long du chemin de pierre, la bataille faisait rage. Les femmes et les enfants sautaient en contrebas à travers le rideau de végétation pour se réfugier sur la berge. La confusion la plus totale régnait. En raison du manque de luminosité, il était difficile de faire la différence entre les amis et les ennemis. Tout à coup, Brahn-Hir rejoignit sa sœur, suivi par les guerriers renards, parmi lesquels figuraient six femmes rompues à l'art de Brahn.

— Ils arrivent par le haut de la falaise, à une centaine de pas d'ici, dit-il. Il faudrait les prendre à revers.

— Il y a un moyen, déclara Krigs. Venez avec moi.

Il les entraîna dans une caverne un peu plus profonde que les autres. Tout au fond s'amorçait une sorte de tunnel étroit dans lequel il les invita à entrer à sa suite. Le plafond du boyau était tellement bas qu'ils durent presque ramper. Quelques instants plus tard, ils débouchaient au cœur d'un bosquet encombré de végétation.

— Ils sont là ! souffla le chef des Mohondos.

A travers les trouées des arbustes, dans les premiers rayons du soleil, Ly-Rah aperçut des grappes humaines qui piétinaient au bord de la falaise pour emprunter le seul passage menant vers le chemin de desserte.

— Reste en arrière ! lui ordonna Lo-Kahr.

— Je sais me battre ! répliqua-t-elle.

— Je sais. Mais tu vas tout de même rester là.

Déconcertée, Ly-Rah finit par obéir. Autour d'elle, ses compagnons, dirigés par Brahn-Hir, se ruèrent sur l'ennemi. Celui-ci riposta avec violence. Les haches et les massues s'abattirent sur les crânes et les membres. Les longues lances des Renards firent des ravages dans les rangs des Thagons, perçant les ventres et les poitrines. Se sentant inutile, Ly-Rah fit quelques pas, sans lâcher sa hache et son poignard. A quelques pas, au sortir du bosquet qui dissimulait l'issue du tunnel, elle aperçut un corps couvert de sang. C'était celui d'un guetteur mohondo. Il avait été égorgé avec une force telle que sa tête avait été à moitié sectionnée. Elle entrevit, en haut d'un arbre, les vestiges d'un poste de guet un peu semblable à ceux de No'Si'Ann. Cette fois, ils n'avaient servi à rien. Au bord de la falaise, les combats faisaient rage. Les Thagons ne s'attendaient pas à être pris à revers.

Tout à coup, des hurlements déchirants attirèrent son attention. Au-delà des arbres, dans la direction opposée à la bataille, elle vit trois silhouettes qui en traînaient une quatrième. Elle comprit immédiatement. Trois guerriers thagons avaient capturé une gamine d'une dizaine d'années. Ils lui avaient arraché ses vêtements et s'apprêtaient à abuser d'elle. Personne ne les suivait. Si elle n'intervenait pas, la fillette était perdue. Alors, elle se rua sur les brutes, songeant qu'elle se ferait sévèrement sermonner par Lo-Kahr.

Si elle parvenait à les vaincre...

L'effet de surprise joua en sa faveur. Le premier homme, prêt à violer la gamine, s'écroula, le crâne défoncé par un violent coup de hache. Interloqués, les deux autres lâchèrent la fille et firent face. Constatant qu'ils avaient affaire à une jeune femme, leurs visages s'éclairèrent d'un mauvais sourire sur des dentitions clairsemées. Puis la vue de leur compagnon abattu les mit en rage. Ils se jetèrent sur Ly-Rah avec des rugissements de colère. Mais leurs coups ne rencontrèrent que le vide. Un combat incertain s'engagea. Ly-Rah avait pour elle une grande agilité et une parfaite maîtrise de l'art de Brahn, mais ses adversaires étaient forts et déterminés. S'ils parvenaient à la toucher, ils l'achèveraient sans états d'âme. La fillette terrorisée s'était traînée à l'écart pour se mettre à l'abri.

Tout à coup, l'un des hommes s'écroula, le jarret tranché par le poignard de silex, grâce à une feinte qui avait amené Ly-Rah à rouler derrière lui. L'autre se mit à beugler dans une langue incompréhensible. De toute évidence, il l'agonisait d'injures. Ly-Rah fit face. Mais l'autre avait beau frapper de toutes ses forces, il ne réussissait pas à l'atteindre. Jusqu'au moment où elle fut touchée à l'épaule. Elle lâcha un cri de douleur, l'autre un cri de victoire anticipé. Il écarta les bras, découvrant un ventre vulnérable. L'instant d'après, le poignard de Ly-Rah pénétrait la chair tendre. Le souffle coupé, le Thagon voulut réagir, mais elle enfonça la lame de silex d'un coup violent en direction du cœur. Les yeux de l'homme trahirent un étonnement sans nom, puis un flot de sang jaillit de sa bouche édentée et il s'écroula sur Ly-Rah. Tous deux basculèrent au sol. L'haleine fétide de l'individu lui fouettait les narines. Puis il exhala un dernier soupir et rendit l'âme. Elle parvint à se dégager d'un coup de reins. Pour constater que l'autre homme, celui à qui elle avait tranché le mollet, rampait en direction de la fillette affolée. Il n'avait pas vu qu'elle avait tué son compagnon. La petite, terrée contre un talus, ne pouvait plus reculer. Ly-Rah, le souffle court, rattrapa l'homme et le saisit par les cheveux. Puis, d'un coup sec, elle lui trancha la gorge.

Au loin, les échos de la bataille s'étaient un peu calmés. Comme dans un cauchemar, elle vit des silhouettes déguerpir, poursuivies par les Mohondos et ses compagnons. Un grand froid descendit en elle. Elle contempla le visage de la fillette qu'elle venait de sauver. L'enfant la regardait en sanglotant. Un liquide chaud et gluant coulait le long de la lame de son poignard et s'égouttait par terre. Celle de sa hache était teintée d'écarlate. Quelques cheveux noirs y restaient collés. Les trois hommes gisaient à ses pieds, morts. Elle avait peine à croire que c'était elle qui les avait tués. Jamais encore elle n'avait ôté la vie à un être humain. A présent que la fureur de la lutte avait disparu, elle se rendait compte de la folie de ces combats. Elle sentit à peine les larmes qui ruisselaient sur ses joues. Elle s'agenouilla et prit la petite fille dans ses bras pour la rassurer. Ly-Rah l'examina et constata que les monstres n'avaient pas eu le temps de la forcer.

Elle la souleva et l'emmena vers le village, d'où les envahisseurs avaient été chassés. Dans un état second, elle enjamba des cadavres mutilés, des hommes au crâne défoncé, au ventre ouvert. Bouleversée, elle songea que la guerre sévissait aussi sans doute au pays des volcans. Elle pensa à ses petites sœurs, qui risquaient de tomber entre les griffes de monstres semblables à ceux qu'elle venait de tuer. No'Si'Ann était le village le plus sûr des Montagnes de feu. Mais qu'adviendrait-il si les chefs de guerre parvenaient à rassembler une armée nombreuse et puissante ?

Une femme surgit devant elle, qui poussa un cri d'animal blessé en voyant l'enfant dans les bras de Ly-Rah. Elle ne s'était même pas rendu compte que le sang dont elle était couverte avait coloré la peau de la fillette. Celle-ci, reconnaissant sa mère, se laissa glisser au sol et se jeta dans ses bras en pleurant.

— Elle n'a rien, dit Ly-Rah dans la langue locale. J'ai tué ses agresseurs.

La mère la remercia brièvement avec un regard d'animal affolé, puis emporta la petite en la serrant de toutes ses forces.

Brahn-Hir, Lo-Kahr et leurs compagnons ne revinrent que tard dans la matinée. Des combats sporadiques les avaient opposés aux fuyards. A la fin de la journée, le bilan de la bataille était lourd. Les Mohondos déploraient une quinzaine de morts et une trentaine de blessés. Plusieurs jeunes femmes avaient été enlevées, que l'on ne reverrait probablement jamais. Des silos avaient été mis à bas, et l'ennemi avait réussi à faire main basse sur des vivres. Les Renards avaient payé leur tribut à la bataille, avec deux blessés et une jeune guerrière abattue. La nouvelle bouleversa Ly-Rah lorsqu'elle vit le corps de la jeune femme ramené par ses compagnons. Elle s'appelait Ly-Han et avait le même âge qu'elle.

— Elle a combattu avec un grand courage, se lamenta Brahn-Hir. Mais elle a fait preuve de trop de témérité. Elle a poursuivi seule un groupe de Thagons. J'ai voulu l'en empêcher, elle ne m'a pas écouté. Elle en a tué deux, mais les autres l'ont abattue d'une flèche. Nous avons eu beau les pourchasser, ils ont disparu.

Krigs lui-même avait reçu une blessure à l'épaule. Comme Ly-Rah. Heureusement, ce n'étaient que des plaies superficielles.

Le lendemain, la tribu organisa les funérailles de ses morts. Selon la coutume locale, ils étaient enterrés avec leurs plus beaux vêtements et leurs objets familiers. Une profonde tristesse s'était abattue sur les Mohondos. A part, on avait élevé un foyer sur lequel fut disposé le corps de la malheureuse Ly-Han. La tradition des peuples des volcans voulait que l'on incinère les morts. Les cendres de Ly-Han ne rejoindraient pas les eaux des torrents des volcans. Elles reposeraient à jamais dans ce pays lointain, pour les habitants duquel elle avait donné sa vie.

— Son sacrifice sera un lien de plus entre nos deux peuples, dit Krigs.

Deux jours plus tard, les Renards quittaient Eyz'Tay. Les radeaux, qu'on laissait porter par le courant, allaient à faible allure, franchissant parfois un dénivelé rocheux qui exigeait l'attention des navigateurs, sans toutefois mettre les embarcations en danger. Ken-Loh ne savait que faire pour distraire Ly-Rah de sa mélancolie. La perte de Ly-Han avait profondément touché la jeune fille. Elles avaient l'habitude de s'entraîner ensemble. Elles étaient de la même force, mais Ly-Han faisait souvent preuve d'une espèce d'inconscience qui lui valait les remontrances de Lo-Kahr, qu'elle écoutait d'une oreille distraite. Forte de l'art de Brahn, elle avait l'impression qu'elle était invulnérable. Cela lui avait coûté la vie.

— A présent, tu as visité toutes les nations de Pehr-Goor, lui dit soudain Ken-Loh. A la prochaine pleine lune viendra le temps du rassemblement. C'est ainsi que nous appelons ici l'équivalent de votre assemblée des rheuns.

— Il sera sûrement plus calme, répondit Ly-Rah.

— Probablement. Cela n'empêche pas qu'il y ait parfois de belles bagarres. Les hommes sont ainsi faits. Ils aiment se battre et par ici, nous sommes plutôt susceptibles. Mais nous avons encore plusieurs jours devant nous.

— Je ne sais pas. Je songe sérieusement à repartir avant.

— Mahl-Kahr t'a demandé d'assister à notre rassemblement.

— Il ne peut pas savoir que l'une des nôtres a été tuée.

— Je sais, Ly-Rah. Mais la mort fait partie de notre vie. Nous devons l'accepter.

— Moi-même, j'ai donné la mort. Ces hommes avaient beau être des monstres qui s'apprêtaient à violer une petite fille, je ne peux pas m'empêcher d'y penser. Ils avaient peut-être une famille, des enfants. Jamais ils ne rentreront chez eux.

Le jeune homme la regarda sans comprendre.

— Ces hommes étaient des ennemis.

— Je sais. Mais je les ai tués. J'ai du sang sur les mains.

— Il ne faut pas que cela te contrarie. S'ils avaient pu, ils t'auraient tuée. Et sans doute violée avant, toi aussi.

— Les femmes ne sont pas faites pour donner la mort. Elles donnent la vie. C'est pour ça qu'elles en connaissent le prix.

Il resta songeur.

— Je crois que je comprends. C'est pour cette raison que votre tribu des Renards est si puissante. Vous respectez la vie.

— Elle a été fondée par une femme.

— Oui. Peut-être que nos tribus seraient plus pacifiques si les femmes intervenaient plus dans leur gouvernement. Mais il n'y a que dans les Montagnes de feu qu'il en est ainsi. Partout ailleurs, ce sont les hommes qui dirigent. Et finalement, je ne sais pas si c'est une bonne chose.

Il lui prit la main.

— Ecoute, je voudrais que tu restes encore un peu. Nous honorerons la mémoire de Ly-Han comme si elle était des nôtres. Elle savait ce qu'elle faisait en acceptant de te suivre à Pehr-Goor. Mais toi, il te reste encore quelque chose à découvrir avant le jour du rassemblement.

— Et quoi ?

— J'aimerais te montrer le grand fleuve salé. Le grand fleuve sans limites.

35

Cela faisait quatre jours que les radeaux avaient quitté Lymo. Le deuxième jour, le Dor'Ohn avait rencontré un autre fleuve venu du sud, auquel il avait mêlé ses eaux sombres pour former un cours d'eau incroyablement large. Les rives étaient tellement éloignées l'une de l'autre que Ly-Rah crut être arrivée sur ce fameux grand fleuve salé. Mais Ken-Loh la détrompa.

— Nous n'y sommes pas encore. Le grand fleuve salé est plus loin, à deux jours de navigation. Ici, ce n'est que le fleuve formé par le Dorondo et celui qui remonte du sud, qu'on appelle le Garn.

Jamais Ly-Rah n'aurait imaginé un paysage comme celui qui se déroulait lentement sous ses yeux. Dans toutes les directions, il n'existait plus aucun relief ; ni montagnes ni collines, mais seulement une étendue plane qui se noyait dans les brumes de chaleur à l'horizon. Un soleil impitoyable écrasait les voyageurs, les obligeant à enduire leur peau de graisse pour éviter les brûlures, encore accentuées par le sel. Il n'y avait pratiquement aucun arbre, sinon parfois des pins décharnés et tordus par les vents qui soufflaient en permanence.

Les radeaux naviguaient près des rives pour que les hommes puissent manœuvrer leurs longues perches. Les caprices du courant ne laissèrent pas d'intriguer Ly-Rah. Deux fois par jour, il s'accélérait et le niveau des eaux baissait le long des rives. Il en était ainsi le quart de la journée. Puis il s'inversait et remontait vers l'intérieur. Des vagues parcouraient l'estuaire et soulevaient les embarcations. Parfois, elles étaient si hautes qu'elles menaçaient de les faire chavirer. Il fallait toute l'habileté des navigateurs pour les maintenir à flot.

L'eau était salée. Intriguée, Ly-Rah avait tenté d'en boire, mais elle l'avait recrachée. Contrairement à l'eau vive des montagnes, elle était imbuvable.

Parfois, ils doublaient de longs bancs de sable qui s'étiraient au milieu du fleuve. Ces îles sans relief étaient le royaume des oiseaux. Ly-Rah ne se lassait pas de les observer. Certains planaient dans les airs, puis plongeaient en piqué dans les eaux, disparaissaient pour reparaître plus loin, un poisson gigotant dans le bec. Ken-Loh lui avait dit qu'il était inutile de les chasser. Ils étaient immangeables.

En revanche, les nasses qu'ils laissaient flotter à l'arrière des radeaux se remplissaient de poissons inconnus, bien plus gros que ceux qui vivaient dans les torrents et les rivières du pays des volcans. Le soir, ils bivouaquaient sur la rive et faisaient griller leurs prises. La chair était délicieuse, différente de celle des truites, des brochets ou des sandres.

Malgré la monotonie du voyage, Ly-Rah ne s'ennuyait pas un seul instant. Bien sûr, la présence de Ken-Loh n'y était pas étrangère, mais après la violence des combats, le calme de cette expédition sur le fleuve l'apaisait. Elle avait accepté la mort de Ly-Han, tout comme elle avait accepté celle qu'elle avait infligée aux trois monstres. Les premières nuits, elle avait eu peine à trouver le sommeil. Le visage terrorisé de la fillette demeurait incrusté dans sa mémoire. Elle avait beau se dire qu'elle l'avait sauvée, elle savait que l'enfant resterait marquée à jamais par la violence qu'elle avait failli subir. Une violence qui avait emporté son père et l'un de ses frères, comme elle l'avait appris après la bataille. Dans ses cauchemars, les traits de la petite fille se superposaient à ceux de Ly-Han, à son regard brillant, plein de vie, désormais disparu à jamais. Mais tant d'autres avaient péri au cours de cette bataille. Le bilan aurait pu être plus lourd pour les Renards. Il fallait l'accepter et remercier les dieux d'avoir épargné les autres.

Elle mesurait à présent tout le bien que Noï-Rah avait apporté à son peuple. Elle lui avait enseigné le respect des autres, le respect des femmes et des enfants, avait condamné la brutalité des hommes. Après avoir été confrontée à la barbarie des Thagons, après avoir été contrainte de donner la mort pour sauver sa vie et celle d'une petite fille, elle comprenait mieux la valeur de son héritage. Un héritage que de jeunes chefs dévorés d'ambition remettaient en question. Elle ne cessait de songer à ses parents, à ses petites sœurs. Chaque soir, avant de s'endormir, elle adressait de longues suppliques à son ancêtre pour qu'elle protège leur village et épargne les vies de ceux qu'elle aimait. Elle se reprochait parfois d'avoir accepté de diriger cette expédition, qui l'avait éloignée des siens alors qu'ils étaient en danger. Elle n'avait pas été dupe, Brahn-Hir aurait été capable de la mener seul. On l'avait envoyée à Pehr-Goor pour la préserver. Sa vie avait pourtant été menacée, mais Mahl-Kahr ne pouvait pas le deviner.

Cependant, ce voyage l'avait enrichie. Elle avait appris beaucoup de choses, découvert des peuples, des coutumes, des paysages différents. Elle aurait une foule d'anecdotes à raconter à son retour. Et elle ramenait, gravés sur l'écorce de bouleau, quantité de secrets confiés par les femmes de Pehr-Goor, qui étaient tombées sous son charme et sa gentillesse.

Toutefois, elle n'était pas destinée à rester et chaque jour la rapprochait du moment où elle devrait se séparer de Ken-Loh. Depuis qu'il était arrivé à No'Si'Ann, ils ne s'étaient pratiquement pas quittés. Elle avait aimé lui faire découvrir les Montagnes de feu. Elle avait aimé qu'il lui montre son pays, qu'il lui explique les traditions de chaque tribu rencontrée. Elle se sentait bien à ses côtés, comme s'ils s'étaient toujours connus. Il était d'une humeur constante. Ils avaient combattu ensemble contre les Thagons. Ils se complétaient parfaitement. Chaque soir, tandis qu'il s'étendait non loin d'elle, des envies impérieuses lui nouaient le ventre et les reins. Il lui fallait alors faire un violent effort sur elle-même pour ne pas le rejoindre et l'entraîner dans quelque endroit discret. Mais elle ne devait pas céder. Peut-être reviendrait-il l'année suivante à No'Si'Ann, mais ils n'étaient pas destinés à partager leurs vies. Il fallait s'y résigner.

Au bout du cinquième jour enfin, la rive occidentale s'effaça. Avec stupéfaction, Ly-Rah découvrit, au-delà, une étendue d'eau sans limites. Aussi loin que la vue pouvait porter, la terre avait disparu. Elle se leva, éblouie par la beauté mystérieuse de l'océan. Tandis que les navigateurs continuaient d'appuyer sur leurs perches, elle resta un long moment à contempler le paysage infini, éclaboussé de lumière. Habituée aux vallées encaissées des montagnes, jamais elle n'aurait imaginé qu'une telle chose fût possible.

La côte orientale avait pris un peu de relief. Au-delà des longues plages de sable s'élevaient des falaises peu élevées, dont certaines se creusaient de grottes un peu semblables à celle des Mohondos. C'est là que vivaient les Vagres, le peuple allié des Palkawans. Sur la rive, des silhouettes se pressaient pour les accueillir.

— Les Vagres sont pacifiques, expliqua Ken-Loh. Ils sont les seuls habitants de ces côtes. Ils vivent de la pêche et de quelques cultures, au-delà des falaises. Ils élèvent aussi des mouflons et des vaches. Nous entretenons de bonnes relations avec eux. Ils savent fabriquer des bijoux magnifiques et des outils qu'ils taillent dans des coquillages. Nous les échangeons contre des peaux ou des lames de silex.

Les radeaux furent tirés sur le sable par les Vagres. Ly-Rah et ses compagnons furent aussitôt entourés par une foule bavarde et curieuse.

— Des pêcheurs de nos tribus sont déjà venus et leur ont dit que nous recevions une princesse venue d'un pays où les montagnes crachent du feu. Ils ne les ont pas crus. Ils ignorent ce qu'est une montagne. Ils vivent dans un monde où tout est plat. Seuls ceux qui ont visité Lymo connaissent les collines. Alors, imaginer des montagnes dix fois plus hautes que ces collines, cela relève de l'impossible pour eux. Quant à penser qu'elles crachent du feu, c'est encore plus farfelu.

Ly-Rah fut accueillie avec un immense respect. Ne connaissant pas le langage des autochtones, elle dut passer par le truchement de Ken-Loh pour communiquer avec les indigènes. Lui-même parlait leur langue couramment. Depuis son plus jeune âge, il accompagnait les colporteurs palkawans qui parcouraient le Dorondo sur les radeaux pour le troc. Il aimait particulièrement cette région isolée, perdue entre l'océan et la terre marécageuse qui s'étendait au-delà, vers l'est. A part les Vagres, nulle tribu humaine ne vivait dans cette région oubliée. Aussi ignoraient-ils tout des combats et de la guerre. La visite d'autres peuples était l'occasion d'une fête. Tout comme les Mohondos, les Vagres vivaient dans les falaises creusées qui surplombaient la mer. Cependant, nul rideau de végétation ne les isolait. Ce n'était pas nécessaire.

Ken-Loh aimait ce village, dont il connaissait la plupart des habitants. Il en connaissait aussi les coutumes, et particulièrement les danses. Le soir, tout le monde se rassembla sur la longue plage de sable pour dévorer des poissons grillés, pêchés dans la journée. S'y ajoutaient des coquillages, des crustacés de toutes sortes. Les Vagres mangeaient peu de viande. Les mouflons, les chèvres et les vaches de leurs troupeaux leur fournissaient essentiellement du lait.

A cause de cette légende de montagnes qui crachent le feu, Ly-Rah dut fournir beaucoup d'explications à des gens ébahis qui la contemplaient comme si elle était tombée du ciel. Les enfants particulièrement se montraient attentifs à ce qu'elle disait, et que Ken-Loh traduisait. En revanche, le chef, Hanroy, fit preuve de scepticisme. Ly-Rah, très intéressée par les outils et les bijoux de coquillages, lui expliqua alors qu'elle n'avait pas cru Ken-Loh quand il lui avait parlé du grand fleuve sans limites. Mais qu'elle était bien obligée de le croire à présent qu'elle l'avait sous les yeux.

— Hanroy, je suis sûre que le monde est beaucoup plus vaste que nous le pensons et qu'il existe des lieux encore plus étonnants, dont nous n'avons même pas idée, parce que nous ne pouvons pas les concevoir. Mes montagnes de feu existent, tout comme ton grand fleuve. Je ne peux que te les décrire, mais pour te convaincre qu'elles sont bien réelles, le mieux serait que tu viennes les voir par tes propres yeux. Aussi, au nom de mon peuple, je t'invite à faire le voyage l'année prochaine. Nous serions très heureux de te recevoir, toi et ceux de ta tribu qui voudront t'accompagner.

Le chef se gratta la tête. Il n'avait jamais quitté ses grottes. Mais s'il réalisait une telle expédition, il deviendrait un exemple pour ceux qui lui succéderaient et longtemps on chanterait ses exploits après qu'il aura rejoint le Grand Esprit. Et puis, si les Palkawans faisaient le voyage, pourquoi pas les Vagres...

— C'est entendu, dit-il. Je viendrai.

En revanche, Hanroy ne ressentait aucune inquiétude en ce qui concernait l'étoile, dont il avait lui aussi noté la présence. Quand elle voulut lui parler de la prophétie de Noï-Rah et le rassurer, il répondit, toujours par le truchement de Ken-Loh :

— Je ne vois pas pourquoi ton peuple s'inquiète. Nos ancêtres sont venus par ces côtes il y a bien longtemps et ils connaissaient les secrets des étoiles et des astres vagabonds, grâce à leurs pierres levées. Certains reviennent régulièrement et ils se rapprochent alors de la terre. Puis ils repartent dans leur royaume du ciel. Nos ancêtres les appellent des comètes. Quand elle va se rapprocher encore plus, tu verras qu'elle est suivie par un panache de lumière. Mais vous n'avez rien à craindre, elle ne s'écrasera pas sur le monde.

— C'est aussi ce que dit la prophétie, confirma Ly-Rah. Mais elle dit également que le monde connaîtra une longue période d'hiver. Il serait peut-être prudent d'engranger des provisions.

— Nous le ferons. Mais le grand fleuve ne va pas se vider de ses poissons, tu sais. Nous aurons toujours de quoi manger.

Tard dans la soirée, Ly-Rah s'isola avec Ken-Loh à une extrémité de la plage. Une brise légère remontait de l'océan, chargée d'effluves marins, faits d'iode, de senteurs de varech et de goémon. Une odeur inconnue dans les montagnes de feu. Une odeur enivrante. Un parfum qu'elle n'oublierait jamais.

Tout au long du jour, elle avait bu les paroles de son jeune mentor, ravi de lui faire découvrir ce lieu qu'il aimait particulièrement. Elle avait l'impression fantastique d'être parvenue au bout du monde, en un lieu privilégié et magique. Plus que jamais elle avait envie de poser ses lèvres sur celles de son compagnon. Elle aurait voulu ne pas céder. Mais les parfums de l'océan, le bruit du ressac, la tiédeur du sable que le soleil avait chauffé toute la journée, tout lui tournait la tête. Elle aurait voulu que la nuit ne finisse jamais.

Elle lui montra l'horizon illuminé par la lune aux trois quarts pleine. Il faisait étonnamment clair. Elle lui prit la main. Elle sentit le souffle du jeune homme s'accélérer. Comme le sien.

— Crois-tu qu'il existe une autre rive, quelque part, très loin ?

301

Il ne répondit pas immédiatement.

— Peut-être, dit-il enfin, mais nous ne le saurons jamais. Qui oserait s'aventurer sur un tel fleuve ? L'eau est beaucoup trop profonde pour nos perches. Et ce fleuve est très dangereux. Aujourd'hui, il est calme. Mais parfois, il se déchaîne. Alors, le vent souffle et les vagues deviennent aussi hautes que des petites collines. Elles envahissent les terres jusqu'au niveau des grottes. La dernière fois, trois personnes ont été emportées dans leur caverne. On n'en a retrouvé qu'une, trois jours plus tard, à moitié dévorée par les crabes. On n'a jamais revu les autres.

Ly-Rah frémit. Comment penser qu'un tel fleuve pouvait connaître des colères aussi effroyables ? Puis elle songea que les Montagnes de feu pouvaient elles aussi paraître calmes. Mais lorsqu'elles entraient en éruption, elles étaient capables de tout dévaster autour d'elles.

Elle gardait les yeux fixés sur l'horizon marin. Pouvait-il y avoir une autre rive ? Et si c'était le cas, combien de temps faudrait-il pour traverser cette immense étendue d'eau ? Et comment faire ? Les radeaux en seraient incapables.

Et s'il n'y avait aucune rive... Si les eaux s'étendaient ainsi, sans jamais aucune fin, aucune terre où aborder. Un vertige la saisit et elle se mit à frissonner. Ken-Loh s'en aperçut. Il retira sa veste de laine et lui en couvrit les épaules. Le contact de ses mains sur sa peau éveilla immédiatement un désir qu'elle ne pouvait plus, qu'elle ne voulait plus combattre. Alors, elle prit sa tête entre ses mains et l'attira à elle pour poser sa bouche sur la sienne. Il eut un instant d'hésitation, puis se laissa faire. Aussitôt, la fièvre s'empara de leurs corps et de leurs esprits. L'envie qu'ils avaient l'un de l'autre bouillonnait depuis trop longtemps en eux. Fébrilement, ils s'ôtèrent mutuellement, maladroitement, leurs vêtements, se retrouvèrent nus serrés l'un contre l'autre, avec l'envie de se fondre l'un dans l'autre pour ne faire plus qu'un.

Ils s'aimèrent longtemps au cœur de la nuit marine, au cœur de la pénombre argentée de la lune. Ils découvrirent ainsi qu'ils s'entendaient aussi sur ce plan. Si leur première étreinte fut à l'image de leur manque et de leur frustration, furieuse, sauvage, violente, les autres furent empreintes de tendresse, de rires, d'une grande complicité. Ils étaient faits l'un pour l'autre.

Lorsque, enfin, ils s'écroulèrent de fatigue, les feux du village, au loin, n'étaient plus que des tas de braises rougeoyantes.

Le lendemain matin, ils furent éveillés par un soleil éblouissant. Ly-Rah découvrit alors, à une vingtaine de pas, à demi caché par la végétation de la dune, son frère Brahn-Hir qui les observait d'un œil goguenard. Lui aussi était dans le plus simple appareil.

— Tu étais là ? grogna Ly-Rah, mortifiée.

— Pour te protéger, se justifia-t-il. Mais je n'ai rien entendu. Moi non plus je n'étais pas seul.

Ils virent alors une silhouette féminine brune se dresser et s'étirer dans la lumière du soleil, aussi nue que son frère. Alors, ils éclatèrent de rire.

Ly-Rah avait passé une nuit merveilleuse, hors du temps. Malheureusement, la réalité s'imposa de nouveau à elle. Elle n'était pas destinée à rester à Pehr-Goor. Lorsque les radeaux quittèrent la côte des Vagres, un temps gris et brumeux avait remplacé le soleil, comme un reflet de la nostalgie et de la tristesse qui avaient envahi son âme.

Quelques jours plus tard, ils étaient de retour à Lymo. Afin de ne pas ajouter à sa souffrance, Ly-Rah avait refusé de partager de nouveau la couche de Ken-Loh. Il avait tenté de lui démontrer qu'ils devaient profiter du peu de temps qu'il leur restait, elle n'avait pas cédé.

Le lendemain de leur retour commença le rassemblement, qui permit à Ly-Rah de revoir les chefs des sept tribus de Pehr-Goor, notamment Krigs, aux côtés de qui ils
avaient combattu. Pour les rassurer, elle leur rapporta sa
conversation avec Hanroy à propos de l'étoile.

Puis les Renards embarquèrent sur les deux radeaux
qu'ils avaient appris à manœuvrer au cours du voyage de
l'aller. La séparation fut triste et douloureuse. On ne se
reverrait pas avant une année. Si on se revoyait...

Car, dans le ciel nocturne, l'étoile de la prophétie gros-
sissait et luisait de plus en plus fort. Mais ce n'était plus
vraiment elle que Ly-Rah redoutait.

36

Trois mois s'étaient écoulés depuis le départ de Ly-Rah. Chaque matin depuis quelques jours, Loo-Nah se rendait au sommet de la colline de l'ouest, où s'amorçait le chemin menant sur les rives du Dor'Ohn. Bien sûr, elle savait que ce voyage ne recelait pas de grands dangers, mais, une lune plus tôt, elle avait fait un rêve étrange, dans lequel sa fille se battait contre des ombres qui tentaient de la tuer. Pendant deux jours, elle n'avait pu toucher à sa nourriture. Puis tout était rentré dans l'ordre. Ly-Rah était de nouveau apparue dans ses rêves, découvrant des paysages inconnus, issus des interprétations qu'elle avait faites des récits de ceux qui s'étaient rendus au pays des Palkawans. Elle-même n'avait jamais accompli ce voyage, mais son imagination avait fait le reste.

Son intuition lui soufflait que Ly-Rah était bien vivante. Loo-Nah en avait été rassurée, mais il lui tardait de revoir sa fille et son fils. Quelque chose lui disait qu'ils avaient dû surmonter des épreuves difficiles. D'où ces longues attentes au sommet de la colline dominant le Dor'Ohn. Souvent, La-Nah et Si-Khi lui tenaient compagnie. Elles aussi languissaient de revoir leur sœur et leur frère.

Enfin, un matin, au tout début de la saison des feuilles rousses, un groupe d'une trentaine de personnes apparut au creux de la vallée, longeant le torrent. Le cœur de Loo-

Nah fit un bond. Sa fille était de retour. Les deux petites dévalèrent la colline en courant pour les accueillir.

Ce furent de belles retrouvailles. Avertis par les guetteurs, la moitié des Renards se portèrent à la rencontre des voyageurs. Chacun parlait en même temps, tout en voulant écouter ce que les autres avaient à dire. On revint au village dans un joyeux désordre.

Lorsqu'ils purent s'isoler, Ly-Rah serra longuement ses parents contre elle. A mesure que l'expédition approchait de No'Si'Ann, elle avait tremblé de ne pas les revoir. Mais ils étaient là, bien vivants tous les deux. Loo-Nah lui fit part de son inquiétude, une lune auparavant. Ly-Rah lui conta alors l'attaque du village d'Eyz'Tay et la mort de Ly-Han.

Elle relata son expédition, les rencontres avec les chefs des nations de Pehr-Goor, la découverte du grand fleuve salé. Par pudeur et discrétion, elle passa sous silence sa nuit tumultueuse avec Ken-Loh, adressant un regard d'avertissement à son frère qui lui répondit d'un clin d'œil complice. Cependant, Loo-Nah connaissait assez sa fille pour ne pas avoir compris.

Plus tard, lorsqu'elles se retrouvèrent seules toutes les deux, elle lui dit :

— Quel dommage que Ken-Loh soit destiné à succéder à son père. J'aurais aimé qu'il revienne avec toi.

Ly-Rah rougit, puis soupira :

— Ce n'était pas possible, maman. Nous appartenons tous deux à des peuples différents, envers lesquels nous avons des responsabilités. Si nous faisions passer nos désirs avant ces responsabilités, nous ne serions pas dignes d'elles.

— C'est vrai, ma fille. Mais tu en garderas un beau souvenir.

— C'est tout ce qu'il me restera de lui.

— Il reviendra sans doute l'année prochaine.

306

— La situation n'aura pas changé. Il vaut mieux que je ne pense pas trop à lui. Mais toi, dis-moi, que s'est-il passé en mon absence ? Y a-t-il eu des combats ?

— Il a bien failli. Quand la sœur de Mohn-Kaï a fui son époux, imposé par son frère.

— Je me souviens que nous en avions parlé. Il est beaucoup plus vieux qu'elle ! Et elle était fiancée. Je l'ai rencontrée à l'assemblée des rheuns, elle ne parlait que de son Dah-Renn.

— Elle n'a pas accepté ce mariage et elle s'est enfuie. Elle s'est réfugiée chez les Fils de l'Eau. Mohn-Kaï voulait s'emparer de leur territoire et les soumettre. Ton père s'est interposé. Pourtant, il n'y a pas eu de bataille. Nessah s'est montrée et elle a proposé à Haar-Thus de devenir vraiment sa femme s'il renonçait à son alliance avec Mohn-Kaï. Il a accepté. Il est très amoureux d'elle.

— Mais l'inverse n'est pas vrai.

— Détrompe-toi. Nous avons reçu d'autres nouvelles depuis. Haar-Thus s'est montré très délicat avec elle. C'est un homme courageux et juste. D'après les colporteurs qui les ont rencontrés depuis, Nessah semble très heureuse. Il est aux petits soins pour elle. Et nous venons d'apprendre qu'elle attend un bébé.

— C'est une bonne nouvelle. Mais j'ai vu que d'autres reines ont rejoint celles des Aigles à No'Si'Ann.

— Une grave menace pèse sur toutes les reines des volcans. Dans le sud, Bahr-Kynn a fait alliance avec l'ennemi qui a tué Shi-Nah et Lynn.

— Il a trahi nos peuples ! Mais pourquoi ?

— L'ambition, ma fille. Tout comme Mohn-Kaï, il ne rêve que de devenir le roi des volcans, comme le fut Atham-Kahr à son époque.

— Atham-Kahr n'a fait que défendre notre pays.

— Ces deux-là ont une autre interprétation.

— Les chefs assoiffés de pouvoir de la prophétie. Ce sont eux… Et l'autre est… le démon dont a parlé Noï-Rah. Qui est-il ?

— Il s'appelle Pahn-Trohm. C'est un chef de guerre venu de l'est qui veut imposer son dieu unique à nos peuples. C'est un être sanguinaire et cruel, à la fois sorcier et chef de son peuple, qui a juré d'exterminer toutes les reines et de détruire nos bibliothèques. Il a déjà réussi dans les villages du nord et du sud. C'est pourquoi nous avons recueilli les reines qui ont survécu à No'Si'Ann.

Ly-Rah soupira. La Prophétie se mettait inéluctablement en place.

— Il faut donc nous préparer à la guerre.

— Je le crains. Depuis plus d'une lune, le calme semble revenu, mais nous ne devons pas nous y fier. Chaque jour amène des réfugiés qui fuient la tyrannie de leurs chefs. Leurs récits font froid dans le dos. Dans toutes les tribus du sud, y compris celles qui se sont alliées à lui, Pahn-Trohm impose son dieu. Des cohortes de prêcheurs zélés se sont installées dans chaque village pour surveiller la foi de la population. Ils contraignent les gens à rejeter leurs anciens dieux et les obligent à adorer le leur, Trohm. C'est une divinité exigeante, pleine d'une colère qui n'est que le reflet du caractère intransigeant de son grand prêtre. Les colporteurs évitent désormais de se rendre dans cette région. Nous n'avons plus guère de nouvelles de ces nations. On sait qu'elles se sont soumises, par peur des représailles.

— Pourquoi ne se révoltent-elles pas ?

— Les prêcheurs s'appuient sur les guerriers de Bahr-Kynn, qui ont vite fait de mater les récalcitrants. Ils bénéficient quant à eux d'une certaine indulgence.

— Bahr-Kynn n'est pas fou. Il divise pour régner.

— Dans chaque village, les bibliothèques ont été remplacées par des sortes de temples dans lesquels il faut se réunir régulièrement pour écouter les sermons des prêcheurs, qui exhortent les populations à une obéissance totale. Et il semblerait que beaucoup de personnes croient ce qu'ils disent.

— Pour quelle raison ?

— A cause de l'étoile qui doit, selon eux, s'écraser sur le monde. Pahn-Trohm affirme qu'elle ne s'abattra pas sur nous si toutes les reines sont exterminées et les bibliothèques détruites. Il dit que nous avons défié les dieux, et que les reines ne sont que les envoyées du démon femelle, ennemie de son dieu, Mohrt. Certains ont essayé de résister. Dans le meilleur des cas, ils sont fouettés avec des orties ou des ronces, liés à un arbre, sur la place principale du village. Les plus récalcitrants sont brûlés vifs d'une manière épouvantable. Pahn-Trohm les fait recouvrir d'écorce de bouleau imprégnée de résine de pin. Puis on les attache à des pieux au centre du village et on embrase la résine.

— C'est monstrueux. Comment des hommes peuvent-ils agir ainsi ?

— Je ne sais pas, ma fille. Nous avons connu des guerres tout au long de notre histoire. Nous avons repoussé des envahisseurs qui voulaient s'emparer de nos richesses. Je peux comprendre ça. Mais faire périr un homme dans les flammes parce qu'il refuse de croire en un dieu qui n'est pas le sien, je ne comprends pas.

— Ce Pahn-Trohm est fou.

— C'est un démon, mais il est intelligent. Il ne faut pas le sous-estimer. Cela fait plusieurs années qu'il prépare son action. Il a commencé par envoyer des conseillers auprès de Mohn-Kaï et de Bahr-Kynn. Je pense qu'ils sont aussi à l'origine de la disparition des anciens chefs, qu'ils ont tués pour les remplacer par de jeunes ambitieux à qui ils ont fait croire qu'ils pouvaient devenir les rois des volcans. Tout cela était fait pour déstabiliser le pays.

— Ils y sont parvenus.

— Malheureusement. Les nations se replient sur elles-mêmes. A l'est, les Serpents et leurs vassaux ont renforcé leurs défenses. Ils ont édifié, au sommet d'une butte volcanique proche de leur village, une sorte de forteresse entourée de rangées de pieux et de fossés, dans laquelle les trois nations doivent se réfugier en cas d'attaque.

Sryn-Khan, le chef des Serpents, a établi lui aussi un réseau de messagers et de guetteurs. Ils sont de taille à résister. Ils sont nombreux et puissants. Ils ont fabriqué des lances et des boucliers imités des nôtres. Si l'ennemi les attaque, il aura affaire à forte partie. Mais cela arrivera un jour ou l'autre : leurs reines sont restées sur place.

— Et ailleurs ?

— Depuis l'expédition menée par ton père sur le territoire des Aurochs, tout semble calme. Les Ours gris ont rejeté leur vassalité envers Bahr-Kynn. Ils ont refusé de participer à la guerre contre les Fils de la Nuit. Ils ont craint que les Aurochs ne les envahissent ensuite, mais il ne s'est rien passé. Nous avons passé une alliance avec eux. Dans le nord, les Grands Cerfs ont augmenté le nombre des guetteurs sur les frontières, par précaution. Après son échec et son humiliation devant le village des Fils de l'Eau, Haar-Thus a eu peur que Mohn-Kaï veuille se venger, mais les Aigles se tiennent apparemment tranquilles. Tout semble être rentré dans l'ordre. Les colporteurs voyagent même sans encombre d'un territoire à l'autre.

— Les Aigles sont pourtant assez nombreux pour attaquer les Grands Cerfs.

— Haar-Thus se doute que Mohn-Kaï n'a pas renoncé à ses ambitions. Alors il a noué une alliance avec les Fils de l'Eau. Nessah est retournée auprès d'eux pour proposer cette alliance. Avant cette histoire, les deux nations avaient toujours entretenu de bonnes relations. Les Fils de l'Eau ont accepté. Après tout, il n'y a pas eu de morts puisque la bataille n'a pas eu lieu. Lorsque Haar-Thus s'est déplacé en personne, il a présenté ses excuses à Wakh-Har.

— Avec cette alliance, les forces sont équilibrées.

— Sauf si Mohn-Kaï conclut lui aussi un accord avec Pahn-Trohm. Le calme qui règne actuellement est un leurre. Il y aura de nouvelles batailles. No'Si'Ann n'est pas à l'abri d'une attaque. Mahl-Kahr a mis en place un réseau de messagers chargés de visiter les tribus amies ou alliées. Nous devons savoir ce qui se passe ailleurs. Pahn-Trohm est un fanatique religieux. Il n'existe aucun compromis possible avec un tel personnage. Il s'est juré d'exterminer les reines et il ne cessera pas son combat avant d'avoir atteint son but. Il faut donc nous préparer à la guerre. Une guerre contre un ennemi très nombreux.

— Qu'est-ce qui te fait penser ça ?

— D'après des nouvelles récentes, Pahn-Trohm a quitté Trex'Ann, où il avait installé ses troupes. Je le soupçonne de s'être rendu dans le nord pour nouer une alliance avec Mohn-Kaï. S'il parvient à convaincre Mohn-Kaï et Bahr-Kynn de combattre ensemble, ils viendront jusqu'à No'Si'Ann. C'est ici que les reines se sont réfugiées et il le sait.

37

Kehr'Ann, village des Loups noirs…

Tout comme Mohn-Kaï, Mo-Syhr n'aimait guère les reines. Bien qu'il n'ait été aucunement responsable de la mort de Nay-Lah et de son mari, il n'avait pas été fâché de leur disparition. Il lui en avait toujours coûté de devoir tenir compte de l'avis d'une femme dans la direction de la tribu. Quoiqu'il n'eût pas compris quel avait pu être le motif des Fils de l'Eau, il avait cru sincèrement qu'ils étaient responsables de sa mort. Les indices découverts auprès des deux cadavres ne laissaient planer aucun doute. Pas un instant il ne s'était demandé si ces indices n'avaient pas été déposés là intentionnellement. Il s'était aussitôt rendu auprès de son suzerain, Haar-Thus, pour réclamer justice. Celui-ci avait fait appel à son nouvel allié, Mohn-Kaï. On avait rassemblé la plus magnifique armée jamais vue dans les Montagnes de feu et l'on avait marché sur Dohr'Ann.

Malheureusement, les choses ne s'étaient pas déroulées comme il l'espérait. Le grand guerrier des Renards, Khrent, s'était interposé avec une centaine de ses hommes, tous formés à l'art mystérieux de Brahn, le seul savoir que les Renards n'avaient jamais accepté de partager. Mo-Syhr avait malgré tout espéré qu'on livrerait bataille. La supériorité numérique parlait nettement en leur faveur. Et puis, il y avait eu l'apparition de cette stupide gamine dont Haar-Thus était tombé amoureux. A cause d'elle, la bataille n'avait pas eu lieu. Mo-Syhr en avait conçu une vive frustration. Car la rupture de l'alliance entre les Grands Cerfs et les Aigles avait empêché que Nay-Lah et son mari fussent vengés.

Mohn-Kaï avait quitté la place. Mo-Syhr avait failli enjoindre à ses hommes de le suivre. Mais, outre qu'ils n'auraient pas forcément accepté, il devait obéir aux ordres de son suzerain.

Depuis, le calme était revenu. Sauf que... chaque jour, l'étoile destructrice annoncée par la prophétie se rapprochait. Elle était désormais plus grosse que la vagabonde qui accompagnait la lune, Vaï'Spehr, la dernière étoile à s'éteindre au matin, et la première à s'allumer le soir. Elle brillait de plus en plus longtemps. Impossible de savoir quand elle allait s'écraser sur le monde, mais il ne faisait aucun doute qu'elle se dirigeait tout droit vers les Montagnes de feu. Depuis son apparition, la terreur avait pris possession des esprits des Loups noirs.

Et puis, des hommes étaient apparus dans le village, qui parlaient de leur dieu, Trohm. Ils prétendaient que le mal venait des reines et des bibliothèques et que seules la mort des unes et la destruction des autres empêcheraient l'étoile de tomber sur le village. Au début, on ne leur avait pas accordé d'importance. Les Loups noirs avaient leur propre dieu, Wolfoa, le grand Loup de la montagne, qui veillait sur eux depuis la nuit des temps. Puis, à mesure que l'étoile se précisait, on avait fini par les écouter. Les livres, disaient-ils, contenaient un savoir qui ne devait appartenir qu'à leur dieu, Trohm. Les reines l'avaient défié en utilisant des signes magiques. Leur reine était morte. Il restait la bibliothèque. Il fallait la brûler.

Cette perspective ne dérangeait nullement Mo-Syhr, qui n'avait jamais aimé étudier l'écriture. Il préférait la chasse et les combats. Il admirait Mohn-Kaï qui voulait devenir roi des Montagnes de feu. Il l'avait soutenu lors de l'assemblée des rheuns et avait approuvé avec enthousiasme l'alliance de son suzerain avec lui. Enfin, les Loups noirs allaient redevenir des conquérants, comme ils l'étaient autrefois, avant l'arrivée de celle que l'on appelait la Bienveillante. Une prétendue déesse qui interdisait la guerre.

Malheureusement, une grande partie des Loups noirs s'était opposée à ce qu'on brûle les livres. Lys-Thor, le chef des scribes, s'était violemment accroché avec les prêcheurs qui encourageaient les indécis.

Mais ce matin, il s'était produit un événement auquel il ne s'attendait pas. On avait annoncé l'arrivée d'une troupe importante, forte d'une centaine de guerriers. Un peu inquiet, il s'était porté à sa rencontre. A sa tête, il avait immédiatement reconnu l'homme qu'il admirait le plus : Mohn-Kaï. Un autre homme marchait à ses côtés, un être sombre, masqué de rouge, aux yeux noirs enfoncés dans les orbites. Son regard l'avait mis mal à l'aise. Mais il avait accueilli son héros avec chaleur.

— Sois le bienvenu, Mohn-Kaï. Je n'aurais pas osé espérer ta visite. Mais je veux que tu saches que j'en veux à Haar-Thus d'avoir trahi sa parole.

Mohn-Kaï lui donna l'accolade pour le remercier.

— Mon frère, c'est avec toi que j'aurais dû passer cette alliance.

— Je t'aurais suivi dans cette bataille. Si je n'avais pas été vassal des Grands Cerfs...

— Il n'est peut-être pas trop tard.

— Comment ça ?

— Haar-Thus a trahi à cause de l'intervention de cette petite garce de Nessah, ma propre sœur. Mais le meurtre commis sur la reine Nay-Lah reste impuni. Les Fils de l'Eau n'ont pas payé leur crime.

— C'est vrai. Mais ils affirment qu'ils n'ont rien à voir avec ce crime. Haar-Thus s'est allié avec eux. Les Loups noirs sont de fait leurs alliés.

— Et ainsi, les Loups noirs se rendraient complices de l'assassinat de leur propre reine ? A cause de la trahison de Haar-Thus ? Crois-tu que cela soit juste ?

— Non. Je suis même furieux.

— Il est temps que tu rompes ta vassalité avec les Grands Cerfs. Dans le nord, les Ours bruns viennent de le faire. Ils se sont ralliés à moi.

— Ah...

— En restant aux côtés de Haar-Thus, tu ne deviendras jamais le grand guerrier que tu es au fond de toi. Tu resteras un rongeur de racines cultivant son champ, un petit berger collé au cul de ses mouflons, aussi crotté qu'eux. Et les crimes dont tu as été victime resteront impunis.

— C'est vrai.

— Si, comme les Ours bruns, tu te rallies à moi, justice sera faite. Mais tu dois savoir une chose : quels que soient leurs assassins, les reines ont été condamnées par le seul dieu qui existe vraiment, le dieu Trohm, le créateur de toutes choses. C'est lui qui les a frappées.

— Pourquoi ?

— Mon allié va l'expliquer à ton peuple.

Mohn-Kaï s'effaça et Pahn-Trohm s'avança, toisant les Loups noirs de son regard perçant. Il parla longuement, de sa voix étrange, grave et grondante comme le tonnerre. Le fait que l'on ne puisse pas voir son visage derrière son masque couleur de sang le rendait encore plus inquiétant. Ses paroles étaient effrayantes, mais qui aurait osé le contredire ?

— Cette étoile que vous voyez là-haut, dit-il en pointant le doigt vers l'astre mystérieux qui refusait de disparaître bien que l'on fût en plein milieu de la matinée, cette étoile ne va pas cesser de grossir, de s'approcher de notre monde. Elle est la manifestation de la colère de Trohm. Et lorsqu'elle tombera, tout sera anéanti. Vos villages seront soufflés par une haleine infernale, bien pire que celle des volcans lorsqu'ils explosent. Il n'existera nul endroit où se cacher. Votre chair brûlera, se desséchera, vos os seront réduits en poussière. Il n'y aura plus aucune vie dans tout le pays des Montagnes de feu. Les volcans vomiront des torrents de feu. Vous êtes condamnés, car vous avez accepté de vous avilir, de perdre votre âme en acceptant de vous soumettre aux lois édictées par des femmes. Vous avez utilisé les signes sacrilèges qu'elles ont inventés pour s'emparer de secrets que seul le dieu Trohm doit détenir.

Il y eut quelques murmures de protestation dans la foule rassemblée autour des visiteurs. Mais un regard du prêtre-roi suffit à décourager les contestataires.

— Il n'existe qu'un seul moyen d'attirer la clémence de Trohm, un seul. Vous devez détruire ces livres maudits. Les purifier par le feu !

Les grognements reprirent. Les Loups noirs étaient attachés à leurs manuscrits. Alors, il s'approcha d'eux et plongea son regard noir dans les yeux des récalcitrants. Sa voix tonna à nouveau :

— Voulez-vous donc périr dans les flammes de la fin du monde ? Voulez-vous affronter directement la colère de Trohm ?

Les contestations cessèrent. Le regard de feu n'incitait pas à la révolte. D'autant plus que les visiteurs, Aigles comme Trohms, avaient saisi leurs armes. Sur un ordre de Mo-Syhr, les jeunes guerriers de la tribu s'étaient joints à eux.

Seul le scribe Lys-Thor osa prendre la parole.

— Je ne sais pas qui tu es, clama-t-il, mais tu n'es pas le bienvenu à Kehr'Ann. C'est toi qui fais tuer les reines. Elles n'ont apporté que des bienfaits depuis la venue de Noï-Rah la Bienveillante. Tu es l'ennemi des peuples des Montagnes de feu. Retourne d'où tu viens !

Pahn-Trohm pointa un doigt furieux vers le scribe :

— Démon ! Tes paroles sortent de la gueule même de Mohrt la maudite. Elles sont trompeuses et destinées à aveugler les yeux de ceux de ta tribu. C'est à cause de toi, à cause de ceux qui ont laissé les livres s'incruster dans la vie des peuples que la colère de Trohm se manifeste. C'est à cause de démons comme toi que le monde ne sera bientôt plus qu'un désert de cendres !

Saisi par l'angoisse, Lys-Thor recula. Il devina bien, dans la foule des Loups noirs, quelques regards compatissants, mais la terreur avait déjà fait son œuvre. On avait peur de l'étoile, on avait peur de cet homme aux yeux de feu, dont on ne voyait pas les traits, mais dont la voix faisait vibrer les cœurs. Il sentit tout le poids de la trahison lorsque Mo-Syhr lui-même, qui le détestait, vociféra à l'unisson du visiteur :

— Pahn-Trohm a raison. Nous avons trop longtemps été trompés par les femmes, par les reines. Plus jamais il n'y en aura à Kehr'Ann. Et plus jamais il n'y aura de bibliothèque. Elles ne servent à rien. Bien plus : elles provoquent la colère des dieux ! Nous devons toutes les détruire pour attirer leur clémence.

Ce disant, il saisit une torche et se dirigea vers la bibliothèque. Lys-Thor hurla :

— Nooon ! Ne fais pas ça, Mo-Syhr ! Ces livres contiennent toute l'histoire de notre peuple. Tous les remèdes contre les maladies et les blessures.

— Les sorciers les connaissent. C'est suffisant.

Il bouscula le scribe et pénétra à l'intérieur du bâtiment. Quelques instants plus tard, celui-ci flambait. Lys-Thor, ivre de colère, se rua sur Mo-Syhr, mais une fléchette tirée par une sarbacane l'arrêta en pleine course. Il s'effondra. Pahn-Trohm adressa un signe à ses guerriers, qui s'emparèrent du malheureux et le précipitèrent dans le brasier. Des hurlements insoutenables se firent entendre au milieu des flammes, puis finirent par s'éteindre.

— Ainsi doivent périr les démons ! dit Pahn-Trohm d'une voix forte.

Un silence terrible s'abattit sur la tribu. La mort soudaine de Lys-Thor décontenançait les Loups noirs, mais ils se sentaient impuissants à réagir. Une bonne partie d'entre eux, les plus jeunes, les guerriers de Mo-Syhr, n'attendaient qu'un signe, une velléité de contestation pour frapper. Et puis, beaucoup se posaient des questions. Etait-il possible, après tout, que tout ceci fût vrai ? Que le savoir contenu dans les livres eût irrité les dieux ?

Bientôt, la bibliothèque ne fut plus qu'une carcasse noircie, au milieu de laquelle subsistait ce qui restait du pauvre Lys-Thor. Lorsque l'effervescence se fut un peu calmée, Pahn-Trohm reprit la parole :

— Jamais plus vous ne devrez écouter la voix de ces démons qui tentent de vous entraîner vers votre perte. Je suis venu à vous pour vous sauver. Pour sauver ce monde. J'y laisserai ma vie s'il le faut, mais nous devons combattre le mal, combattre les suppôts de Mohrt. Notre combat va bientôt commencer.

38

Village des Aigles...

Mohn-Kaï tenait sa vengeance. Il n'avait jamais digéré son échec devant Dohr'Ann. Cette petite garce de Nessah avait osé lui désobéir. Pire encore, elle avait détruit l'alliance qu'il avait conclue avec les Grands Cerfs. Haar-Thus, trop heureux de la retrouver, avait, sur la demande de cette chienne, dénoncé leurs accords et renoncé à combattre. Une colère sans nom lui broyait encore les entrailles lorsqu'il songeait à l'humiliation subie, au mépris avec lequel il avait été traité.

Sans la présence de Khrent et de ses Renards, il aurait mené l'attaque seul et il se serait emparé du territoire de ces maudits Fils de l'Eau. Il aurait fait des prisonniers, qui seraient devenus ses esclaves. Mais par la faute de cette petite putain, il avait dû renoncer et retourner sur ses terres avec la honte chevillée au corps. Depuis, il avait ruminé sa vengeance, sans pouvoir la concrétiser. Il avait songé un temps à envahir les terres des Grands Cerfs. Il disposait d'un nombre de guerriers suffisants pour leur infliger une défaite cuisante. Haar-Thus et cette maudite gamine lui tomberaient alors entre les mains. Il ferait comprendre à cette garce qu'elle avait eu tort de lui désobéir.

Il avait dû abandonner cette idée. Encore par la faute de cette traînée, les Grands Cerfs avaient noué une alliance avec les Fils de l'Eau. La victoire devenait plus incertaine. D'autant plus que les Renards ne manqueraient pas d'intervenir.

Nor-Gül lui avait alors conseillé de se tourner vers cet inconnu qui détestait les reines. Mohn-Kaï avait hésité. Il appartenait aux peuples des volcans. S'allier avec une tribu extérieure reviendrait à trahir les siens. Mais Nor-Gül l'avait sermonné :

— Les tiens, noble Mohn-Kaï ? Mais qui sont-ils ? Des tribus qui n'ont pas hésité à te trahir sur le champ de bataille même, une garce de sœur qui n'a jamais accepté de t'obéir, qui t'a porté préjudice, qui t'a humilié ? Un roi tel que toi ne saurait admettre qu'on lui résiste. Il doit être écouté, obéi.

— Mais cette tribu étrangère ne risque-t-elle pas de me trahir à son tour ?

— Noble Mohn-Kaï, je n'ai jamais accordé la moindre confiance à Haar-Thus. Aussi, j'ai mené mes recherches pour nouer des contacts avec cette nation étrangère. J'ai découvert qui ils étaient. C'est un grand peuple, qui a porté à sa tête un homme puissant animé par une foi sans faille en son dieu, Trohm. Je l'ai rencontré quand tu menais ta guerre contre les Fils de l'Eau. Je me doutais que tu courais à l'échec. Je savais qu'on te trahirait. Il est prêt à te rencontrer à son tour.

— Ne va-t-il pas vouloir devenir roi des Montagnes de feu, lui aussi ?

— Pas du tout, noble Mohn-Kaï. Il est disposé à te reconnaître roi de ces terres, pourvu que tu acceptes son dieu. C'est un dieu puissant, placé bien au-dessus des petites divinités de ces montagnes. Trohm est à l'origine de tout ce qui existe dans le monde et dans le ciel. Il a créé la terre, le soleil, la lune et les étoiles. Il leur commande à tous. Mais il t'en parlera mieux que moi quand tu le verras.

Mohn-Kaï avait accepté de rencontrer le chef des Trohms. Il avait nom Pahn-Trohm et portait, pour son peuple, le titre de prêtre-roi. Il cumulait les deux fonctions de chaman et de chef.

Lors de leur première rencontre, Mohn-Kaï avait été subjugué par la personnalité hors du commun de l'individu, dont le regard semblait percer jusqu'au fond de l'âme. Il n'avait ôté son masque rouge que devant lui, dans le secret du ho'mah, où ils se trouvaient seuls avec Nor-Gül. Le visage émacié était barré par une vilaine cicatrice qui allait du front jusqu'à la joue en passant par le haut du nez, lui-même largement entaillé. Ce qui expliquait peut-être sa voix étrange. Mohn-Kaï avait pensé que le port du masque s'expliquait ainsi. Mais Pahn-Trohm lui avait fourni une autre explication.

— Ce n'est pas en mon nom que je combats, dit-il, mais en celui de Trohm. C'est pourquoi on ne doit pas voir mon visage. Mes guerriers portent aussi des masques pour la même raison. Nous nous effaçons derrière lui. Car sans lui, nous ne sommes rien. Nous sommes les poignards de sa colère.

Mohn-Kaï l'avait écouté parler du dieu Trohm et en avait été impressionné. Il avait redouté un instant qu'il tente d'entrer en rivalité avec lui pour régner sur le pays des volcans, mais Pahn-Trohm l'avait immédiatement rassuré. Il possédait déjà son propre territoire, à l'est des Montagnes de feu. Il avait offert de le reconnaître officiellement pour roi des nations du Nord.

— Pourquoi pas de la totalité du pays des volcans ? s'était étonné le chef des Aigles.

Pahn-Trohm lui avait alors posé la main sur l'épaule.

— Mon ami, je connais bien cette région. Les pays du sud sont loin. Ils sont séparés de tes tribus par une montagne élevée, qui empêche les échanges réguliers. Bahr-Kynn, le chef des Aurochs, a déjà conquis une bonne partie des territoires. Il est de la même puissance que toi et il est aussi mon allié. Bahr-Kynn n'est pas ton ennemi.

Vous affronter reviendrait à risquer de vous détruire l'un l'autre, alors que vous pourriez unir vos forces pour combattre votre seul véritable ennemi : le peuple des Renards. Ce sont eux qu'il faut abattre. C'est par eux que le mal est venu.

Le discours avait immédiatement séduit Mohn-Kaï. L'alliance avait été conclue. Et Pahn-Trohm lui avait donné d'excellents conseils.

— Mon ami, il serait maladroit de lancer une offensive contre les Grands Cerfs sans essayer d'abord de connaître les intentions de leurs deux tribus vassales.

— Elles se rangeront derrière Haar-Thus.

— Je n'en suis pas convaincu. Si tu veux vaincre ton ennemi, tu as tout intérêt à diviser ses forces, voire à les retourner contre lui. D'après mes informateurs, il semble que Mo-Syhr, le chef des Loups noirs, te porte une grande admiration. Il en est de même pour celui des Ours bruns. Tous deux sont de jeunes chefs, comme toi, et ils acceptent mal de partager leur pouvoir avec les reines. Les Loups noirs n'ont déjà plus de reine. Nous devons débarrasser les Ours bruns de la leur.

— Est-ce toi qui as tué Nay-Lah ?

— J'ai fait ce que commandait Trohm. Et tu sais pour quelle raison.

Son ton ne souffrait pas de réplique.

— Oui.

— Alors, nous devons également éliminer la reine des Ours bruns, et brûler leurs livres. Ne l'as-tu pas fait toi-même ici, à Ayd'Ann ?

— Les livres ne servent à rien, répondit Mohn-Kaï.

— Nous partageons le même avis, mon ami. Mais cela va plus loin. Non seulement ils ne servent à rien, mais ils sont dangereux. Le savoir ne doit être détenu que par les chamans et les chefs. Les peuples ne doivent pas y avoir accès. Car le savoir est sacré. Il est réservé exclusivement à ceux que Trohm choisit pour guider les nations. Des hommes comme toi et moi.

Mohn-Kaï ne pouvait qu'approuver ces idées. On avait donc pris contact avec les Ours bruns et avec les Loups noirs. Contrairement à ce que craignait Mohn-Kaï, ils avaient été accueillis favorablement. Bien sûr, il y avait eu quelques réticences de la part de certains. Mais Ynn-Grenn, la reine des Ours bruns, avait été éliminée et les bibliothèques avaient été détruites.

Les Aigles et leurs alliés trohms étaient prêts à combattre. Et tout d'abord à exterminer les Grands Cerfs.

— Non, mon ami. Si tu agis ainsi, tu cours à la défaite.

— Comment ça ?

— Tu vaincras sans doute les Grands Cerfs, mais tu te heurteras ensuite aux Fils de l'Eau, auxquels se joindront les Renards.

— Nos troupes sont plus nombreuses.

— Les Renards sont alliés avec les Ours gris et les Tigres. A l'est, les Serpents pourraient te prendre à revers.

— Mais alors, que devons-nous faire ?

— Je te l'ai déjà suggéré. Tu dois rencontrer Bahr-Kynn et t'allier avec lui. Ce sera la rencontre de deux rois. En unissant vos forces, vous vaincrez. Car les Fils de Trohm combattront à vos côtés, à la fois dans le nord et dans le sud. Et la nation des Renards pourra être anéantie. Tu sais pourquoi elle doit être exterminée.

— Toutes les reines survivantes se sont réfugiées à No'Si'Ann.

— Elles doivent toutes périr, jusqu'à la dernière. Toutes les reines, ainsi que leurs filles. Il ne doit plus en rester une seule. A cette condition seulement, nous pouvons espérer la clémence de Trohm. Mais tant qu'elles seront en vie, l'étoile continuera sa route vers les Montagnes de feu. Je t'ai déjà dit ce qui se passerait alors.

Mohn-Kaï laissa passer un silence, puis répondit :

— Nous les tuerons toutes.

Resté seul, Mohn-Kaï leva les yeux vers le ciel du crépuscule. Là-haut, l'étoile destructrice luisait chaque jour un peu plus fort. Il ne faisait aucun doute qu'elle se dirigeait vers la terre. Il espérait seulement que Pahn-Trohm ne se trompait pas, et que l'anéantissement des reines suffirait à amener Trohm à la dévier de sa trajectoire. Parfois le doute lui venait. Jamais auparavant il n'avait entendu parler de ce dieu. Il faut dire qu'il n'écoutait jamais les prêcheurs qui hantaient le hah'koom. Pahn-Trohm lui avait dit qu'ils visitaient le pays des volcans depuis de nombreuses années, afin d'enseigner l'existence du seul vrai dieu aux peuples des Montagnes de feu. Pahn-Trohm devait savoir ce qu'il faisait. Il était tellement sûr de lui.

Pourtant, une question taraudait Mohn-Kaï. Lui-même éprouvait une haine féroce envers sa propre sœur. Mais chez Pahn-Trohm, cette haine s'étendait à toutes les femmes. Il avait cru un moment qu'il préférait les hommes. Il existait dans toutes les tribus des individus comme ça, qui n'aimaient pas partager la couche des femmes. On se moquait un peu d'eux, mais ils n'en étaient pas moins de braves compagnons. Pahn-Trohm, lui, dormait toujours seul. Les choses du sexe paraissaient ne pas l'intéresser du tout.

Aussi, au-delà de la menace que les reines faisaient peser sur le pays, Mohn-Kaï se demandait s'il n'y avait pas une autre raison à cette formidable haine. Mais il ne se sentait pas le courage de l'interroger à ce sujet.

D'ailleurs, personne n'aurait osé poser de questions à Pahn-Trohm. Le feu de son regard suffisait à décourager les plus audacieux. Et personne ne connaissait le secret de cette haine extravagante. Lui-même avait fini par croire de toute son âme noire à la mission que lui avait confiée son dieu une nuit où il l'avait visité pendant ses rêves. C'était à la suite de cette nuit qu'il avait changé son premier nom, désormais oublié, en celui de Pahn-Trohm, qui signifiait fils de Trohm. Car Pahn-Trohm était le fils de son dieu, envoyé dans le monde des hommes pour accomplir sa vengeance et répandre sa parole.

Cependant, il conservait, dans les replis de sa mémoire, le souvenir d'une autre époque, où il n'était encore qu'un jeune colporteur, déjà habité par une admiration immodérée envers le dieu de sa tribu. Un jeune homme qui avait l'habitude, tous les ans, de participer à cette grande assemblée qui réunissait toutes les tribus des Montagnes de feu pour leur grand troc annuel. C'était à cette occasion qu'il avait fait la connaissance d'une femme à la beauté quasi surnaturelle. Elle avait alors une vingtaine d'années et resplendissait comme la plus magnifique des fleurs. Son sourire faisait couler dans les veines du jeune colporteur des torrents de feu. Il la désirait, il la voulait, sans oser seulement l'aborder. Il ne parlait d'ailleurs pas sa langue. Pour elle, l'année suivante, il l'avait apprise, afin de pouvoir lui parler. Cette fois, il l'avait approchée, il lui avait adressé la parole. Emporté par ce désir qui ne l'avait pas quitté depuis la première fois qu'il l'avait vue, il lui avait avoué la flamme dévorante qui le consumait. Dans sa tribu, il passait pour un bel homme, et il s'était attendu à être payé en retour. Mais elle avait accueilli sa proposition avec indulgence et un rire qui lui avait broyé le cœur. Elle lui avait dit qu'elle était très flattée de sa demande, mais qu'elle ne pouvait pas y répondre. Elle était déjà mariée, et elle était destinée à devenir la reine de son village.

Il en avait conçu une frustration incommensurable. Elle lui était de tout temps destinée. Il en était sûr. Comment avait-elle pu en épouser un autre ? Et sa réponse, gentiment moqueuse, lui avait paru pire qu'une insulte. Il aurait préféré qu'elle l'injuriât, qu'elle le frappât. Mais elle s'était contentée de lui sourire une dernière fois, avant de rejoindre un grand homme blond auquel elle avait adressé un regard plein d'amour, un regard qu'elle n'aurait dû réserver qu'à lui seul.

Alors, il l'avait guettée avec patience, attendant le moment où elle s'éloignait dans la forêt, seule, pour cueillir ses plantes. Il s'était montré à elle. Une nouvelle fois, elle l'avait éconduit, plus fermement. Alors, il avait voulu la prendre, la forcer pour qu'elle soit à lui. Mais la garce savait se défendre. Elle l'avait frappé au visage d'un violent coup de poignard, qui l'avait laissé définitivement défiguré. Puis, tandis qu'il souffrait le martyre, elle s'était enfuie. Elle était allée chercher du secours. Il n'avait eu d'autre choix que de quitter précipitamment les Montagnes de feu.

A partir de ce jour, une haine extravagante, dévorante, s'était emparée de son être. Il s'était juré de lui faire payer son « infidélité » et avait œuvré pour s'emparer du pouvoir au sein de sa tribu. Il s'était réfugié dans l'adoration de son dieu, qui à ses yeux s'était métamorphosé en un dieu de colère et de vengeance. Sa foi intransigeante et son charisme sombre et inquiétant l'avaient amené à devenir le chef de son peuple, mais aussi le chaman. Il avait alors pris le titre de prêtre-roi et avait imposé sa loi intolérante. Mais il avait aussi su s'entourer de personnages aussi fanatiques que lui, à qui il avait fait miroiter la toute-puissance de leur dieu et de leur peuple, un avenir de domination qui les amènerait à régner sur les peuples riches et prospères du pays des volcans. Sa connaissance exceptionnelle des secrets des plantes l'avait grandement aidé à soumettre ses détracteurs, voire à les éliminer. Il avait constitué une armée d'élite de soldats dévoués jusqu'à la mort, dévotion qu'il entretenait grâce à des potions de sa composition, qui annihilaient chez eux tout instinct de conservation. Autoproclamé fils de Trohm, il avait convaincu ses partisans que la mort à son service leur vaudrait d'être accueillis auprès de Trohm lui-même pour une vie nouvelle où tout leur serait permis, nourriture abondante et délicieuse, et femmes soumises à leur volonté. L'effet des drogues aidant, on l'avait cru sans difficulté.

Il avait ensuite, telle une araignée patiente et habile, tissé un réseau au cœur du pays des volcans, installant des conseillers auprès des rois les plus vulnérables, envoyant des prêcheurs dans toutes les tribus pour parler de son dieu. Puis, grâce à ses guerriers masqués, entraînés à se fondre dans l'épaisseur des forêts, il avait déclenché des conflits et commencé à éliminer les reines maudites.

Car la haine qu'il avait éprouvée pour cette femme à la beauté extraordinaire s'était étendue, avec les années, à toutes les autres, et particulièrement à ces reines dont l'arrogance et l'absence d'humilité les avaient amenées à se croire les égales des hommes. Sa haine s'était alors transformée en une mission divine : exterminer toutes les reines des Montagnes de feu. L'apparition de l'étoile destructrice l'avait conforté dans ses projets. Il ne faisait aucun doute que cet astre était envoyé par Trohm pour punir les tribus des volcans de s'être soumises au pouvoir des femmes. Seule l'élimination totale de ces reines et de leurs filles pourrait amener Trohm à épargner les hommes.

Ainsi avait-il provoqué, à l'aide de ses potions étranges, la mort de la première d'entre elles, la reine des Faucons, une dénommée Shi-Nah. D'autres avaient suivi. Mais pour l'une d'entre elles, il avait agi lui-même. Il l'avait tuée de ses propres mains, après une longue agonie au cours de laquelle il s'était vengé de l'humiliation subie. Malgré les années, elle était toujours aussi belle, aussi séduisante. Alors, elle avait payé, elle avait souffert avant de rendre l'âme. Il sentait encore l'odeur de son sang, mêlée à celle de son corps. Il revoyait son visage déformé par la souffrance. Il avait arraché d'elle tout ce qui faisait d'elle une femme. Pour nier ce qu'elle avait été, pour qu'elle ne soit plus qu'une masse de chair sanguinolente. Il avait obtenu sa vengeance.

Pourtant, sa frustration n'avait pas disparu. Il lui semblait au contraire qu'elle s'était accentuée. Qu'elle était devenue comme un feu qui le dévorait de l'intérieur. Trohm ne lui accorderait jamais aucun repos. Il devait aller jusqu'au bout. Il n'avait d'autre choix que d'avancer, encore et toujours, sur le chemin de sang qu'il s'était tracé, pour la gloire de son dieu. Pour fuir surtout l'horreur tapie dans les méandres de son esprit torturé. Dût-il y laisser la vie.

Peut-être s'apaiserait-elle lorsque toutes les reines auraient été occises. Mais le néant qui rôdait au tréfonds de son âme lui hurlait qu'il n'en serait rien. Que jamais il ne trouverait le repos. Car cette reine qui l'avait repoussé alors qu'elle lui était destinée ne reviendrait jamais.

Il connaissait son nom. Elle était la reine de ce peuple dont il avait fait à présent son allié.

Elle s'appelait Lynn.

39

Jamais Nessah n'aurait pensé que cela fût possible. Elle était tombée amoureuse de celui qu'on lui avait imposé comme mari. Malgré son âge, malgré les terribles cicatrices qui le défiguraient. Lorsqu'elle avait pris la décision de revenir vers lui lors de l'affrontement de Dohr'Ann, elle avait obéi à une intuition. Elle n'avait pas réfléchi. Elle avait senti que sur elle seule reposait la possibilité d'empêcher un conflit qui aurait fait de nombreuses victimes. Durant les quelques jours passés auprès de lui, Haar-Thus s'était montré bon avec elle. Il y avait en lui un côté rassurant, solide, généreux. Elle s'en était voulu de s'être enfuie. Mais comment accepter d'être mariée contre son gré pour satisfaire les ambitions de son frère ? Un frère qui avait assassiné son fiancé pour la contraindre à lui obéir. Dans son esprit, Haar-Thus avait été associé à la haine qu'elle vouait à Mohn-Kaï.

Mais Haar-Thus n'y était pour rien. Il ignorait même qu'elle était fiancée quand il avait accepté la proposition de Mohn-Kaï. Il l'avait respectée, il ne l'avait pas touchée. Il avait même menti à Mohn-Kaï en lui faisant croire qu'elle était vraiment devenue son épouse. Réfugiée chez les Fils de l'Eau, elle n'avait nulle part où aller. Depuis la mort de Dah-Renn, elle avait l'impression que sa vie était finie alors qu'elle n'avait pas dix-sept ans. Aussi, quand elle avait vu les troupes mêlées des Aigles et des Grands

Cerfs, elle avait pris sa décision très vite. Si sa vie pouvait permettre d'en épargner beaucoup…

Elle avait craint, en revenant avec Haar-Thus, qu'il ne lui garde rancune de sa fuite et ne cherche à la lui faire payer. Mais il n'y avait rien eu de tout ça. Il était seulement heureux de son retour. Le soir même, elle s'était fait violence et l'avait attiré sur elle pour respecter sa parole. Et une sorte de miracle s'était produit. Il avait fait preuve d'une telle délicatesse qu'elle en avait été troublée. Et surtout, elle avait connu dans ses bras une extase qu'elle n'avait jamais atteinte avec Dah-Renn. Haar-Thus connaissait bien le corps des femmes et savait les mener au plaisir. Elle avait découvert avec stupéfaction qu'ils s'entendaient à merveille, qu'ils se complétaient harmonieusement. Elle comprenait mieux à présent ce que lui avait dit la reine My-Nah à son arrivée. Haar-Thus avait été très aimé de son épouse. Elle savait désormais pourquoi.

Nessah avait fini par ne plus voir ses cicatrices. Elles faisaient partie de lui, comme une sorte de récompense à ses actes de courage. Elle s'était rendu compte aussi qu'il était très aimé des Grands Cerfs. Il régnait à Ghy'Ann une atmosphère chaleureuse, basée sur la solidarité. En quelques jours, elle avait compris qu'elle était réellement amoureuse de son mari, bien qu'il eût largement l'âge d'être son père. Il faut dire que, depuis son retour, il paraissait avoir rajeuni de dix ans. Et leurs nuits fougueuses et débridées n'avaient pas été longues à porter leurs fruits. Deux mois après être retournée auprès d'Haar-Thus, elle portait un bébé, ce qui l'avait rendu fou de joie. Jamais sa première épouse n'avait pu lui donner d'enfant.

Sa jeunesse n'empêchait pas Nessah de prendre son rôle de femme de chef très au sérieux. Les paroles de Khrent étaient imprimées dans sa mémoire et elle estimait comme lui qu'il était essentiel de se réconcilier avec les Fils de l'Eau. Elle leur avait donc rendu visite dans le mois qui avait suivi son retour, en la seule compagnie de My-Nah, d'une demi-douzaine de guerriers et de Noh-Ly, la fille de la reine, qui avait le même âge que Nessah.

Elle avait été accueillie à bras ouverts. On n'oubliait pas que c'était grâce à elle que la guerre avait été évitée. Elle avait longuement discuté avec Wakh-Har. Il s'était montré un peu réticent au début, mais elle avait su trouver les arguments pour le convaincre. Il avait fini par accepter de recevoir Haar-Thus, lequel avait présenté ses sincères excuses aux Fils de l'Eau. La réconciliation s'était faite, et les relations entre les deux peuples avaient repris, au bénéfice de tous. Depuis, Nessah était considérée dans les deux tribus comme l'une de ces petites divinités bienfaisantes qui hantaient les forêts et les lacs et veillaient sur les humains.

A présent, elle était enceinte de deux lunes. Cela ne se voyait pas, sinon à travers les nausées qui la prenaient le matin. Mais My-Nah l'avait rassurée à ce sujet. La plupart des futures mamans en étaient victimes.

Haar-Thus avait craint la vindicte de Mohn-Kaï. Aussi avait-il établi un réseau de guetteurs en direction de l'est afin de prévenir une incursion des Aigles. Mais il ne s'était rien passé. Plus curieux encore, les colporteurs avaient repris leurs visites aux différentes tribus des Aigles, qui leur avaient réservé un excellent accueil. A croire que Mohn-Kaï avait renoncé à toute vengeance et au titre de roi des volcans. Nessah connaissait son frère et ne comprenait pas un tel changement d'attitude. Elle avait conseillé à Haar-Thus de ne pas relâcher la surveillance des frontières. Mais cette surveillance ne s'exerçait pas sur les tribus vassales des Ours bruns et des Loups noirs.

Ce fut cette erreur qui perdit les Grands Cerfs.

40

La rage et la souffrance avaient envahi le cœur de Nessah. En moins d'une journée, son univers avait de nouveau basculé dans l'horreur. Cela avait commencé, quelques jours avant, par une brusque détérioration du temps, comme un signe annonciateur du chaos à venir. Depuis le début de la saison des feuilles rousses, une température clémente s'était maintenue, après un été exceptionnellement chaud. Avec les filles des Grands Cerfs, elle avait même pu se baigner dans le torrent qui traversait le village de Ghy'Ann. Mais un ouragan d'une rare violence avait balayé la vallée et les montagnes, des falaises de nuages sombres avaient envahi le ciel clair par l'ouest. Des orages avaient éclaté, chassant la moiteur ; des trombes d'eau s'étaient abattues sur le village, arrachant les branches des arbres, malmenant les toits de chaume, bousculant les silos à grains. La terre, rendue aride par trois mois de sécheresse, s'était détrempée, mais n'avait pu absorber les pluies soudaines ; des coulées de boue avaient dévalé les montagnes et envahi une partie du village. La foudre avait frappé en plusieurs endroits, embrasant la forêt sur les flancs du Ma'Haï, le volcan qui dominait la vallée à l'ouest. Le déluge avait rapidement éteint l'incendie, mais des troncs d'arbres avaient été emportés le long des pentes et étaient venus obstruer le cours d'eau furieux.

Une vache et un homme avaient péri, frappés par des éclairs éblouissants. Deux enfants s'étaient noyés dans le torrent en crue. Nessah avait trouvé refuge dans le ho'mah en compagnie de Noh-Ly, la fille de la reine My-Nah. Elles s'étaient liées d'amitié depuis son retour. Leurs caractères se complétaient à merveille. Le tempérament bouillonnant de Nessah, prompt à s'emporter, s'accordait avec celui, plus pondéré, de Noh-Ly. Cette dernière perdait rarement son calme. Elle ferait une excellente reine. Mais toutes deux partageaient la même passion : les livres et l'écriture. Contrairement à son frère Mohn-Kaï, Nessah avait suivi avec assiduité l'enseignement des scribes d'Ayd'Ann. Chaque bibliothèque recelant de belles histoires sur la tribu qui l'avait édifiée, Nessah avait fait partager à son amie les récits qu'elle avait dévorés chez les Aigles, en songeant avec tristesse que tout était parti en fumée par la faute de Mohn-Kaï, et qu'elle était probablement l'une des rares à être capables de les reconstituer.

La tempête avait duré trois jours. La veille, on avait fait le bilan des dommages. Quatre personnes avaient perdu la vie, plusieurs bêtes du troupeau avaient disparu, emportées par les eaux en furie. De nombreuses maisons étaient abîmées, mais les toits de chaume avaient heureusement tenu pour la plupart.

En raison de l'ouragan, la surveillance des frontières s'était quelque peu relâchée. Qui aurait osé attaquer par de telles intempéries ? Et surtout, les Grands Cerfs n'avaient aucune raison de se méfier des petits groupes de Loups noirs et d'Ours bruns qui, surpris par les éléments, étaient venus la veille chercher refuge à Ghy'Ann.

Ils avaient jeté le masque peu avant l'aube. Tandis que le village dormait encore, épuisé par sa lutte contre les éléments, les invités s'étaient glissés sur le rempart construit à l'imitation de celui de No'Si'Ann. Les gardes somnolents avaient été égorgés sans pouvoir se défendre. Puis les félons avaient ouvert les portes et les Aigles, dissimulés depuis la veille dans une forêt en aval, avaient envahi les lieux.

Haar-Thus, réveillé en sursaut, comprit immédiatement ce qui se passait. Il secoua Nessah, endormie à ses côtés.

— Tu dois fuir, ma douce. Ton frère nous attaque. Nous allons lui résister, mais il ne faut pas qu'il te trouve, sinon, il te tuera.

— Je ne veux pas te laisser. Je sais me battre. Et je tire très bien à l'arc.

— Ils sont beaucoup trop nombreux. Il faut partir. Si je survis, je te jure de te retrouver, où que tu sois. Mais tu dois d'abord te mettre en sécurité, pour sauver notre enfant.

Il se tourna ensuite vers Noh-Ly, qui avait surgi, affolée, dès les premières rumeurs de combat.

— Noh-Ly, je te la confie. Tu vas l'emmener loin d'ici, chez les Fils de l'Eau et, si possible, chez les Renards. Il n'y a que là-bas qu'elle sera en sûreté.

Nessah avait compris. Elle remplit à la hâte un sac de vivres, puis saisit son arc, son carquois et passa son poignard de silex dans sa ceinture. Puis, profitant de la pénombre de l'aube, tous trois gagnèrent le torrent, dans la partie nord du village. C'était le seul endroit où le rempart possédait une ouverture, hormis la grande porte du sud. Les eaux boueuses avaient envahi les berges, mais il était encore possible de sortir en passant sur le côté par les éboulis. A l'entrée du village se déroulaient de violents combats. Les Grands Cerfs contenaient encore leurs agresseurs, mais ils n'étaient pas assez nombreux, d'autant plus que les traîtres les avaient pris à revers. Un Aigle qui avait réussi à s'infiltrer bondit sur Haar-Thus. Celui-ci le cueillit d'un imparable coup de hache. Nessah vit l'homme s'effondrer, le crâne éclaté comme un fruit mûr. Elle étouffa un cri. En larmes, elle embrassa Haar-Thus, puis celui-ci la repoussa :

— Vite, ma douce, ne perds plus de temps.

Puis il se rua vers le lieu des combats, brandissant sa hache et un solide poignard.

Dans la confusion, Noh-Ly et Nessah parvinrent à se glisser à l'extérieur, escaladant au prix de mille difficultés les effondrements rocheux du torrent. Suivant son cours, de cascades en ressauts, elles s'éloignèrent de Ghy'Ann, où plusieurs demeures étaient déjà la proie des flammes.

Nessah poussa un gémissement de douleur. Sa haine pour son frère, que les jours paisibles passés auprès de Haar-Thus avaient presque réussi à lui faire oublier, avait resurgi d'un coup.

Elles arrivèrent sur une sorte de promontoire plat, qui surplombait le torrent et le village, distant de plus de deux cents pas. La bataille faisait rage. Soudain, au milieu de la confusion, Nessah distingua la silhouette de son mari qui luttait avec courage. Elle reconnut immédiatement son adversaire : Mohn-Kaï. Le cœur broyé par l'angoisse, elle ne put détacher son regard du duel inégal. Mohn-Kaï était plus jeune, plus grand, plus fort, et il voyait mieux. Nessah laissa échapper un hurlement de douleur lorsqu'elle vit Mohn-Kaï frapper Haar-Thus au ventre. Elle crut voir le sang de son mari éclabousser son assassin. Puis il tomba à genoux. Mohn-Kaï lui assena un coup de hache sur le crâne. Haar-Thus s'écroula. D'un coup de pied, Mohn-Kaï fit basculer le corps dans le torrent en furie, qui l'emporta aussitôt.

Prise de haut-le-cœur, Nessah vomit. Puis elle dégagea son arc et l'arma. Elle avait à présent une double raison de tuer son frère. Peu lui importait désormais de mourir. Ce chien avait assassiné les deux hommes qu'elle aimait. Mais elle était trop loin pour l'atteindre. Elle voulut retourner sur place pour mourir en combattant, mais les larmes lui brouillaient la vue et la nausée ne voulait pas disparaître. Elle vomit de nouveau. Noh-Ly la laissa se soulager, puis la saisit par le bras.

— Il faut fuir, Nessah. Nous ne pouvons plus rien pour eux.

— Je veux le tuer.

— Nous reviendrons, je te le promets. Mais il faut d'abord sauver ton bébé. Nous allons rejoindre Dohr'Ann. Les Fils de l'Eau nous protégeront.

— Mohn-Kaï va les envahir, eux aussi.

— Si nous les avertissons à temps, ils pourront venir prêter main-forte aux Grands Cerfs.

— Dans ce cas, je reviendrai combattre avec eux.

Noh-Ly acquiesça.

Elles se glissèrent à bas de la dalle rocheuse, non sans un dernier regard sur le village. Elles virent alors que la bibliothèque était en feu. Une demi-douzaine de guerriers portant des masques traînaient une femme ensanglantée. Parvenus près du brasier, ils y jetèrent la malheureuse. Noh-Ly poussa un hurlement déchirant.

— Ils ont tué ma mère, gémit-elle.

Elles hésitèrent. L'envie de retourner se battre les tenaillait. Mais qu'auraient-elles pu faire contre une telle meute ? Nessah comprit qu'elle devait sauver son fils. Sinon, la mort de Haar-Thus aurait été inutile.

Elles s'apprêtèrent à reprendre la direction de Dohr'Ann en longeant le torrent.

Tout à coup, elles aperçurent une vingtaine de guerriers quitter le village et escalader les rochers dans leur direction.

— Ils nous ont vues ! s'écria Nessah.

A leur tête, elle reconnut Mohn-Kaï. Il avait dû la chercher et se rendre compte qu'elle s'était enfuie. Elle leva son arc, bien décidée à l'attendre. Mais Noh-Ly l'entraîna.

— Viens ! Tu n'as aucune chance de le toucher à cette distance.

Elle lui prit la main et elles se mirent à courir. Elles n'avaient pas fait plus de vingt pas qu'un autre groupe surgissait de l'amont, leur coupant la route. Elles ne pouvaient plus fuir par là. Il ne leur restait qu'une solution : tenter de leur échapper par les pentes du Ma'Haï. Il n'avait plus connu d'éruption depuis l'époque de Noï-

Rah, et un lac aux eaux noires emplissait le fond de son cratère. Ses flancs étaient couverts d'arbustes et de bruyères, avec un relief chaotique, qui multipliait les failles et les ravines. Il eût été facile de s'y dissimuler, mais l'ennemi était vraiment trop près. Cependant, Noh-Ly connaissait bien les lieux pour les avoir parcourus depuis son plus jeune âge et elle entraîna Nessah dans des replis de terrain qui leur permirent de creuser un peu la distance les séparant de leurs poursuivants. Derrière elles, la chasse s'était organisée. Les deux groupes avaient fait leur jonction et escaladaient à présent les pentes rocailleuses. Le ciel était bas et des nuages couvraient en partie le sommet du volcan. Nessah espérait qu'avec un peu de chance cette brume leur permettrait de semer leurs ennemis.

Tout à coup, le sol se mit à vibrer et une secousse puissante projeta tout le monde à terre. Les deux filles, surprises, se remirent immédiatement debout et reprirent leur ascension. Hors d'haleine, Nessah songea à cet épisode de la vie de la Bienveillante où le volcan Pa'Hav, son allié, l'avait sauvée de ses poursuivants. Mais à cette époque, ses ennemis redoutaient tellement le volcan qu'ils n'avaient pas osé s'en approcher. Mohn-Kaï, lui, n'hésiterait pas.

La pente abrupte et les rocailles ne facilitaient pas la progression des deux filles. Mais le frère de Nessah rencontrait les mêmes difficultés. Les poumons en feu, elles continuaient néanmoins à avancer, le cœur battant à se rompre. La mort les talonnait.

Elles savaient au fond d'elles que cette fuite éperdue était vouée à l'échec. Elles n'avaient nul endroit où se réfugier. Tôt ou tard, Mohn-Kaï les rattraperait. Nessah se jura de le tuer. Même si elle mourait ensuite, ce ne serait pas sans combattre.

Tout à coup, il y eut une nouvelle secousse et il se produisit un phénomène auquel personne ne s'attendait. Loin au-dessus, le sommet du Ma'Haï se déforma, puis s'enfla et un formidable nuage de vapeur s'éleva, chassant les brumes de l'aube. Puis des geysers de lave jaillirent, illuminant le nuage de l'intérieur. Un grondement effrayant emplit l'atmosphère. Nessah et Noh-Ly hurlèrent de terreur quand une partie de la couronne creva, libérant un torrent de lave qui se mit à dévaler la pente dans leur direction. Il était désormais impossible de fuir par là. La mort les cernait.

— Nous sommes perdues ! gémit Noh-Ly.

41

No'Si'Ann, quelques jours plus tard…

Le village continuait d'accueillir des réfugiés en provenance du nord comme du sud. On avait ainsi appris que les chefs des Loups noirs et des Ours bruns s'étaient rangés du côté des Aigles. Ceux-ci s'étaient alliés avec la tribu de Pahn-Trohm, un étrange individu masqué de rouge qui voulait imposer son dieu par la terreur. Tous ceux qui tentaient de s'opposer à lui étaient impitoyablement massacrés ou jetés dans les flammes. Il était impossible de se révolter, car il était entouré d'une puissante armée d'hommes, masqués eux aussi, auxquels s'étaient joints les guerriers des Aigles. Il prétendait que son dieu commandait à l'étoile qui menaçait le monde.

Les récits étaient toujours les mêmes : ce n'était que par l'anéantissement total des reines que Trohm accepterait de ne pas détruire le pays des volcans. Pour comble de malheur, de violentes tempêtes s'étaient déchaînées sur le pays. Les récoltes et les troupeaux avaient beaucoup souffert. Pahn-Trohm affirmait que ce n'était là que de nouveaux avertissements lancés par son dieu avant la destruction totale. Impressionnés, les habitants des villages conquis se prenaient à douter.

Un matin, on vit arriver un groupe d'hommes, de femmes et d'enfants appartenant à la nation des Grands Cerfs, dirigé par un homme portant le nom de Gahn-Hir.

— Mohn-Kaï a passé une alliance avec les Loups noirs et les Ours bruns. A cause de la tempête, nous avons accueilli quelques hommes de ces tribus. Ils nous ont dit qu'ils avaient été surpris par les orages et nous demandaient l'hospitalité pour la nuit. Nous ne nous sommes pas méfiés. Mais le lendemain, ils ont tué les sentinelles et ils ont ouvert la porte du village aux Aigles. Notre chef Haar-Thus a été tué par Mohn-Kaï lui-même. Quant à notre reine My-Nah...

L'homme baissa la voix. Les mots étaient trop difficiles à prononcer. Des larmes s'étaient mises à couler le long de ses joues mangées de barbe.

— Ils l'ont tuée, noble Khrent. Brûlée avec les livres de notre bibliothèque. C'est ce Pahn-Trohm qui a donné l'ordre de la précipiter dans le brasier. J'ai encore ses hurlements dans les oreilles.

Un grand silence suivit ses paroles.

— Le chien, cracha Ly-Rah. Il faut éliminer ce monstre.

— Comment avez-vous réussi à fuir ? demanda Khrent.

— Le dieu Ma'Haï est entré en éruption, noble Khrent. Cela a créé un moment de confusion chez les Aigles. Nous en avons profité pour quitter le village. Il y en a certainement eu d'autres. Mais seul notre groupe a réussi à s'échapper. La pluie nous a aidés. Il tombait des trombes et on n'y voyait pas à dix pas. Heureusement, nous connaissons bien les alentours de notre village. Ils nous ont poursuivis, mais nous les avons semés. Nous avons évité le village des Loups noirs et nous avons marché pendant des jours pour venir vous demander l'hospitalité. Nous combattrons à vos côtés.

— Qu'est devenue Nessah ?

— Hélas, nous l'ignorons, noble Khrent. Certains disent qu'elle a fui dès le début de la bataille, en compagnie de Noh-Ly, la fille de la reine. Haar-Thus ne voulait pas qu'elles combattent. Personne ne les a revues. On sait que Mohn-Kaï s'est lancé à sa poursuite. Après, nous ne savons pas ce qui s'est passé. Peut-être sont-elles arrivées à Dohr'Ann, chez les Fils de l'Eau. Mais Mohn-Kaï les talonnait de près...

Khrent poussa un soupir de découragement. Le courageux sacrifice de la jeune femme n'avait servi à rien. Elle n'avait fait que reculer l'échéance de la bataille. Pire encore, elle avait accru la haine que son frère lui portait. Son alliance avec Pahn-Trohm lui donnait une puissance nouvelle. Désormais, il ne craindrait plus de s'attaquer directement aux Renards.

— Ils vont venir ici, dit-il à Mahl-Kahr. Je vais renforcer les défenses du village.

Le chef des Renards répondit :

— Je vais m'en occuper moi-même, compagnon. Quant à toi, je voudrais que tu te rendes chez les Fils de l'Eau pour leur prêter main-forte. Après s'être emparé de Ghy'Ann, il va sans doute s'attaquer à eux. Ils sont en danger.

— A moins qu'ils n'aient déjà été envahis...

— Il n'est peut-être pas trop tard. Nous leur avons promis notre aide.

Ly-Rah intervint :

— Il faut craindre aussi que les Aurochs ne s'en prennent aux Ours gris. Bahr-Kynn n'a pas accepté le refus de leur vassalité. Tous deux ont désormais l'appui des Trohms. J'ai peur que ce Pahn-Trohm ne les ait convaincus de s'allier.

— Ils sont rivaux, objecta Mahl-Kahr.

— Il fera tout pour les convaincre. Son but est tout d'abord d'anéantir No'Si'Ann, parce que c'est ici que se sont réfugiées les reines. Il viendra jusqu'ici.

— Ly-Rah a raison, Mahl-Kahr, renchérit Khrent. Nous devons nous préparer à faire face à une véritable coalition avec laquelle il n'y aura aucune négociation possible.

Le vieux chef hocha la tête.

— Alors, nous devons persuader nos alliés de se regrouper tous ici. Brahn-Hir, tu vas te rendre chez les Ours gris et leur proposer d'abandonner leur village pour venir à No'Si'Ann. Qu'ils emportent tout ce qu'ils peuvent, nourriture, troupeaux, richesses. Tu vas prendre des travois pour les aider. Quant à moi, je vais me rendre chez les Tigres. Malgré leurs fauves, ils sont en danger. Ce n'est qu'en regroupant nos forces que nous aurons une chance de vaincre.

Ly-Rah s'étonna :

— Nous pourrions leur envoyer un groupe de guerriers. Nous avons besoin de toi ici.

— Je dois y aller moi-même. Loo-Nah assurera le commandement en mon absence.

Le soir, Ly-Rah demanda à sa mère pourquoi Mahl-Kahr semblait tellement tenir à se rendre lui-même chez les Tigres. Loo-Nah eut un léger sourire.

— Il a une bonne raison pour ça : Kehrry-Lann est sa fille.

— Sa fille ?

— Peu de gens le savent. Gohl-Bahr, le père de Kehrry-Lann, n'avait jamais été capable de donner un enfant à son épouse. C'était un homme taciturne, dont on savait qu'il préférait les hommes. Mais étant le fils du chef, le titre lui est revenu à la mort de ce dernier. Il a épousé Lynn-Lann par devoir, parce qu'un chef se doit d'avoir une femme. Mais la pauvre n'a pas partagé beaucoup de nuits avec lui. Lorsque Mahl-Kahr était plus jeune, il allait souvent chasser en compagnie des Tigres. Il s'entendait bien avec eux. C'est Gohl-Bahr lui-même qui a demandé à Mahl-Kahr de faire un enfant à sa femme, afin qu'il ait un fils. Mahl-Kahr a accepté. Il faut dire que Lynn-Lann était une très belle femme. Et elle semblait si malheureuse. L'enfant est né. Mais ce n'était pas un garçon. Peu importait. Elle fut élevée pour prendre la relève de son père le jour où celui-ci rejoindrait les dieux. Kehrry-Lann est une fille remarquable. Mahl-Kahr l'aime beaucoup. Pour sauver les apparences, on a fait croire à tous que Gohl-Bahr était bien son père, mais Mahl-Kahr a rendu de fréquentes visites aux Tigres par la suite. Il passait les nuits dans le ho'mah, en compagnie de Lynn-Lann. Et il a suivi l'éducation de leur fille. Malheureusement, il n'a jamais pu lui dire qu'il était son vrai père. Je suis l'une des rares personnes à connaître cette histoire. Il faut la garder pour toi.

— Je garderai le secret. Mais cela veut dire que Kehrry-Lann est à moitié renarde.

— Oui. Et à travers Mahl-Kahr, elle porte en elle le sang de Noï-Rah.

Le lendemain, dès l'aube, les trois délégations quittèrent le village, vers le nord pour Mahl-Kahr, vers l'est pour Khrent, et vers le sud pour Brahn-Hir. Ly-Rah les regarda partir avec anxiété. Les forces du village s'étaient dégarnies de plus de trois cents guerriers.

Ce fut après leur départ qu'un jeune guerrier de la tribu des Renards prit la parole sur la place du village. Il s'était juché sur un tronc d'arbre et ameutait la foule, tenant des propos inquiétants. Intriguée, Ly-Rah s'approcha, et un grand froid l'envahit.

42

Ly-Rah n'avait jamais beaucoup apprécié Korus-Kahn. Beau garçon, mais imbu de sa personne et du succès qu'il remportait auprès des filles, il affichait une morgue hautaine, persuadé d'être un individu d'une essence supérieure. Lorsqu'il avait appris, au retour de l'assemblée des rheuns, où Mahl-Kahr ne l'avait pas convié, que des chefs jeunes, nouvellement élus, avaient proposé de choisir un roi pour l'ensemble des tribus des Montagnes de feu, il avait abondamment approuvé ce projet. Cependant, dans son esprit, ce roi ne pouvait être qu'un membre de la nation des Renards, pour la bonne raison que le roi précédent, Atham-Kahr, était un Renard. De vigoureuses discussions avaient suivi, au cours desquelles on avait tenté de lui expliquer qu'Atham-Kahr n'avait été élu roi que dans le cadre de la guerre contre l'envahisseur molgohr, il n'avait pas voulu en démordre. Il était aussi entêté qu'orgueilleux. Fort de son ascendant sur une partie des jeunes hommes de No'Si'Ann, il avait formé son clan personnel, qui partageait ses idées.

Korus-Kahn estimait que Mahl-Kahr était désormais trop âgé pour diriger la tribu des Renards, qui avait grand besoin d'un chef jeune, à l'instar de toutes ces tribus qui s'étaient choisi des hommes nouveaux. Et ce jeune chef ne pouvait être que... lui-même, bien entendu. Les projets de conquête de Bahr-Kynn et de Mohn-Kaï trouvaient un écho en lui. L'arrivée de réfugiés dont les récits épouvantables relataient les crimes de ces deux conquérants ne l'avait pas perturbé le moins du monde. Ces gens n'étaient que des bergers et des cultivateurs. S'ils avaient été des guerriers, ils auraient su se défendre. Ils n'avaient donc que ce qu'ils méritaient.

Une violente dispute l'avait opposé à Ly-Rah, qui accusait Bahr-Kynn et Mohn-Kaï de ne servir que leurs seules ambitions. Korus-Kahn avait prétendu au contraire que les Renards, plutôt que de les combattre, auraient mieux fait de leur suggérer une alliance afin de constituer une armée puissante et unie, destinée à conquérir de nouveaux territoires. C'était d'ailleurs pour cette raison qu'il souhaitait remplacer Mahl-Kahr et proposer un nouveau destin, un destin grandiose à la tribu des Renards.

Telles étaient les idées qu'il défendait ce matin-là, juché sur son tronc d'arbre, entouré de ses fidèles, au nombre d'une trentaine. Ceux-là étaient, aux yeux de Ly-Rah, un ramassis de fainéants qui rechignaient toujours au travail et rêvaient de posséder des esclaves pour le faire à leur place. Pour cette raison, le projet de conquête les séduisait pleinement. Parmi eux, se trouvaient une quinzaine de filles subjuguées par le charisme et le charme de Korus-Kahn. Cependant, une foule plus importante commençait à se rassembler autour de lui, car il évoquait un sujet qui effrayait une partie de la tribu. Pour certains, la prophétie de Ly-Rah n'était guère précise. Pendant la saison chaude, on avait vu l'étoile augmenter chaque jour un peu plus. A présent que le pays était couvert par une épaisse couche de nuages qui masquait le ciel, on n'osait imaginer la taille qu'elle avait pu atteindre. Son occultation ne faisait qu'exacerber les imaginations. On redoutait de la retrouver beaucoup plus grosse, et donc beaucoup plus proche, lorsque le ciel se dégagerait à nouveau. Insidieusement, les accusations portées par Pahn-Trohm contre les reines trouvaient un écho dans une partie de la population même des

345

Renards, parmi les âmes les plus fragiles. Korus-Kahn était loin d'être stupide, et il avait parfaitement compris que c'était sur ce point qu'il devait s'appuyer pour attirer l'attention sur lui.

— Et si nous nous trompions totalement ? clamait-il. Non seulement les reines ne pourront rien faire pour nous sauver de la chute de cette étoile, mais je pense qu'elles représentent un danger pour tous les peuples des Montagnes de feu. Nous avons essayé de percer les secrets des dieux, nous découvrons aujourd'hui leur réponse !

Il pointa le doigt vers le ciel sombre.

— Cela fait plusieurs jours que nous ne voyons plus l'étoile. Mais elle n'a pas disparu. Nous ne devons nous faire aucune illusion : elle est toujours là, qui approche chaque jour un peu plus. La prophétie dit qu'un déluge de feu s'abattra sur nous au début de la saison des feuilles rousses. Celle-ci a commencé. Le cataclysme est proche. Peut-être même va-t-il se déclencher pendant que je vous parle. Nous devons agir.

— Et comment ? demanda un vieil homme, perplexe. Tu sais comment arrêter la course d'une étoile, toi ?

— Un autre prophète venu d'une tribu lointaine affirme que le dieu qui règne dans le ciel, celui qui a lancé l'étoile contre nous pour nous punir, peut dévier sa trajectoire. Il en a le pouvoir, puisque c'est le dieu du ciel. Mais pour cela, nous devons arrêter de tenter de percer les secrets des dieux. Nous devons détruire les bibliothèques, détruire l'écriture. Là est le danger ! Les hommes ne sont pas faits pour détenir les connaissances des dieux. Qui sommes-nous pour le prétendre ? Possédons-nous le pouvoir des dieux ? Sommes-nous capables, à nous seuls, de dévier cette étoile ? Non, n'est-ce pas ? Nous devons donc nous soumettre aux dieux pour éviter de provoquer leur colère. Ils sont beaucoup plus puissants que nous.

Loo-Nah et Thol-Rok avaient rejoint Ly-Rah.

346

— Ecoutez-moi ce parfait imbécile, gronda Ly-Rah. Il profite de l'absence de Mahl-Kahr et de mon père pour tenter de s'emparer du pouvoir. Il reprend les arguments de nos ennemis.

— Le peuple des Renards a toujours autorisé chacun à s'exprimer librement, dit le sorcier. Cela fait partie de nos lois. Mais parfois, cela peut se révéler dangereux.

— Cet idiot sème le doute dans l'esprit des nôtres. Il faut l'arrêter.

— Fais attention, ma fille, la prévint Loo-Nah. Ses partisans sont dangereux. Ce sont des têtes brûlées. Et ils sont armés.

— Je vais rassembler quelques guerriers, déclara Thol-Rok. Regardez comme certains Renards l'écoutent. S'il parvient à nous diviser, nous sommes perdus.

— C'est pourquoi il faut leur prouver que ce n'est qu'un imbécile, conclut Ly-Rah.

Sans ménagement, elle fendit la foule pour parvenir au pied de l'estrade improvisée. Lo-Kahr la rejoignit aussitôt pour la protéger. Pointant le doigt sur l'orateur, elle s'écria :

— Tu vas te taire immédiatement, espèce de crétin. Tu fais le jeu de l'ennemi en essayant de faire perdre confiance aux Renards. Les livres n'ont rien à voir avec cette étoile.

— C'est à toi de te taire ! Tu n'as aucune idée de ce qui est en train de se passer ! A cause de toi, à cause de tes semblables, le monde va bientôt disparaître dans un déluge de feu !

La quinzaine de partisans mâles de Korus-Kahn se rapprocha de Ly-Rah d'une manière menaçante. Lo-Kahr s'interposa aussitôt, faisant tournoyer sa lourde massue incrustée de silex. Malgré leur nombre, les amis de l'orateur préférèrent reculer. Personne n'avait trop envie de se frotter au colosse. D'autant plus qu'aucun d'eux ne possédait l'art de Brahn. Ils n'avaient jamais eu le courage de l'apprendre. Ly-Rah apostropha Korus-Kahn :

— Descends de ton perchoir si tu es un homme ! Je te lance un défi ! Tu vas te battre contre moi. Si tu me vaincs, tu pourras continuer à pérorer tout ton saoul pour essayer de convaincre les Renards. Mais dans le cas contraire, tu quitteras la tribu, parce que tu te comportes comme un traître prêt à nous livrer à nos ennemis.

Des rumeurs contradictoires parcouraient la foule. Les partisans de Korus-Kahn se mirent à proférer des insultes, notamment les filles, jalouses de Ly-Rah. Mais la grande majorité prit sa défense. Elle était la future reine et bénéficiait de l'affection des Renards. Des injures fusèrent à l'intention de l'orateur, qui les ignora et éclata d'un rire méprisant.

— Tu veux vraiment te battre contre moi ? Je suis plus grand et plus fort que toi. Je vais te flanquer la raclée que tu mérites, toute fille de reine que tu es. Tu y tiens vraiment ?

Ly-Rah haussa les épaules. Ce jeune imbécile ignorait qu'elle possédait l'art de Brahn, ou bien il s'en moquait. Lui-même n'avait jamais été convié à l'étudier. Khrent choisissait pour cela des filles et des garçons plus équilibrés que ce fanfaron vaniteux.

— Descends de ton tronc d'arbre et viens donc me flanquer cette raclée, dit-elle.

L'autre plastronna, puis sauta souplement à bas de son perchoir, en prenant soin de faire voir à ses fidèles qu'il mesurait une bonne tête de plus qu'elle, et qu'il bénéficiait d'une magnifique musculature.

— Je vais essayer de ne pas trop t'abîmer, laissa-t-il tomber d'un ton suffisant. En général, je ne me bats pas contre les filles. Mais puisque tu insistes...

Ly-Rah soupira. Cet individu était une véritable caricature. Cependant, Lo-Kahr l'attira à l'écart.

— Méfie-toi de lui, Ly-Rah. Il est sournois et rusé. Et il n'hésitera pas à te blesser gravement s'il en a l'occasion. Si ton sang coule, cela lui donnera du crédit.

— Je vais me battre à mains nues, répondit-elle. Mais ne te fais pas de soucis. J'ai bien retenu tes leçons.

— Je sais.

Il eut un léger sourire.

La foule s'écarta. Ce genre de combat n'était pas rare. Lorsque deux individus ne partageaient pas le même point de vue, il était fréquent qu'ils se lancent un défi pour prouver ce qu'ils avançaient. Cette pratique avait pour mérite d'éviter des empoignades générales dont on ne savait pas où elles pouvaient s'arrêter. Cependant, il était rare qu'une femme y participe, même si les Renardes savaient lutter. Vouloir prouver qu'on a raison en se battant ne les convainquait pas. Ly-Rah n'avait agi ainsi que pour mettre un terme à la diatribe dangereuse de Korus-Kahn.

Un cercle se forma, libérant un espace dans lequel les deux adversaires s'avancèrent. Infatué de lui-même, Korus-Kahn prit le temps de faire le tour de l'arène improvisée pour recueillir la ferveur de ses admirateurs, garçons et filles. Ly-Rah patienta en soupirant.

Enfin, il se tourna vers elle et écarta les bras en arborant un large sourire, affichant ainsi une belle assurance.

— Quelle arme choisis-tu, ma belle ?

Pour toute réponse, elle montra ses mains sans mot dire.

— Tu veux te battre à mains nues ?

Il éclata de rire.

— Alors, je te promets de te donner la plus belle fessée de ta vie.

Loo-Nah secoua la tête. Elle ne se faisait aucune inquiétude pour sa fille. Mais la bêtise de ce garçon la stupéfiait. Âgé de vingt-deux ans, il avait perdu son père trois ans auparavant et l'autorité de celui-ci lui manquait cruellement. Ly-Rah l'apostropha :

— Quand tu auras fini de faire la roue, on pourra peut-être commencer.

Puis elle marcha sur son adversaire.

L'affrontement ne dura pas plus de deux minutes, au bout desquelles Korus-Kahn se retrouva le nez dans la boue, crachant et ahanant. Un pied de Ly-Rah le maintenait au sol d'une manière imparable, un bras tordu en arrière, sur le point de se briser sous la pression. Il avait encaissé sans pouvoir réagir quelques maîtres coups de pied qui lui avaient coupé le souffle.

— Dois-je te casser le bras ? Ou bien renonces-tu à braire tes âneries ?

Une légère torsion le fit beugler de douleur.

— Alors ?

— Je renonce, je renonce, gémit-il. Lâche-moi.

Ly-Rah abandonna sa prise, sous les acclamations de la foule, y compris une partie des admirateurs de Korus-Kahn, qui venaient de comprendre qu'il n'était finalement qu'une grande gueule. Seule une petite douzaine lui resta fidèle et quitta la place après avoir récupéré son champion humilié.

Ly-Rah prit sa place sur le tronc d'arbre et leva les bras pour obtenir le silence. Elle devait dissiper les doutes que Korus-Kahn avait semés dans les esprits.

— Il faut oublier ce qu'a dit cet ignorant. La vision envoyée par la Bienveillante est très claire : notre monde ne sera pas détruit. Il ne faut pas tomber dans le piège de ce maudit prophète qui répand la terreur en affirmant que l'étoile va s'abattre sur nous. Il l'utilise pour imposer son dieu maudit et sa tyrannie. Jamais les Renards ne devront lui céder. Au cours de mon voyage, j'ai rencontré un peuple qui m'a appris une chose sur cette étoile. Ils l'appellent comète. Ce n'est pas une étoile comme les autres. Il en existe plusieurs comme elle, qui viennent régulièrement traverser le ciel au-dessus de la terre. Mais jamais aucune d'elles ne s'est écrasée sur le monde. Pahn-Trohm ment. Cependant, je ne vous ai jamais caché que nous devrons faire face à des cataclysmes importants. Nous ne triompherons que si nous savons rester unis et refuser la domination d'un dieu monstrueux, pour lequel on jette les reines dans les flammes. Nous n'allons pas baisser les bras et nous résigner. Nous allons nous battre.

Une ovation formidable lui répondit.

Un peu plus tard, Loo-Nah prit Ly-Rah à part :

— Tu as agi avec courage, ma fille. Tu as ramené nos Renards à une vision plus saine des événements. Mais méfie-toi. Tu as gravement humilié ce Korus-Kahn. Il n'a sans doute pas digéré d'être vaincu par une femme. A présent, il t'en veut à mort. Ne le laisse pas t'approcher quand tu es seule.

Ly-Rah ne négligea pas l'avertissement de sa mère. Mais Korus-Kahn avait disparu. On rapporta qu'il avait fui le village sous les quolibets, suivi par le dernier cercle de ses partisans.

— Bon débarras, conclut Ly-Rah.

Cependant, son intuition lui souffla que ce départ n'était pas une bonne chose. Même s'ils n'étaient pas nombreux, ces imbéciles pouvaient faire beaucoup de mal. Il aurait mieux valu les garder au village pour pouvoir les tenir à l'œil.

Quelques jours plus tard, les guetteurs signalèrent l'arrivée d'une troupe importante en provenance de l'est. Les guerriers de Khrent étaient de retour du territoire des Fils de l'Eau.

Mais celui-ci ne marchait pas à leur tête.

43

Une foule inquiète se porta au-devant des arrivants. D'habitude, Khrent marchait devant ses guerriers. Le cœur broyé par l'angoisse, Ly-Rah et Loo-Nah se mirent à courir, Lo-Kahr sur les talons. On s'écarta pour les laisser passer. Khrent était bien là, allongé sur un travois tiré par de grands chiens. Elles crurent un instant qu'il était mort, mais il ouvrit les yeux quand il entendit leurs voix. Il était grièvement blessé. Ses traits étaient tirés, son teint pâle. Il avait perdu beaucoup de sang. Sur son flanc droit et sa jambe gauche, des pièces de lin rougi protégeaient ses blessures. Loo-Nah s'agenouilla près de lui.

— Nous avons combattu à un contre quatre, souffla-t-il. Nous leur avons porté des coups sévères.

— Que s'est-il passé ?

Ce fut Kher-Hogan qui répondit. Il avait pris le commandement des Renards.

— Après avoir détruit le village des Grands Cerfs, les Aigles ont remonté la vallée pour envahir les terres des Fils de l'Eau. Quand nous sommes arrivés, la bataille faisait rage. Nous avons pris les Aigles à revers, mais ils étaient trop nombreux. Nous n'étions qu'une centaine. Grâce à nos arcs, nous avons quand même réussi à dégager le village, mais nous étions trop faibles pour le conserver. Une vingtaine des Renards ont été tués ou blessés. Les Aigles étaient partis, mais nous savions qu'ils allaient revenir en force. Alors, nous avons incité les Fils de l'Eau à nous suivre.

Loo-Nah se pencha de nouveau sur Khrent et lui prit la main. Malgré ses blessures, son regard restait clair. La reine des Fils de l'Eau, Lyo, rejoignit Loo-Nah.

— Je l'ai soigné comme j'ai pu, mais j'ai dû abandonner beaucoup de remèdes à Dohr'Ann.

— Nous allons le ramener.

Avec les Renards rescapés, plus de quatre cents personnes, hommes, femmes et enfants, avaient réussi à fuir la destruction de leur village.

— Maudit soit Mohn-Kaï ! cracha Ly-Rah.

— Mohn-Kaï est mort, répondit Kher-Hogan tandis qu'on se remettait en route vers No'Si'Ann.

— Mort ? Vous l'avez tué ?

— Pas les Renards, non.

Kher-Hogan se tourna alors vers deux jeunes femmes qui suivaient le travois de Khrent et auxquelles Ly-Rah et sa mère n'avaient pas prêté attention, toutes concentrées qu'elles étaient sur leur père et mari. Elles reconnurent Nessah et la fille de la reine My-Nah.

Ly-Rah se releva et leur ouvrit les bras, dans lesquels elles se jetèrent.

— On vous a crues mortes, souffla-t-elle, la voix nouée par l'émotion.

Toutes trois se connaissaient bien pour avoir partagé de joyeux moments à l'assemblée des rheuns.

— C'est moi qui ai tué Mohn-Kaï, dit enfin Nessah d'une voix blanche.

Quelques jours plus tôt, sur les pentes du Ma'Haï...

— Nous sommes perdues, gémit Noh-Ly.

Elles étaient prises entre deux dangers mortels. Derrière elles, une trentaine de guerriers résolus à les tuer escaladaient les éboulis rocheux des pentes du volcan. Bien au-dessus d'elles, la couronne du cratère s'était ouverte, livrant passage à un flot de lave liquide qui dévalait les flancs du volcan à une vitesse stupéfiante.

Il fallait réfléchir très vite. Continuer à monter ne servirait à rien. Soudain, Noh-Ly se souvint d'un détail du terrain qui pouvait peut-être les sauver.

— Viens ! cria-t-elle à Nessah.

Elle lui saisit la main et l'entraîna vers la coulée de lave.

— Tu es folle ! s'exclama sa compagne. La lave vient vers nous !

Mais Noh-Ly ne l'écouta pas. Elle marchait aussi vite qu'elle pouvait, tirant derrière elle une Nessah plus morte que vive. Là-haut, le torrent de lave coulait nettement dans leur direction, dans un grondement d'apocalypse. Déjà, il atteignait les premiers arbustes, qui s'embrasèrent comme de l'étoupe. Elles arrivèrent ainsi dans une sorte de dépression, une ravine creusée sur le flanc de la montagne de feu par les pluies d'érosion.

Le souffle haché par l'effort, Noh-Ly lui cria :

— La lave s'écoule comme l'eau. Elle suit les creux du terrain. Si nous parvenons à franchir cette ravine, nous serons sauvées. La lave va couper la route à ton frère.

Nessah avait compris. Mais il fallait faire vite. Le torrent de feu se rapprochait dangereusement. Elles ne le voyaient plus désormais, car il était caché par les arbres qui poussaient sur le volcan jusqu'à mi-hauteur, mais on pouvait suivre sa progression à l'avancée de l'incendie qui l'accompagnait, et au rugissement de la pierre liquide. S'écorchant les pieds sur les cailloux acérés, elles dévalèrent la ravine, puis se lancèrent à l'assaut de l'autre versant.

Mohn-Kaï avait compris. Il poussa une bordée de jurons. Il n'était pas question de laisser sa sœur lui échapper. Il voulait la tuer de ses mains, comme il avait tué ce chien de Haar-Thus. Il beugla pour rassembler ses hommes. Il était encore temps de traverser la ravine. La lave était à bonne distance. Il se mit à courir. Quelques hommes le suivirent, mais une bonne partie abandonna la chasse. On ne défiait pas impunément les dieux volcans. Ils commencèrent à rebrousser chemin. Mohn-Kaï bondit au cœur de la ravine, puis à l'assaut de la pente, qu'il gravit lestement au moment où un flot de lave surgissait, canalisé par le défilé rocheux. Il n'eut que le temps de se hisser de l'autre côté pour se mettre hors d'atteinte. L'un de ses hommes, qui l'avait imité, eut moins de chance. Il perdit l'équilibre et tomba en arrière.

Un peu plus haut, Noh-Ly et Nessah entendirent son hurlement de douleur tandis qu'il s'écroulait dans la roche en fusion. Mohn-Kaï ne marqua aucun arrêt, envahi par la fureur. Ghrant était l'un de ses plus fidèles guerriers. Il cracha une bordée de jurons. Dût-il y laisser la vie, il se jura d'égorger cette putain lui-même. Il poursuivit son ascension en hurlant de rage.

Hors d'haleine, Nessah s'arrêta un instant pour reprendre son souffle. Elle se rendit compte que seul Mohn-Kaï avait réussi à franchir le torrent de feu. Alors, l'une des histoires lues dans les livres consacrés à Noï-Rah lui revint en mémoire. La Bienveillante elle-même avait été pourchassée sur les pentes du Pa'Hav. Elle s'était arrêtée sur ses flancs et avait bandé son arc, une arme encore peu répandue à l'époque. Et elle avait abattu un à un ses poursuivants.

— Qu'est-ce que tu fais ? s'inquiéta Noh-Ly. Il faut fuir.

— Non. J'ai juré de tuer ce chien et je le ferai.

Forçant sa respiration à se calmer par un violent effort de volonté, elle passa une flèche dans son arc et attendit. A quelques pas au-dessous d'elle, Mohn-Kaï poussa un rugissement de triomphe anticipé. Posément, Nessah tendit la corde. Le trait siffla et vint de planter dans la poitrine de son frère. Le choc le figea sur place, pourtant il se mit à brailler de fureur et de souffrance.

— Garce ! Je t'écorcherai vive.

Mais sa voix était déjà altérée. Il dégaina son couteau de silex et le brandit d'un air menaçant. Ses gestes étaient saccadés. Nessah ne bougea pas, à la grande frayeur de sa compagne. Poussé par la haine, Mohn-Kaï parvint encore à progresser de quelques pas incertains, les yeux rivés sur sa sœur. Sa respiration devenait difficile. Seule la colère lui permettait encore de gravir la pente. Les visages de Dah-Renn et de Haar-Thus passèrent dans l'esprit de la jeune femme. Elle leva son arc, visa, puis décocha une seconde flèche, qui transperça la gorge de Mohn-Kaï. Il voulut hurler, mais aucun son ne sortit. Alors, à bout de forces, il lâcha son poignard et tendit la main vers elle comme s'il avait voulu la broyer. Puis il tomba à genoux et bascula en avant, face contre le sol de rocaille. Immobile.

Mort.

Nessah se mit à trembler. Dah-Renn et Haar-Thus étaient vengés, mais elle ne les reverrait jamais. Alors, la haine céda la place à un désespoir sans nom et elle éclata en sanglots.

— J'avais dit que je le tuerais, gémit-elle.

— Viens, dit doucement Noh-Ly.

Elle lui prit le bras et l'entraîna plus loin. A cet instant, un geyser de lave explosa tout près. Les deux filles n'eurent que le temps de s'écarter. Un paquet de pierre liquide retomba sur Mohn-Kaï, dont le corps s'embrasa instantanément.

Les yeux brouillés par les larmes, Nessah suivit sa compagne le long des flancs du Ma'Haï, loin du torrent de lave. Loin de l'horreur des combats…

— Nous avons redouté que le sommet ne s'ouvre de notre côté, mais la lave a continué à s'écouler par la ravine, expliqua Noh-Ly. Elle nous a isolées des Aigles.

— Le Ma'Haï vous a sauvées, comme le Pa'Hav a sauvé Noï-Rah en son temps, dit Ly-Rah. Nos dieux nous défendent.

— Ensuite, nous avons traversé la vallée qui mène chez les Loups noirs. Nous craignions de tomber sur eux, mais ils devaient être partis combattre avec les Aigles. Nous avons marché plusieurs jours dans les montagnes. Nous avons essayé de suivre la direction de No'Si'Ann, mais nous ne pouvions même pas nous guider au soleil. Jusqu'au moment où nous avons entendu un grand vacarme au creux d'un vallon. Nous nous sommes cachées, puis nous avons reconnu les longs boucliers des Renards. Cette fois, nous étions vraiment sauvées.

Khrent fut immédiatement pris en charge par Loo-Nah et Thol-Rok. Il avait été sérieusement touché par un coup de poignard dans l'abdomen et un coup de hache à la jambe. Mais il avait survécu malgré la fuite et les cahots du voyage, ce qui rassura son épouse. Il était solide. Il survivrait. Il en conserverait quelques cicatrices, mais il était hors de question qu'il reprît le commandement de ses guerriers avant un bon moment. Kher-Hogan le remplaça. Khrent lui faisait entièrement confiance. Il était calme et possédait l'autorité suffisante pour diriger les Renards si le village venait à être attaqué.

Les jours suivants, d'autres réfugiés arrivèrent encore par la vallée des Loups noirs. Par des survivants de la tribu des Ours noirs, on apprit que les Aigles avaient également envahi leur village de Chamb'Ann.

— Tous les bâtiments de l'assemblée des rheuns ont été rasés, expliqua une femme. La reine La-Nah, le chaman et le rheun ont été massacrés. Nous avons dû fuir par les montagnes. Nous avons pourtant toujours respecté la plus grande neutralité. Mais ils n'en ont pas tenu compte. Un nouveau chef du nom de Kohrl a remplacé Mohn-Kaï. Il est aussi cruel que lui et revendique lui aussi le titre de roi des volcans.

Encore une fois, les Aigles n'étaient pas seuls. Les attaquants comptaient un grand nombre d'hommes masqués dans leurs rangs. En revanche, ils n'étaient pas revenus à Dohr'Ann, chez les Fils de l'Eau. Lorsque les fuyards avaient traversé le village, ils n'avaient vu personne. Loo-Nah s'en étonna. Un réfugié apporta la réponse.

— J'ai entendu ce qui se disait au moment où ils ont attaqué notre village. Ils ne comptaient pas venir directement à No'Si'Ann, mais remonter vers le nord-ouest pour anéantir le peuple des Tigres, afin d'éliminer l'un de vos alliés.

Une vive inquiétude envahit la reine.

— Mahl-Kahr est là-bas. S'ils sont en aussi grand nombre, il ne pourra rien faire. Ils vont être massacrés à leur tour. Il faut leur envoyer un messager pour qu'ils reviennent tous ici.

— Je m'en charge, déclara aussitôt Ly-Rah.

44

Last'Ann, village des Ours gris...

Bahr-Kynn n'avait jamais digéré l'affront que lui avait fait Mohr-Lahn, qu'il persistait à considérer comme son vassal. Cependant, il lui avait été impossible de mettre immédiatement sa vengeance à exécution. Il devait d'abord s'emparer des territoires des Fils de la Nuit. Avec ses tribus inféodées, les Chauves-souris et les Ecureuils, Hokh-Thar constituait une menace. Mais cette menace avait été écartée, grâce à l'appui des Trohms. Les chefs et les chamans avaient été éliminés, et les prêcheurs de Pahn-Trohm avaient réussi à rallier nombre de guerriers à leur cause. Leurs troupes avaient grossi en conséquence. Il avait pleinement conscience que seule la terreur maintenait ces hommes qu'il avait combattus sous sa coupe, mais ils étaient désormais persuadés que la seule manière d'éviter la destruction du monde consistait à tuer toutes les reines et brûler tous les livres.

Lui-même ne redoutait pas l'étoile. Il ne pouvait imaginer que les dieux aient décidé d'anéantir les Montagnes de feu. S'ils avaient dû prendre ombrage des reines et des bibliothèques, ils se seraient manifestés avant. Et puis, il gardait le souvenir précis de la prophétie émise par Ly-Rah. L'étoile ne devait en aucun cas s'écraser sur le monde. Elle passerait au-dessus et provoquerait des cataclysmes. Uniquement des cataclysmes. Les peuples des Montagnes de feu en avaient l'habitude. Ils vivaient depuis des temps immémoriaux au cœur des orages de montagne, des tremblements de terre, des éruptions des dieux volcans et de leurs nuages de cendre. Ils surmonteraient ces épreuves.

En revanche, Bahr-Kynn détestait devoir partager le pouvoir avec une femme. Le commandement était uniquement une affaire d'homme. Il conservait sa lucidité. A ses yeux, Pahn-Trohm était un illuminé qui éprouvait une adoration fanatique pour son dieu. A ce titre, il était atteint de folie. Mais il était aussi redoutablement intelligent et calculateur, et jouissait d'un charisme et d'un don d'orateur qui lui assuraient une domination impressionnante sur ses hommes. Lui-même se moquait bien des idées intransigeantes de son allié, mais elles lui étaient fort utiles et il prenait bien soin de ne jamais le contredire. Tant qu'elles maintenaient les peuples sous son autorité, il n'avait aucune raison de s'y opposer.

La peur s'était encore accrue depuis qu'une épaisse couche de nuages avait occulté le ciel. On savait que l'étoile poursuivait sa course folle vers le monde, mais on n'avait plus aucune idée de la distance qui la séparait des Montagnes de feu. Et l'on s'attendait à tout instant à l'apocalypse.

Ce phénomène avait provoqué une sorte d'hystérie collective qui poussait les guerriers, aussi bien ceux de ses propres troupes que les Trohms, à vouloir marcher au plus vite sur No'Si'Ann. Il devenait de plus en plus urgent d'exterminer les reines survivantes et d'incendier la grande bibliothèque des Renards.

Cet état d'esprit lui convenait parfaitement. Et à présent qu'il avait soumis toutes les nations du sud, il pouvait enfin marcher sur Last'Ann, où il prendrait plaisir à tuer Mohr-Lahn de ses propres mains. Sans doute lui lancerait-il un défi après l'avoir fait prisonnier, afin de faire durer ce plaisir.

Pour toutes ces raisons, Bahr-Kynn éprouva une vive déception en arrivant dans le village de son ancien vassal. Il ne restait plus rien. Last'Ann avait été entièrement détruit par le feu, les remparts de bois n'existaient plus, pas plus que les silos, dont les carcasses ne contenaient plus aucune trace de grain. Les maisons elles-mêmes avaient brûlé. De même que la bibliothèque.

Bahr-Kynn pensa un moment que son allié l'avait précédé. Pahn-Trohm était parti depuis déjà presque une lune et il ignorait où il se trouvait. Mais Teh-Griss, l'homme qui commandait les Trohms, paraissait au moins aussi surpris que lui.

— Quoi passé ici ? demanda-t-il dans son langage approximatif, car il ne maîtrisait pas très bien la langue des Montagnes de feu.

Bahr-Kynn l'observa à la dérobée. Il ne jouait pas la comédie. D'ailleurs, quel intérêt Pahn-Trohm aurait-il eu à envoyer d'autres troupes contre les Ours gris, en admettant que ce fût possible ? Alors, Mohn-Kaï ? Etait-il déjà parvenu dans le sud ? Mais cela non plus ne tenait pas. Il avait eu affaire à forte partie avec les Grands Cerfs et les Renards.

— Il n'y a pas eu de bataille, remarqua l'un de ses guerriers. Regarde, noble Bahr-Kynn.

Le chef des Aurochs soupira. Il avait compris : les Ours gris avaient eux-mêmes détruit leur village et emporté leurs richesses. Il ne restait rien, ni récoltes ni troupeaux. De même, si la bibliothèque avait bel et bien brûlé, on se rendait compte qu'elle était vide au moment de l'incendie. Il poussa un rugissement de rage.

— Où sont eux ? demanda Teh-Griss, furieux.

Bahr-Kynn haussa les épaules. Ce crétin n'avait rien compris.

— Chez les Renards...

Il s'abstint d'ajouter « imbécile », mais il le pensait très fort.

Tandis que ses troupes préparaient le bivouac, Bahr-Kynn s'entretint avec Hon-Taï. Il était d'autant plus en colère qu'il se sentait impuissant.

— Je ne peux rien faire, clamait-il. Mes troupes ne sont pas assez nombreuses pour attaquer les Renards. A présent que les Ours gris les ont rejoints, ils nous battraient sans difficulté.

— C'est exact, noble Bahr-Kynn. Seul, tu ne peux vaincre. Mais il reste une solution.

— Laquelle ?

— Mon maître est parti dans le nord pour rencontrer Mohn-Kaï. Il voulait le convaincre de s'allier à lui pour s'emparer de tous les territoires du nord. Je pense qu'il y est parvenu et que les Aigles dominent à présent toutes les autres tribus. Tout comme tu es devenu le roi du sud, Mohn-Kaï est devenu le roi du nord.

— Il ne peut y avoir qu'un seul roi des Montagnes de feu, grommela-t-il.

— Crois-tu ? Le nord et le sud sont séparés par une chaîne de montagnes difficilement franchissables. Mohn-Kaï et toi n'êtes pas ennemis. Vous partagez les mêmes idées. Mon maître souhaite que vous unissiez vos forces contre votre seul ennemi commun : les Renards et leurs alliés. No'Si'Ann doit être détruit. C'est là que se sont réfugiées les reines survivantes.

Bahr-Kynn ne répondit pas immédiatement. Ce que disait Hon-Taï n'était pas faux. Les forces du nord et du sud étaient à peu près équivalentes. Un affrontement entre les deux était plus qu'incertain. En revanche, une alliance leur permettrait de constituer une armée puissante et à même de triompher enfin de ces maudits Renards et de leurs alliés.

— Tu as raison. Préviens Pahn-Trohm que j'accepte cette alliance.

45

Ly-Rah quitta No'Si'Ann dès le lendemain. Il n'y avait pas de temps à perdre. Fahr'Ann, le village des Tigres, était situé vers le nord, à deux bonnes journées de marche. Suivie de son fidèle Lo-Kahr, elle se mit en route peu avant l'aube, malgré un ciel bas et une pluie glaciale.

Longeant le cours du Dor'Ohn, ils suivirent les sentes tracées par les animaux sur les berges, franchissant parfois des dénivellations où cascadaient les eaux abondantes de l'automne. Les précipitations des derniers jours avaient renforcé la puissance du torrent, les obligeant parfois à gagner les hauteurs pour poursuivre leur chemin. Un malaise inexplicable habitait la jeune femme. A plusieurs reprises, elle avait eu l'impression d'être suivie. Mais elle ne ralentit pas l'allure pour autant. Tout à coup, une flèche siffla, qui atteignit Lo-Kahr. Il poussa un cri et fit volte-face. L'instant d'après, tous deux s'étaient abrités derrière leurs boucliers. Ly-Rah scruta les hauteurs, d'où le trait avait été tiré. Elle distingua quelques silhouettes qui se déplaçaient en silence dans les sous-bois. En raison des récentes tempêtes, les arbres avaient perdu une bonne partie de leur feuillage, bien que l'on fût encore loin de la saison blanche.

— Ce n'est pas une fléchette de Trohm, nota Ly-Rah. Elle n'est pas empoisonnée.

Par chance, la flèche avait été déviée par l'épaisse veste de cuir du vieux guerrier. Il en serait quitte pour une ecchymose à l'épaule. D'autres flèches sifflèrent, qui vinrent se planter dans le cuir des boucliers.

— Korus-Kahn, souffla Ly-Rah à son compagnon.

— J'ai vu. Ils sont une douzaine. Cet imbécile ne t'a pas pardonné de l'avoir vaincu. Il a dû être prévenu de ton départ par l'un de ses partisans restés à No'Si'Ann.

— Qu'allons-nous faire ?

— Lui et ses acolytes n'ont jamais été de très bons archers. La moitié de leurs flèches n'atteignent même pas leur cible. Nous allons les charger.

— Allons-y !

Toujours abrités derrière leurs boucliers, ils empoignèrent solidement leurs lances et commencèrent à avancer en direction des tireurs. Quelques flèches vinrent encore se ficher dans leurs protections, mais la manœuvre d'attaque menée par Ly-Rah et Lo-Kahr déconcertait leurs agresseurs. Ils ne s'attendaient pas à une telle réaction. Les traits se raréfièrent. Gravissant la pente, Ly-Rah et son compagnon continuaient à se rapprocher. Les longues lances pointées sur eux achevèrent d'affoler les assaillants, qui détalèrent. Ly-Rah et Lo-Kahr leur décochèrent quelques traits afin de les dissuader de revenir.

— Des lâches ! cracha Lo-Kahr. Incapables même d'aller jusqu'au bout de leur combat.

— Et cet imbécile estimait qu'il était le plus qualifié pour mener les Renards !

Constatant que leurs agresseurs s'étaient volatilisés, ils éclatèrent de rire. Ly-Rah pouffait encore quand Lo-Kahr tempéra son humeur.

— Il faut se méfier des lâches, ma fille, dit-il. Surtout lorsqu'ils sont dominés par l'orgueil. Ils sont capables des pires actions pour se prouver qu'ils sont meilleurs que les autres. Et ils attaquent toujours quand tu as le dos tourné. Korus-Kahn vient de subir un nouvel échec. Il attaquera de nouveau. Mais par-derrière. Prends bien garde à toi, ma petite Ly-Rah. N'hésite pas à le tuer s'il recommence. Car lui ne t'épargnera pas.

Ly-Rah ne répondit pas. Les dernières paroles de son compagnon trouvaient un écho en elle, accentuant le malaise qui la minait depuis leur départ. Elle hésita à se lancer à la poursuite de leurs assaillants. Mais ils ne pouvaient pas se permettre de perdre du temps à les pourchasser.

Ils se remirent en route en suivant la route des crêtes, d'où l'on bénéficiait d'une meilleure vue. Mais leurs agresseurs avaient disparu.

Ils n'eurent pas à aller jusqu'à Fahr'Ann. Le lendemain matin, après une nuit passée sous un surplomb qui les avait protégés de la pluie incessante, ils entendirent une rumeur au creux de la vallée.

— Ce sont les Tigres ! déclara Lo-Kahr.

— Oui, mais il s'est passé quelque chose. Regarde !

La troupe progressait à pas lents. Beaucoup d'hommes boitaient. D'autres étaient étendus sur des travois tirés par des chiens. A l'instar des Renards, les Tigres avaient fabriqué des boucliers. Une formation de guerriers fermait la marche, comme s'ils redoutaient d'être poursuivis. Ly-Rah remarqua aussi qu'il n'y avait plus qu'une demi-douzaine de tigres à dents de sabre avec eux. Où étaient passés les autres ?

Le cœur broyé par l'inquiétude, ils dévalèrent la colline en direction des arrivants. En tête du convoi, ils reconnurent Kehrry-Lann. La jeune femme avait les traits tirés et du sang coulait de son bras gauche. Son tigre cheminait à ses côtés, et lui aussi avait été blessé. Il souffrait d'une patte. Kehrry-Lann ouvrit les bras à Ly-Rah.

— Nous avons été attaqués, souffla-t-elle. Les Aigles et les Trohms se sont alliés. Nous avons résisté avec courage, mais plus de la moitié des nôtres ont été tués ou blessés.

Elle s'écarta pour montrer le travois qui la suivait. Bouleversée, Ly-Rah reconnut Mahl-Kahr. Elle s'agenouilla près de lui. Il respirait avec difficulté et son teint était d'une pâleur extrême. Une vilaine blessure marquait son flanc droit, ainsi qu'une autre à la tête. On les avait recouvertes de toiles de lin, mais celles-ci étaient trempées de sang. Il ouvrit les yeux. Apercevant Ly-Rah, il lui prit la main. La sienne était glacée.

— Tu es là, ma petite Ly-Rah, souffla-t-il.

— Ne parle pas. Nous allons te ramener à No'Si'Ann. Loo-Nah te soignera.

— Non. Je n'arriverai pas là-bas. C'est trop tard.

Il marqua un silence, ferma les yeux pour combattre la douleur. Kehrry-Lann s'était agenouillée de l'autre côté du travois. Il tendit la main vers elle.

— Ma belle Kehrry-Lann, dit-il d'une voix à peine audible. Je vais mourir. Mais avant de rejoindre le Grand Esprit de la terre, je veux te dire combien je suis fier de toi.

— Ne te fatigue pas.

— Je n'ai plus la force. Loo-Nah... te dira quelque chose... que tu dois savoir.

Il se tourna vers Ly-Rah.

— Dis à ta mère qu'elle prenne le commandement de la nation en attendant qu'il y ait un nouveau chef. Elle saura vous protéger.

— Je lui dirai.

— Dis-lui aussi... de révéler mon secret à Kehrry-Lann.

— Je le connais, Mahl-Kahr. Elle me l'a transmis.

Le vieux chef eut un sourire qui se termina en rictus.

— Alors, c'est à toi de lui dire. Moi, je n'en aurai pas la force. Je sens que les dieux me reprennent.

Soudain, ses mains se crispèrent sur celles des deux jeunes femmes. Il prit une profonde inspiration, puis sa tête retomba en arrière. Il avait cessé de vivre. Alors, Ly-Rah laissa couler ses larmes. Mahl-Kahr avait toujours fait partie de sa vie. Il était l'homme solide, le sage sur lequel la tribu pouvait s'appuyer. Kehrry-Lann avait éclaté en sanglots. Vivement émue, Ly-Rah la prit dans ses bras.

— C'est à cause de moi qu'il est mort, hoqueta Kehrry-Lann. Nous combattions côte à côte. Un archer a tiré sur moi. Je ne l'avais pas vu, mais lui l'avait repéré. Il n'a pas eu le temps d'interposer son bouclier. Alors, il s'est placé devant moi et la flèche lui a transpercé le flanc. Il avait déjà été sérieusement blessé à la tête. Nous avons réussi à repousser les Aigles, mais nous avons dû fuir. Ils ont essayé de nous poursuivre, mais nos archers les ont tenus à distance. Malheureusement, nous avons perdu de nombreux compagnons au cours de cette bataille. Mahl-Kahr nous avait rendu visite pour tenter de me convaincre d'aller à No'Si'Ann. Mais je ne l'ai pas écouté. Je ne pensais pas que les Aigles s'attaqueraient à nous. Alors, il est resté avec ses guerriers. C'est grâce à eux que nous avons pu tenir tête aux Aigles.

— Les Aigles ont perdu leur chef.

— Comment ça ?

— Mohn-Kaï est mort. Sa sœur Nessah l'a tué sur les flancs du Ma'Haï.

— Elle a réussi à s'enfuir ?

— Elle est à No'Si'Ann.

Kehrry-Lann sourit à travers ses larmes.

— Alors, suis-moi.

Elle l'entraîna vers un autre travois, sur lequel était allongé un homme lui aussi grièvement blessé, mais que Ly-Rah reconnut immédiatement :

— Haar-Thus ?

Il grimaça un sourire.

— Ly-Rah ! Je suis heureux de te voir, ma belle. Tu sais déjà que Ghy'Ann a été attaqué ?

— Nous l'avons appris.

— Je n'ai rien pu faire.

— Mais on te croyait mort…

— Ce chien de Mohn-Kaï m'a percé le ventre et fracassé le crâne. Il a cru m'avoir tué, sans doute. Mais j'étais seulement assommé. Il m'a basculé dans le torrent. Le froid de l'eau m'a réveillé. J'ai été entraîné très loin par le courant. Je ne sais pas comment j'ai trouvé la force de surnager. J'ai échoué sur une rive, loin du village. J'ai survécu deux jours comme ça, avec la pensée que j'allais mourir sans avoir pu défendre Nessah. Au bout de deux jours, des rescapés des Grands Cerfs m'ont trouvé. Ils m'ont porté jusqu'au village des Tigres où le chaman m'a soigné. Il a dit que je m'en étais tiré parce qu'aucun organe n'avait été touché. A cause de mon ventre confortable.

Il eut un rire triste.

— Avec Nessah qui attendait un bébé, j'ai mangé davantage. Cela m'a sauvé, mais cela n'a pas empêché qu'elle meure sur les pentes du Ma'Haï. Les survivants m'ont dit qu'elle s'était enfuie par là et que le volcan était entré en éruption. J'aurais dû mourir avec les Tigres. Mais ils m'ont éloigné des combats parce que j'étais incapable de me défendre. Et encore une fois, j'ai survécu. Mais ça sert à quoi, maintenant ?

Ly-Rah lui prit la main avec émotion.

— A vivre, Haar-Thus. Nessah n'est pas morte.

— Qu'est-ce que tu dis ?

— Elle est à No'Si'Ann. Le Ma'Haï l'a sauvée, comme le Pa'Hav a sauvé Noï-Rah autrefois. Elle te racontera tout ça quand nous serons arrivés.

— Elle est vivante…

L'œil unique de Haar-Thus se mit à briller et de lourdes larmes de joie glissèrent le long de ses joues couvertes d'une épaisse barbe noire.

Plus tard, tandis que le convoi s'était remis en marche, Ly-Rah resta près de Kehrry-Lann. On avait recouvert le corps de Mahl-Kahr d'une peau de cerf. Comme pour accorder une trêve aux hommes, la pluie avait cessé. Après un long silence, Kehrry-Lann confia :

— Je l'aimais beaucoup. Je crois qu'il était un peu amoureux de moi. Il venait souvent me rendre visite. Nous chassions ensemble. Il a perdu sa femme il y a plusieurs années et il n'a jamais voulu se remarier. Pourtant jamais il ne m'a fait la moindre proposition.

— Et il ne t'en aurait jamais fait. Il ne pouvait pas t'épouser.

— Pourquoi ? Et quel est ce secret dont il voulait me parler ?

— Mahl-Kahr n'était pas amoureux de toi, Kehrry-Lann. Il t'aimait... comme un père aime sa fille.

— Sa fille ? Mais ce n'est pas possible ! Mon père était...

— Gohl-Bahr n'était pas ton père. Le mari de ta mère préférait les hommes. Cela ne l'a pas empêché d'être un bon chef pour les Tigres. Il avait épousé ta mère pour avoir un héritier, qu'il n'a jamais pu lui donner. Alors, c'est lui qui a demandé à Mahl-Kahr de féconder le sein de Lynn-Lann. Gohl-Bahr attendait un fils. Ce fut une fille. Afin de sauver les apparences, il fut décidé de ne rien te dire. Mais Mahl-Kahr n'a jamais oublié que tu étais sa fille. Voilà pourquoi il te rendait si souvent visite, voilà pourquoi il t'aimait et prenait soin de toi.

Les yeux de Kehrry-Lann s'emplirent de larmes à nouveau.

— Il était mon père... Je comprends beaucoup de choses à présent.

— Mahl-Kahr t'aimait d'autant plus qu'il n'avait jamais pu avoir d'enfants avec son épouse. Tu es la seule.

46

Korus-Kahn était furieux. Contre lui, contre tous. Il avait pourtant tenu l'occasion de se venger une bonne fois pour toutes de cette maudite Ly-Rah qui l'avait humilié. Il se targuait pourtant d'être un fier guerrier. Il savait se battre, même s'il ne possédait pas l'art de Brahn, qu'on n'avait jamais voulu lui apprendre. Il se demandait bien pourquoi. Il était aussi puissant que n'importe lequel des garçons que Lo-Kahr et ce chien de Khrent avaient formés. Il y avait aussi des filles. Alors, était-il pestiféré pour qu'on ne voulût pas de lui ? On lui avait répondu qu'il ne possédait pas la sagesse et la maîtrise suffisantes pour recevoir un tel enseignement. Foutaises ! Il aurait été le plus fort de tous ! Voilà ce qu'ils redoutaient. Voilà pourquoi on ne lui avait pas donné accès à ce savoir !

Et à cause de ça, il avait été traîné dans la boue par cette catin, cette maudite femelle de Ly-Rah. La future reine !

Il la haïssait. Aussi avait-il décidé de quitter le village pour vivre dans la forêt, en attendant l'occasion propice de se débarrasser d'elle. Sa compagne, Noua-Sour, détestait elle aussi Ly-Rah. Et elle n'avait pas sa pareille pour se glisser n'importe où sans qu'on la remarque. Elle était restée au village, sortant régulièrement pour le tenir informé. Elle avait ainsi appris que Ly-Rah allait se rendre chez les Tigres. Il pensait tenir sa vengeance. Mais il avait reculé devant les longues lances pointées vers lui et ses compagnons. Le courage n'était pas leur fort. Mais aussi que pouvaient-ils faire contre deux guerriers formés à l'art de Brahn ?

Dans la masure qu'ils avaient bâtie à la hâte, Noua-Sour lui faisait passer des nuits torrides, l'amenant à oublier un peu ses désillusions et sa frustration. Mais au matin, la réalité reprenait le dessus et le renvoyait à ses échecs.

Jusqu'à ce matin où Noua-Sour le regarda avec malice, puis se lova contre lui, entièrement nue, comme pour quêter de nouvelles étreintes. Elle était insatiable. Pourtant, cette fois, elle le repoussa lorsqu'il voulut la pénétrer sauvagement, comme elle l'exigeait toujours.

— Ecoute-moi, dit-elle. Tu veux ta vengeance ? Je connais le moyen de la satisfaire, bien mieux encore qu'en tuant cette chienne de Ly-Rah.

— Comment ?

— Je sais où se trouve la caverne où Loo-Nah cache ses précieux livres.

— Mais personne ne le sait ! Ils prennent toujours soin de s'assurer qu'ils ne sont pas suivis.

— Moi, je le sais. Je possède l'art de me dissimuler. Et je ne fais aucun bruit quand je me déplace dans la forêt. La grotte est située de l'autre côté du Dor'Ohn, dans les collines. Nous pourrions faire un grand feu de tout ce fatras inutile.

Pour toute réponse, Korus-Kahn la saisit par la taille et la força à s'empaler sur lui. Elle poussa un cri de joie et éclata de rire.

A No'Si'Ann, les reines et les scribes ayant fui leurs tribus avaient réussi à sauver quelques précieux manuscrits. La bibliothèque du village se révéla trop petite pour accueillir tous les livres. Aussi fut-il décidé de les abriter dans la grotte où Loo-Nah avait déjà sauvegardé les doubles des manuscrits des Renards. Les réfugiés s'offrirent à l'aider. Lorsque tous les livres furent rassemblés, un convoi quitta No'Si'Ann pour la caverne secrète. Toutes les reines et leurs scribes en faisaient partie, ainsi que trois guerriers lourdement armés. Parmi eux se trouvait Baï-Rahm, le jeune guerrier des Chouettes qui avait sauvé la vieille Pah-Lys en la portant sur son dos. Depuis son arrivée, il n'avait d'yeux que pour Noh-Ly. Sa mère, My-Nah, ayant été tuée par les Trohms, elle était devenue la nouvelle reine des Grands Cerfs. Il ne lui était pas non plus indifférent et c'était elle qui lui avait proposé de les accompagner.

Loo-Nah se douta que quelque chose n'allait pas lorsqu'elle perçut l'odeur de fumée qui flottait dans la forêt. Si la pluie avait cessé depuis la veille, il avait plu les jours précédents et un incendie ne pouvait pas s'être déclenché. Il n'y avait pas eu d'orage.

Elle accéléra le pas et, arrivée en vue de la caverne, poussa un cri de douleur. Les deux sentinelles qui gardaient les lieux gisaient dans leur sang, le crâne défoncé, à l'entrée de la grotte. C'était de là que s'échappait une fumée épaisse. Affolée, Loo-Nah s'élança à l'intérieur, pour tenter de sauver ce qui pouvait l'être. Un boyau long d'une vingtaine de pas menait à une chambre de grandes dimensions où des étagères de bois avaient été construites pour recevoir les manuscrits. Un foyer était entretenu sur place afin de chasser les parasites, comme c'était le cas dans toutes les bibliothèques. Une fumée légère flottait toujours dans les lieux, mais le brasero était conçu de telle manière qu'il ne représentait aucun danger. Les gardes le veillaient en permanence. La fumée qui avait envahi la caverne n'avait rien à voir avec celle de ce foyer. Elle se mit à tousser d'abondance, mais poursuivit son chemin. Lorsqu'elle arriva à la chambre principale, les précieux livres n'étaient plus qu'une fournaise. Incapable de respirer, elle dut faire demi-tour. En proie à une vive émotion, elle ne parvenait plus à reprendre son souffle. Elle ne serait pas arrivée à ressortir sans l'intervention des autres reines qui s'étaient précipitées à son secours.

Revenue à l'air libre, Loo-Nah mit un long moment à reprendre sa respiration.

A quelques pas de là, dissimulés par un surplomb rocheux, Korus-Kahn et ses complices observaient la scène, ravis de leur action. Profitant de l'aube, ils avaient fondu sur les deux gardes par-derrière et les avaient proprement assommés. Korus-Kahn avait éprouvé une joie sauvage à donner la mort. Bien sûr, il n'avait laissé aucune chance à ses adversaires, mais cela n'avait aucune importance. Un formidable sentiment de puissance était monté en lui. C'était la première fois qu'il tuait un homme et il découvrait que c'était bon.

A présent, il surveillait le manège affolé des reines et des scribes qui pleuraient les deux morts et surtout la disparition de tous leurs livres. Il eut envie de rire, mais une autre idée lui apparut. Toutes les reines étaient là, présentes. Toutes ces reines qui représentaient un danger, la chute de l'étoile sur le monde, toutes étaient réunies à portée de ses flèches.

Il avait la possibilité, à lui seul, de sauver le monde, en abattant ces créatures démoniaques... Il arma son arc, prit le temps de viser la première de toutes, la reine Loo-Nah. Il n'avait jamais été très adroit à l'arc, mais il était persuadé du contraire. Et il était tellement proche. Noua-Sour lui demanda :

— Qu'est-ce que tu fais ?

— Je sauve le monde, répliqua-t-il, agacé.

Il se concentra, puis lâcha son trait, qui vint se ficher dans la poitrine de la reine. Celle-ci poussa un cri de douleur et s'écroula. Noh-Ly et les autres se penchèrent sur elle. Baï-Rahm scruta la colline. Il ne fut pas long à repérer la petite troupe.

— Ils sont là ! hurla-t-il.

L'instant d'après, ce fut la débandade dans les rangs des partisans de Korus-Kahn. Bien décidé à faire un carnage en tuant les reines une à une, celui-ci ne s'était même pas rendu compte que ses compagnons s'étaient défilés. Il lâcha un second trait, qui vint se planter lamentablement dans la terre. En revanche, plusieurs flèches sifflèrent dans sa direction. Seule sa position en surplomb lui évita d'être touché. Il regarda autour de lui, constata qu'il était seul. Saisi d'une peur soudaine, il bondit sur ses pieds pour fuir. Mais Baï-Rahm et les deux autres guerriers eurent tôt fait de le rattraper. Il voulut faire face, tira son poignard, mais reçut un maître coup de poing qui l'envoya au sol, inconscient. Tandis que les guerriers, accompagnés par plusieurs jeunes reines furieuses, se lançaient à la poursuite des fuyards, Baï-Rahm ramena son prisonnier jusqu'à l'entrée de la caverne.

Noh-Ly, en larmes, était penchée sur le corps inerte de Loo-Nah.

47

Dans la journée qui suivit, Brahn-Hir arriva à No'Si'Ann, à la tête des Ours gris lourdement chargés. Ils avaient sauvé tout ce qu'ils avaient pu, récoltes, troupeaux, armes, objets, transportés sur des travois tirés par les grands chiens et par les hommes eux-mêmes. La décision de brûler le village n'avait pas été prise de gaieté de cœur, mais il était hors de question de laisser quoi que ce fût aux Aurochs. Les nouveaux venus furent accueillis avec joie par les Renards. Les Ours gris étaient nombreux, bien armés, et bénéficiaient d'une solide réputation de courage.

Cependant, quand Brahn-Hir vit Thol-Rok se porter à sa rencontre, il comprit à son visage grave que quelque chose était arrivé. Le vieux sorcier lui prit le bras et l'entraîna jusqu'à la demeure de ses parents. Si Khrent avait les yeux ouverts et lui adressa un sourire douloureux pour l'accueillir, en revanche, il se rendit compte que sa mère ne bougeait pas.

— Elle est...

— Non. Elle vit toujours. La flèche l'a frappée près du cœur. Les reines se succèdent auprès d'elle, mais elles ne peuvent rien dire. On a réussi à ôter la flèche mais elle a perdu beaucoup de sang. On ne peut qu'attendre.

— Qui a fait ça ?

— Korus-Kahn. Nous l'avons capturé, ainsi que plusieurs de ses complices. Ils ont incendié les livres que nous avions mis à l'abri dans la caverne. Ils ont tué les gardes. Nous attendons le retour de Mahl-Kahr pour décider de leur sort.

— Mais pourquoi ont-ils fait ça ?

— Korus-Kahn a profité de l'absence du chef pour tenter de prendre sa place.

— Il est stupide.

— Stupide, mais ambitieux. Il estimait que les Renards devaient élire un roi qui, bien sûr, ne serait autre que lui-même. Il trouvait Mahl-Kahr trop vieux. Il prétendait qu'il fallait oublier nos dieux pour accepter celui des Trohms, détruire les bibliothèques.

— Et tuer les reines…

— Il n'est pas allé jusque-là. Ta sœur lui a lancé un défi et l'a rossé de belle manière. Il a quitté le village avec une poignée de ses partisans, de jeunes écervelés comme lui. Je ne pensais pas qu'ils deviendraient dangereux. Jusqu'à ce qu'il essaie d'assassiner Loo-Nah.

— Je vais les tuer ! s'écria Brahn-Hir, la main sur le manche de son poignard.

— Non, mon fils. Ce n'est pas l'envie qui m'en manque, à moi aussi. Mais nous devons attendre le retour de notre chef. Il statuera sur leur sort. Il ne devrait plus tarder à présent.

Les Tigres arrivèrent le lendemain. Ils furent accueillis comme les Ours gris. Mais la joie retomba quand on apprit la mort de Mahl-Kahr. Les Renards se sentirent comme orphelins. Mahl-Kahr dirigeait la nation depuis tellement longtemps qu'on l'avait cru indestructible.

Dès qu'elle apprit ce qui s'était passé à la caverne, Ly-Rah se précipita au chevet de sa mère. Celle-ci respirait toujours, mais n'avait pas rouvert les yeux. Son cœur battait régulièrement, mais lentement. Pah-Lys prit la jeune femme contre elle.

— Ne t'alarme pas, ma fille. Si la flèche avait dû la tuer, elle serait déjà morte. Mais elle doit reprendre des forces pour reconstituer le sang perdu. Nous la veillons jour et nuit. Quant à toi, tu as à présent une lourde tâche. La tribu des Renards n'a plus de chef. Et l'ennemi approche. C'est toi qui dois devenir reine à présent. Tu dois réunir les tribus.

Thol-Rok lui confirma les propos de Pah-Lys. Peu après son retour, il la convoqua dans le ho'mah avec les rheuns de tribus réfugiés, Kehrry-Lann, chef des Tigres, Mohr-Lahn, chef des Ours gris, Wakh-Har, chef des Fils de l'Eau. Nessah, en tant qu'épouse, représentait Haar-Thus, trop affaibli.

Lorsqu'elle l'avait retrouvé, allongé sur un travois, en compagnie des Tigres, elle avait cru rêver. Depuis, elle ne le quittait plus.

— Je t'avais dit que je te retrouverais, où que tu ailles, ma douce.

— Mais tu es grièvement blessé.

— Ne t'inquiète pas pour moi, ma belle. Tu penses bien que je n'ai pas survécu aux coups de ton frère et au torrent pour me laisser mourir bêtement. J'ai envie de voir grandir mon fils.

— Tu le verras. Je te le promets.

— La seule chose, c'est que je ne pourrai pas prendre part aux combats qui se préparent.

— Mais tu n'es pas seul. Les Grands Cerfs qui t'ont sauvé combattront en ton nom. Tu peux leur faire confiance. Ils ne sont pas nombreux, mais ils ont des morts à venger.

Outre les rheuns, les reines assistaient à la réunion. Thol-Rok prit la parole.

— Mes compagnons, nous sommes en danger. Les attaques menées au nord et au sud par les Aigles et les Aurochs les ont amenés à s'emparer de la quasi-totalité du pays des Montagnes de feu. Nous ignorons si nos amis les Serpents ont été attaqués à leur tour. Plus personne ne peut se rendre chez eux depuis que les Aigles ont envahi les terres des Fils de l'Eau. Nous connaissons tous le dessein de celui qui les dirige, ce mystérieux Pahn-Trohm qui s'est allié avec eux. Nous savons que Mohn-Kaï est mort. Mais il est à craindre que Pahn-Trohm ait réussi à convaincre Bahr-Kynn et le nouveau chef des Aigles de s'allier contre nous. Il veut anéantir les bibliothèques et exterminer les reines survivantes. Or, elles sont toutes réfugiées à No'Si'Ann. Ils sont très nombreux puisqu'ils ont rassemblé des guerriers issus de toutes les tribus. Mais nous sommes puissants également. Nombreux sont ceux qui ont fui la tyrannie imposée par Pahn-Trohm. Je sais que vous êtes tous prêts à vous battre aux côtés des Renards.

« Malheureusement, notre chef bien-aimé, Mahl-Kahr, a perdu la vie à la suite du combat qu'il a mené pour défendre les Tigres. Notre reine Loo-Nah lutte actuellement contre la mort. La prophétie émise par Ly-Rah pouvait laisser supposer qu'elle serait amenée à succéder à sa mère. Je déclare donc officiellement Ly-Rah la nouvelle reine des Renards.

Il laissa passer un silence. Tout le monde hocha la tête en signe d'assentiment, mais il n'y eut aucune acclamation, par respect pour Loo-Nah. Thol-Rok poursuivit :

— Il reste une autre question à résoudre : les Renards n'ont plus de chef et l'ennemi approche. Nous devons donc désigner celui qui remplacera Mahl-Kahr. Comme vous le savez, il n'a pas eu de fils. Nous devons donc choisir parmi nos guerriers. Pour ma part, je pense à l'un d'eux, qui a fait face avec courage à la tâche que le conseil lui avait attribuée en ramenant nos amis les Ours gris à No'Si'Ann avant même que l'ennemi n'attaque. Brahn-Hir est le frère de Ly-Rah. Il n'y a donc aucun risque qu'ils aient envie de se marier, puisqu'un chef et une reine ne peuvent être unis.

Tout le monde approuva ce choix. Sauf l'intéressé lui-même.

— Je suis très flatté de l'honneur que vous me faites et je vous remercie de la confiance que vous m'accordez. Cependant, mes parents m'ont enseigné à me méfier de l'ambition et du pouvoir. Je suis un guerrier. Je sais mener les hommes au combat. Mais je ne me sens pas capable de prendre les décisions nécessaires pour assurer la prospérité de la nation. La gestion des richesses, des troupeaux, les semailles, les moissons me sont étrangères. Je suis prêt à assumer le rôle de chef temporairement pour diriger la bataille, mais je souhaite pour ma part proposer une autre personne, beaucoup plus qualifiée que moi pour devenir chef de la tribu des Renards.

Cette fois, on applaudit son humilité. C'était une chose rare.

— A qui penses-tu ? demanda Thol-Rok.

— A celle que vous venez d'élire reine de la nation, ma sœur Ly-Rah. Elle seule possède toutes les qualités requises pour ce rôle.

— Mais elle ne peut pas être à la fois chef et reine, fit remarquer Pah-Lys.

— Noï-Rah a joué ce rôle lorsqu'elle a fondé notre tribu. Elle a été à la fois le chef et la reine. Or, Ly-Rah et Noï-Rah sont liées. J'ai assisté au cours de notre voyage au pays de Pehr-Goor à un phénomène extraordinaire. Le vieux sage, Heh-Ming, a plongé Ly-Rah dans un sommeil étrange et l'a fait remonter bien au-delà de sa propre naissance. Là, Ly-Rah a établi un lien direct avec la Bienveillante. Noï-Rah parlait par sa bouche. Ly-Rah a revécu sa vie. Elle a retrouvé la mémoire de Noï-Rah. Parce que Ly-Rah et Noï-Rah sont les mêmes. Ly-Rah a vécu il y a quatre cents soleils la vie de Noï-Rah. Et j'affirme, après avoir vu cela, que Ly-Rah *est* Noï-Rah. Même si elle ne le sait pas elle-même. Noï-Rah est revenue parmi nous parce que notre peuple courait un grave danger. Son esprit s'est incarné dans le corps de ma sœur pour nous prendre en charge. C'est pourquoi Ly-Rah doit également devenir le chef des Renards. Je lui fais totalement confiance pour nous sauver du danger qui nous menace. L'ennemi est trois fois plus nombreux que nous et il est déterminé à nous exterminer. Mais je garde confiance. Noï-Rah, à travers Ly-Rah, saura nous protéger.

Un long silence suivit ses paroles. Chacun regardait Ly-Rah.

— Qu'en penses-tu ? lui demanda Thol-Rok.

— Ce qu'a dit mon frère est vrai. Grâce à Heh-Ming, j'ai retrouvé la mémoire de Noï-Rah. Je la sens vivre en moi. Elle m'apporte toute sa sagesse et son courage. J'accepte donc de diriger la nation des Renards pour le temps qu'elle sera menacée. Mais, tout comme Noï-Rah, je ne conserverai pas ce titre de chef. Lorsque tout danger sera écarté, nous choisirons quelqu'un d'autre.

Il n'y avait rien d'autre à ajouter. La nation des Renards avait une reine et un chef.

Immédiatement, Ly-Rah prit les choses en main. Il fallait faire face à deux ennemis. Le premier n'allait pas tarder à se présenter. Dès que Pahn-Trohm aurait noué l'alliance entre les Aigles et les Aurochs, il se lancerait à l'assaut de No'Si'Ann pour tuer les reines avant l'arrivée de l'étoile, disparue derrière la couche nuageuse qui pesait sur le pays depuis plus d'une lune. Il était impossible de savoir à quelle distance elle se trouvait. Ensuite, si les Renards parvenaient à repousser l'attaque, ils devraient faire face à un danger bien plus insidieux. Les cataclysmes engendrés par le passage de l'étoile plongeraient le pays dans un long hiver. Il faudrait alors économiser la nourriture, survivre jusqu'au retour d'un printemps qui ne reviendrait peut-être pas avant plusieurs années.

Ly-Rah fit tout d'abord renforcer les défenses de No'Si'Ann. Le fossé qui cernait les remparts fut planté de pieux acérés. On fabriqua à la hâte quantité d'arcs, de flèches et de lances. Les pointes de fer offertes par les

Palkawans trouvèrent leur emploi. Parallèlement, toutes les richesses des maisons de l'extérieur furent transférées, entassées dans les demeures situées à l'intérieur de l'enceinte. On se serra pour faire de la place aux membres des tribus alliées. On construisit des huttes supplémentaires pour les abriter. Plus personne ne devait rester hors des murs. Seuls les guetteurs demeuraient perchés dans leurs tours forestières, avec pour consigne de regagner le village dès que l'ennemi aurait été signalé.

Celui-ci arriva six jours plus tard, à l'aube, en provenance de la vallée des Loups noirs. Les troupes du nord et du sud avaient dû faire leur jonction dans leur village. A leur tête, Ly-Rah, montée sur les remparts, reconnut la haute silhouette de Bahr-Kynn. A ses côtés se tenaient deux individus. L'un était vêtu comme les Aigles, sans doute leur nouveau chef, le dénommé Kohrl. Entre lui et Bahr-Kynn marchait un homme au masque rouge, aux cheveux noirs portant une hache de silex et un bouclier. Les assaillants en étaient d'ailleurs pourvus en grand nombre. Ils avaient compris leur utilité. Ly-Rah pesta. Il allait être plus difficile de briser leur assaut s'ils étaient ainsi protégés. Mais encore fallait-il qu'ils sachent s'en servir…

Elle ne put s'empêcher de songer à ce qu'elle savait de l'histoire de Noï-Rah, dont elle avait retrouvé la trace dans la mémoire enfouie au plus profond de la sienne. Le village des origines avait lui aussi été attaqué par une horde venue de l'est. L'assaut avait été repoussé victorieusement. L'ennemi avait fui. Lorsqu'il était revenu, il avait été anéanti par l'explosion du dieu Pa'Hav.

Elle essaya de dénombrer les agresseurs. Sans doute plusieurs milliers, dont les rangs prirent possession de toute l'étendue entre le lac et la forêt. A mesure que l'ennemi avançait, les demeures désertées étaient visitées. Puis, constatant qu'elles ne contenaient plus rien, les pillards frustrés les incendiaient.

A côté de Ly-Rah, Brahn-Hir souffla :

— Le combat va être rude. Ils sont quatre fois plus nombreux que nous. Il faut absolument les maintenir à l'extérieur. S'ils parviennent à rentrer, nous sommes perdus.

Ly-Rah ne répondit pas. Elle avait fait tout ce qui était en son pouvoir. Ils n'avaient d'autre choix que de résister. Les hautes flammes qui dévoraient les maisons de l'extérieur la firent penser à la bibliothèque et aux livres de la caverne, réduits en cendres par l'imbécillité de Korus-Kahn et de ses complices. Elle n'oubliait pas non plus qu'ils avaient sur les mains le sang de sa mère.

— Fais amener les prisonniers près de la grande porte, dit-elle à son frère.

Il acquiesça. Il avait compris son intention. Quelques instants plus tard, Korus-Kahn et ses acolytes étaient amenés, les mains liées dans le dos. Ly-Rah s'adressa à eux :

— Vous avez fait le jeu de l'ennemi. Vous avez tué deux braves compagnons qui défendaient la caverne. Vous avez tenté de tuer notre reine, qui était aussi la vôtre, malgré tous les bienfaits qu'elle apportait à la tribu. Toi, Korus-Kahn, tu as cherché à t'emparer du pouvoir en profitant de l'absence de Mahl-Kahr et des blessures de Khrent. Mahl-Kahr est mort sans avoir pu décider de votre sort. En tant que nouveau chef de la tribu, cette décision me revient. J'aurais pu vous condamner à mort et vous faire trancher la tête. Mais puisque vous avez choisi de vous rallier à l'ennemi, je vais vous donner l'occasion de le rejoindre et de combattre à ses côtés. Il vous reste seulement à le convaincre que vous êtes sincères.

Les prisonniers pâlirent. Korus-Kahn gémit :

— Ils vont nous massacrer.

— Cela ne dépend que de toi. Ouvrez la porte.

Les prisonniers se retrouvèrent dehors, les mains toujours attachées. Ly-Rah remonta sur le rempart.

— A présent, filez ! Ou je donne l'ordre aux archers de vous cribler de flèches.

Joignant le geste à la parole, elle arma son arc. Un trait siffla, qui vint se planter dans le sol aux pieds de Korus-Kahn. Il fit un bond en arrière et chuta lourdement par terre. Il se releva difficilement et cracha :

— Tu me paieras ça, Ly-Rah. Tu as eu tort de nous libérer. Je vais combattre avec les Aigles et les Aurochs. Et je couperai moi-même ta tête et je la ficherai au bout d'une lance.

Pour toute réponse, une seconde flèche siffla. Il retomba sur les fesses. Cette fois, il déguerpit, imité par ses complices. Ils se mirent à courir, en braillant en direction des assaillants. Il y eut un moment d'hésitation dans les rangs ennemis. Puis, avec un bel ensemble, les arcs se levèrent et une volée de flèches cueillit les fuyards, qui s'écroulèrent les uns après les autres. Des guerriers se ruèrent alors sur eux et leur tranchèrent proprement la tête alors que certains s'agitaient encore. Ly-Rah serra les dents. Ils avaient mérité leur sort, mais elle ne pouvait s'empêcher de penser qu'elle les avait envoyés elle-même à la mort.

— Ils avaient pourtant leur chance, dit-elle à voix basse.

— Ils ont dû les prendre pour des espions, répondit son frère.

Les têtes furent plantées sur des lances et brandies à bout de bras en signe de défi, tandis qu'un vacarme formidable saluait ce que l'ennemi considérait comme une première victoire. Sans doute se promettait-il de couper ainsi toutes les têtes des Renards et de leurs alliés.

Peu à peu, le grondement s'amplifia, renforcé par le bruit des lances avec lesquelles les guerriers ennemis frappaient le sol en rythme, afin d'effrayer les villageois. Puis, sur un ordre de leurs trois chefs, la marée humaine se mit à avancer en direction du village.

48

— Tenez vos postes ! hurla Ly-Rah. Il faut les repousser à tout prix !

Impressionnés, les Renards et leurs alliés virent la masse humaine déferler dans leur direction, abritée derrière ses boucliers.

— Nos archers ne les arrêteront pas, grommela Brahn-Hir.

— Oh si ! Je leur ai parlé hier. Il existe un moyen de contrer cette attaque.

Elle se tourna vers les archers qui avaient pris place, pour moitié sur les remparts, pour l'autre moitié à l'arrière, au pied des remparts. Brahn-Hir s'était étonné de cette disposition.

— Ils ne verront pas l'ennemi. Comment vont-ils pouvoir viser ?

— Ils n'auront pas besoin de le voir. Fais-moi confiance.

Lorsqu'elle jugea l'ennemi suffisamment près, elle hurla :

— Tirez !

L'instant d'après, deux volées de flèches jaillissaient des remparts. Mais certaines filèrent directement droit sur l'assaillant, tandis que d'autres décrivirent de longues paraboles avant de retomber sur un ennemi qui ne pouvait se défendre contre les deux à la fois. Si les boucliers arrêtèrent une bonne partie des flèches tirées depuis les remparts, ils se révélèrent inefficaces contre les autres.

En quelques instants, la panique s'installa dans les rangs des agresseurs. Ly-Rah saisit son arc et visa Pahn-Trohm, qui s'était approché en braillant. Il n'eut que le temps de s'abriter derrière son bouclier. Mais la flèche de Ly-Rah s'enfonça profondément dans le cuir.

Une deuxième puis une troisième volée de flèches croisées achevèrent de semer la confusion dans les rangs ennemis. Ceux qui étaient derrière, impatients d'en découdre, poussaient ceux qui étaient devant, qui, eux, tentaient de s'abriter des pluies de traits mortels ou de refluer. La plupart n'étaient pas des combattants, mais des cultivateurs et des bergers.

Le premier assaut se conclut sur un échec cuisant, qui avait coûté un grand nombre de blessés et de morts à l'ennemi. Aigles, Aurochs et Trohms se retirèrent hors de portée des flèches. Mais le nombre était encore largement en leur faveur. Là-bas, Ly-Rah entendit Pahn-Trohm galvaniser ses troupes en hurlant, leur faisant valoir qu'ils n'avaient pas le droit d'échouer une seconde fois. Le ciel bas et gris masquait l'étoile destructrice, mais elle était toujours là, qui approchait. Peut-être allait-elle frapper dans la journée, au plus tard le lendemain. La seule chance d'y échapper était d'attirer la clémence de Trohm en détruisant No'Si'Ann et en tuant toutes les reines.

— Cet homme est fou, grommela Brahn-Hir.

— Mais avec sa voix, il possède un pouvoir formidable. Si nous parvenions à l'abattre, les autres ne suivraient pas.

— Il s'est mis en danger. Il ne recommencera pas deux fois.

Brahn-Hir ne se trompait pas. Lors de la seconde offensive, Pahn-Trohm demeura prudemment à l'arrière. En revanche, Bahr-Kynn et Kohrl rivalisaient d'audace pour s'approcher des remparts de bois. Il y eut encore de nombreux blessés, mais les archers ne pouvaient à eux seuls endiguer la marée humaine. Vers le milieu de la matinée, les ennemis parvinrent à s'approcher des murailles. Là, une autre surprise les attendait. Ly-Rah avait pris soin de masquer le fossé bardé de pieux avec des claies recouvertes de branchages et de terre. Il offrait ainsi l'aspect d'un terrain solide sur lequel appuyer les échelles grossières que les assaillants apportèrent en grand nombre. Les premiers arrivants, hurlant de triomphe d'avoir échappé aux flèches, s'enfoncèrent soudain dans le sol pour s'empaler sur les pieux. Poussés par la presse, les suivants tombèrent à leur tour dans le piège. Par endroits, les quelques échelles qui avaient réussi à prendre appui sur les remparts furent repoussées avec des grappes d'hommes vociférant, qui terminèrent leur chute dans le fossé déjà rempli d'agonisants.

Les Renards poussèrent des cris de victoire. Le second assaut avait été brisé comme le premier. Pour leur part, ils ne déploraient que quelques dizaines de blessés, atteints par des flèches et des tirs de fronde. La muraille, au solide soubassement de pierre, tenait bon.

Il n'y eut pas de troisième assaut. Ly-Rah crut un moment que l'ennemi renonçait, mais elle dut déchanter. Les trois chefs avaient décidé d'une autre tactique. Alors qu'ils n'avaient attaqué que sur un seul front, ils commencèrent à cerner le village pour l'assiéger. Vers le soir, toute fuite était désormais impossible. La nuit tombante interrompit les combats.

Mais le lendemain risquait d'être rude. Malgré les ravages causés par les flèches et les pieux, l'ennemi n'avait pas perdu plus de dix à quinze pour cent de ses effectifs. Les autres étaient habités par la haine que leur avait insufflée le dément qui les dirigeait.

Toujours installée sur les remparts malgré la nuit, Ly-Rah devait lutter pour ne pas céder au découragement. Ils avaient encore de quoi repousser les attaques, mais elle avait un sentiment d'immense gâchis. Au pied des remparts, des agonisants gémissaient, empalés sur les pieux, attendant la mort libératrice. Une puanteur infernale commençait à monter du fossé. Tout cela parce qu'un individu illuminé par ses idées imbéciles avait su les convaincre qu'il fallait à tout prix détruire No'Si'Ann. Elle songeait que nombre de ces hommes qui les assaillaient faisaient partie du même peuple qu'elle, celui des Montagnes de feu. Mais la croyance absurde d'un seul avait divisé les nations, les avait dressées les unes contre les autres, déchaînant des torrents de haine et de passion, semant la mort et la désolation à travers le pays. C'était lui, Pahn-Trohm le maudit, l'être démoniaque qui portait la responsabilité de cette tragédie stupide. C'était lui qu'il fallait éliminer.

Mais comment ?

La nuit fut longue. Vers son milieu, une pluie fine se mit à tomber. Dans le fossé la plupart des gémissements avaient cessé, mais certains blessés n'avaient pas encore péri et leurs plaintes déchiraient les ténèbres. Les enfants, les vieillards et les femmes qui ne combattaient pas avaient trouvé refuge dans les maisons du centre, hors de portée des flèches. Plus que tout, Ly-Rah redoutait le feu. Si l'ennemi avait l'idée d'utiliser des flèches enflammées, il pouvait détruire les maisons et enfumer les défenseurs. Il fallait à tout prix éviter cela.

Le lendemain, alors que le ciel pâlissait à l'orient, une rumeur grondante se fit entendre depuis les rangs des assiégeants. Puis le martèlement des lances retentit à nouveau. Il avait cessé de pleuvoir. Et soudain, tandis que le jour chassait la nuit, un vent violent se leva, qui balaya les nuages vers les montagnes du nord. Surpris par cet ouragan inattendu, les assaillants hésitèrent à lancer leur assaut. Peu à peu, un ciel limpide apparut, qui dévoila un phénomène extraordinaire.

49

L'étoile était là, aussi grosse que le soleil lui-même, et presque aussi éblouissante. On se rendit compte qu'elle était suivie par une longue traînée lumineuse. Tout le monde leva le nez et une clameur de panique retentit, poussée autant par les Aigles, les Aurochs et les Trohms que par les Renards. Elle se déplaçait si lentement qu'on pouvait suivre sa progression à vue d'œil. Il était impossible d'évaluer l'altitude à laquelle elle évoluait. Pourtant, en observant sa progression, on se rendit compte que sa trajectoire ne l'amènerait pas à s'écraser sur le pays. Elle arrivait par le couchant, mais on la voyait nettement se diriger vers le levant plutôt que vers le sol.

Pétrifiés, les uns comme les autres n'osaient plus faire un geste. Le plus étonnant était le silence dans lequel l'étoile se déplaçait. Thol-Rok s'approcha de Ly-Rah :

— Ce n'est pas une étoile. Les gens de Pehr-Goor avaient raison. C'est bien une comète.

— Oui. Ce n'est pas la première fois que l'on observe le passage de l'un de ces astres errants. Les Anciens ont retranscrit leurs témoignages dans les livres. Mais jamais ils n'ont parlé d'une comète aussi grosse.

— En général, elles annoncent de graves événements, compléta le sorcier.

— Mais elles ne détruisent pas le monde.

Au loin, Pahn-Trohm gardait les yeux fixés sur la boule de feu, s'attendant d'un instant à l'autre à la voir fondre sur les montagnes. Il se mit à hurler pour encourager ses troupes. Mais la vue de l'astre vagabond fascinait les guerriers. Personne ne bougeait de peur de déclencher la colère des dieux.

Le temps semblait s'être arrêté. La vallée baignait dans une atmosphère irréelle. La lumière renvoyée par la comète inondait les montagnes et le lac d'une lueur magique. La nature retenait son souffle.

Cependant, peu à peu, on se rendit compte que l'astre inconnu demeurait très loin au-dessus des Montagnes de feu. Bientôt, il passa au zénith, puis se dirigea vers l'orient. On le suivit des yeux pendant longtemps. Vers le milieu de l'après-midi, il apparut clairement qu'il commençait à s'éloigner. Puis il disparut derrière la chaîne montagneuse. Malgré les exhortations de Pahn-Trohm, la bataille n'avait pas repris.

Ly-Rah s'attendit à ce que l'ouragan entrevu dans la vision adressée par Noï-Ra se manifeste, mais celui du matin s'était apaisé après avoir chassé les nuages. Comme si les dieux avaient ouvert le ciel pour offrir ce spectacle grandiose aux hommes et leur montrer la vanité de leurs petites querelles. Ce fut du moins l'impression de Ly-Rah. Le danger était passé. Peut-être le passage de la comète allait-il déclencher de violentes tempêtes et des éruptions volcaniques, mais les peuples des Montagnes de feu étaient habitués à faire face à ces manifestations.

Cependant, à cause de l'interprétation erronée de Pahn-Trohm, à cause de ses prédictions infondées, uniquement motivées par sa haine des femmes, des dizaines de jeunes hommes avaient trouvé la mort. Là-bas, l'ennemi hésitait. Pahn-Trohm tentait encore de galvaniser ses troupes, mais on ne l'écoutait plus. Peu à peu, les assaillants se rendaient compte que l'étoile s'était éloignée sans anéantir le monde, et ce bien que les reines fussent toujours en vie. Comme l'avait prédit Ly-Rah...

C'était elle qui détenait la vérité.

De loin, la jeune femme observait le comportement de l'ennemi.

— Ils se posent des questions, dit Thol-Rok. Ils ont compris que Pahn-Trohm leur avait menti.

— Et ils prennent conscience que, à cause de lui, ils ont détruit leurs bibliothèques et massacré leurs reines.

Elle sut alors ce qui lui restait à faire.

— Ouvrez les portes, ordonna-t-elle.

Brahn-Hir s'insurgea.

— Tu n'y penses pas. Et s'ils décidaient de charger ?

— Ils ne le feront pas. Je vais aller défier Pahn-Trohm. Je dois me battre contre lui. Si j'ai le dessus, les autres repartiront et le calme reviendra. Si on le laisse parler, il risque de reprendre le contrôle de ses troupes et d'autres hommes vont mourir à cause de ce fou.

— C'est toi qui es folle, ma sœur. Je ne peux pas te laisser y aller seule.

— Tu peux venir avec moi. Mais mon action marquera davantage les esprits si je suis seule.

— Et si tu te fais tuer ?

— Alors, vous n'aurez plus qu'à me venger en livrant une belle bataille à ma mémoire, répondit-elle en souriant. C'est pour ça qu'il faut que tu restes ici. Tu prendras le commandement à ma place.

— Et ça te fait rire ?

— J'ai confiance en l'esprit de Noï-Rah et en celui de tous les dieux volcans. Ils ont protégé Nessah. Ils me protégeront aussi.

Bouleversé, il la prit contre lui et la serra longuement.

— Je crois qu'aucun homme ici n'aurait le courage de faire ce que tu t'apprêtes à faire.

— Mais aucun homme n'est dans ma position, Brahn-Hir. C'est moi qui ai émis la prophétie. C'est donc à moi de la mener au bout. Et je comprends à présent ce que

Noï-Rah voulait dire par « protéger son peuple ». Nous avons perdu peu de personnes lors de la journée d'hier. C'est un miracle. Si la bataille reprend, il n'en sera pas de même. Je dois tout faire pour arrêter cette guerre stupide. Quitte à y risquer ma vie. Mais je ne suis pas seule, ajouta-t-elle avec un sourire espiègle.

Brahn-Hir secoua la tête. Il la serra encore contre lui et dit :

— Souviens-toi de l'enseignement de Lo-Kahr.

— Je n'ai rien oublié, rassure-toi.

Elle descendit du rempart, se rendit à la lourde porte, que les gardes avaient entrouverte.

— Vous la refermerez dès que je serai sortie, dit-elle.

Lo-Kahr s'interposa.

— Ma reine, tu ne peux pas faire ça. Tu cours à la mort. Laisse-moi venir avec toi.

— Non. Si je meurs, mes Renards auront besoin d'un guerrier tel que toi. Mais je ne vais pas mourir.

Il poussa un long soupir. Elle avait raison. Et il y avait en elle désormais une autorité contre laquelle il ne pouvait plus lutter. Au fond de lui, il savait que c'était la seule manière d'obtenir la paix.

Ly-Rah prit une profonde inspiration pour se donner du courage et fit quelques pas à l'extérieur. Là-bas, l'ennemi avait vu la porte s'ouvrir avec étonnement. Mais son étonnement ne connut plus de bornes quand on vit que seule une femme était sortie. On la reconnut immédiatement.

— C'est Ly-Rah ! s'exclama Bahr-Kynn. C'est elle qui a émis la prophétie. Elle avait raison. L'étoile n'est pas tombée sur le monde. Pourtant, les reines sont toujours vivantes.

Il se tourna vers Pahn-Trohm.

— Comment expliques-tu ça ? demanda-t-il d'un ton agressif.

Le chef des Trohms serra les mâchoires.

— Rien ne dit que l'étoile ne va pas tomber sur le monde plus loin et déclencher de terribles catastrophes, répliqua-t-il.

Mais son ton manquait de conviction. Déjà, il sentait l'hostilité naître autour de lui. Même chez ses hommes, on commençait à se poser des questions. Insensiblement, les Aigles et les Aurochs se déplacèrent pour s'écarter de leurs encombrants alliés. Le souvenir des massacres commis sous l'emprise de la peur de l'étoile leur revenait en mémoire.

Ly-Rah approchait à pas lents, sans quitter Pahn-Trohm des yeux. Son cœur battait à se rompre dans sa poitrine. Son frère avait raison : défier seule leur ennemi relevait de l'inconscience la plus folle. Il suffisait qu'un archer plus vindicatif que les autres la prenne pour cible pour que son plan s'écroule. Mais son courage forçait le respect. Elle était la descendante de Noï-Rah la Bienveillante. Son aura la précédait. Lorsqu'elle s'arrêta, à une vingtaine de pas des trois chefs, elle clama :

— La prophétie s'est accomplie, Pahn-Trohm. Le monde n'a pas été détruit comme tu as voulu le faire croire à tes gens et à tes alliés pour les pousser à la guerre et au massacre. Mais cela aussi Noï-Rah l'avait prédit. A cause de toi, le travail de dizaines de générations des peuples des montagnes est parti en fumée, perdu à jamais.

— Seul Trohm doit posséder la Connaissance, riposta-t-il.

— Eh bien, où est-il, ce dieu qui devait déclencher sa colère parce que nous avions osé nous emparer de ce savoir ? Qu'il se montre ! Je l'attends.

Dans les rangs des Fils de Trohm, certains frémirent de peur. On observa le ciel avec anxiété, s'attendant peut-être à voir l'étoile faire demi-tour. Mais il ne se passa rien.

— Vous voyez. Trohm n'a pas réagi. Cela veut peut-être dire... qu'il n'existe pas !

— Il existe ! vociféra le prophète. Il te punira de ton insolence.

— Il ne punira personne. C'est ta seule colère que tu as exprimée, Pahn-Trohm. C'est à cause d'elle que tu as semé la discorde entre les nations des volcans. Tu es responsable de tous les morts qu'il y a eu dans tous les camps.

Elle montra le fossé où les derniers agonisants avaient cessé de gémir.

— Tu es responsable de tous ceux qui ont péri hier. Aussi, je suis venue te défier. Nos dieux contre le tien. S'il est aussi puissant que tu le prétends, il t'accordera la victoire.

— Les tiens ne sont rien ! Ils n'existent pas.

— Nous verrons bien. Mais toi, auras-tu le courage de combattre enfin à visage découvert ?

— Ce n'est pas moi qui vais te combattre, c'est Trohm lui-même. Et tu vas regretter de l'avoir défié.

Mais Ly-Rah ne l'écoutait plus. Elle se défit de la cape de cuir qu'elle avait passée sur ses épaules. Un murmure d'approbation courut dans les rangs ennemis. Les filles de No'Si'Ann étaient réputées pour leur beauté, mais celle-ci les dépassait toutes. Elle portait un bustier de cuir noir destiné à protéger sa poitrine et un court pantalon de la même matière, serré par des lanières. A sa ceinture pendait un long poignard de silex au manche en os cerclé de cuir.

On crut que Pahn-Trohm allait utiliser ses armes. Mais il saisit une lanière terminée par une pièce de métal jaune. Puis il s'avança vers Ly-Rah en parlant d'une voix extrêmement basse, d'où toute trace de colère avait disparu.

— A présent, tu vas dormir, Ly-Rah. Ton esprit est soumis à ma volonté.

Déconcertée, la jeune femme marqua un temps d'arrêt, fixant malgré elle la pépite d'or. Il ne comptait tout de même pas la combattre de cette manière ! Puis elle ressentit comme un curieux engourdissement. Elle flaira aussitôt le danger. S'il parvenait à la faire tomber en son pouvoir, il pouvait lui ordonner ce qu'il voudrait, y compris de se tuer elle-même.

Elle comprit alors pourquoi elle avait insisté auprès de Heh-Ming pour qu'il lui enseigne le sommeil hypnotique. Et elle s'était révélée une élève particulièrement douée. D'un mouvement vif de son poignard, elle effectua un geste rapide devant ses yeux. Puis elle éclata de rire. L'autre se figea.

— Ta magie ne peut rien contre moi, Pahn-Trohm. Et si tu insistes, c'est moi qui vais pénétrer dans ton esprit. Sans que j'aie besoin de ta babiole.

Elle fit un pas vers lui. Comme piqué par une guêpe, il fit un bond en arrière. Puis il lâcha son pendule pour ramasser sa hache et sa lance. Son stratagème n'avait pas fonctionné. L'instant d'après, des arcs se levèrent chez les Aigles et les Aurochs. Bahr-Kynn tonna :

— Elle t'a lancé un défi loyal, Pahn-Trohm. Je te jure que si tu ne la combats pas loyalement, je t'abats moi-même. Prends ton poignard et bats-toi avec courage.

Ly-Rah poussa un soupir de soulagement. Si elle gagnait, la guerre était terminée. Son audace avait séduit l'ennemi.

L'autre jeta un regard noir à Bahr-Kynn, mais la vue des flèches pointées sur lui le dissuada de passer outre. Il jeta ses armes avec rage et dégaina le poignard qui pendait à sa ceinture dans un fourreau de cuir.

— Je vais te saigner, maudite femelle ! grinça-t-il en marchant sur elle.

Ly-Rah ne répondit pas. Sur les remparts, les Renards retenaient leur souffle. Pahn-Trohm mesurait une bonne tête de plus que leur jeune reine. Brahn-Hir avait craint le pire en voyant sa sœur approcher des rangs ennemis. Mais elle avait raison, elle devait y aller seule, afin de marquer les esprits. Il parvenait à peine à respirer. Là-bas, près du lac, Ly-Rah et son adversaire tournaient autour l'un de l'autre.

Ly-Rah savait que l'autre bénéficiait d'une force probablement supérieure à la sienne. Mais elle possédait l'art de Brahn. La main fermement serrée sur le manche de corne de son poignard, elle attendait la première attaque. Elle lisait dans les yeux de son ennemi la haine invraisemblable qu'il éprouvait pour les femmes. Elle comprit que l'une d'elles était à l'origine de ce rejet irrationnel. Une femme l'avait éconduit et, dans sa folie mystique, il ne lui avait jamais pardonné. Et soudain, dans un éclair de lucidité, elle comprit, elle sut qui était cette femme. Une femme qui avait été torturée atrocement avant d'être mise à mort.

Elle pointa son arme sur Pahn-Trohm et dit :

— Elle s'appelait Lynn, n'est-ce pas ?

Le nom à la fois adulé et honni eut l'effet de la foudre sur son adversaire. Il poussa un rugissement de fureur.

— Sois maudite !

Elle avait vu juste. L'instant d'après, il bondissait sur elle, bien décidé à lui ouvrir le ventre comme il l'avait fait pour l'autre, la tentatrice ignoble responsable de son désespoir.

Il ne comprit pas ce qui se passa alors. Elle écarta son arme d'un geste précis, l'agrippa par le cou et se laissa tomber en arrière. Les pieds de la jeune femme le frappèrent au creux du ventre, lui coupant la respiration. Puis il se sentit soulevé. Il bascula sur elle, avant d'être projeté par-dessus tandis qu'une douleur fulgurante lui brûlait la poitrine. Il retomba sur le dos, le souffle court. Il entrevit, à la hauteur de la clavicule, le manche du poignard qu'elle avait enfoncé dans sa chair au cours de sa chute. L'instant d'après, elle l'immobilisa en s'asseyant à califourchon sur sa poitrine, lui coupant encore plus la respiration. Il aurait voulu ressentir encore de la haine, mais une terreur sans nom l'avait remplacée. Cette maudite femelle l'avait dépossédé de tout son pouvoir. Pas un de ses hommes n'intervint. Le combat n'avait duré que quelques secondes. Il avait escompté faire durer les choses, la blesser à plusieurs endroits pour le plaisir de la voir souffrir, voir son sang couler. Elle l'avait vaincu sans qu'il pût rien faire. Elle le regardait mourir de ses yeux verts. Il n'y avait aucune haine en elle. Simplement une intense curiosité, qu'il ne comprit pas. Il ne put s'empêcher de la trouver très belle. Mais son expression l'effraya. C'était le regard de la mort elle-même.

A ce moment, il leva les yeux vers le ciel. Dans le bleu limpide apparut une pluie d'étoiles filantes. Il ne pouvait savoir que cette pluie de lumière était la conséquence du passage de la comète. Il aurait voulu croire que ces boules de feu allaient frapper le monde, qu'elles étaient la manifestation de la colère de Trohm. Mais toutes se désintégrèrent bien avant de toucher le sol, dans la haute atmosphère, offrant aux hommes un magnifique feu d'artifice. Tous les regards s'étaient levés vers les cieux. L'averse de feu n'ayant eu aucun effet néfaste, un immense soulagement gagna les cœurs des assiégeants et des assiégés. Une immense clameur retentit, qui vrilla les oreilles de Pahn-Trohm, toujours immobilisé par son adversaire.

Il respirait de plus en plus mal. Sa vue commençait à se voiler. En lui, la terreur gagnait du terrain. Un doute effrayant s'emparait de lui. Il commençait à comprendre qu'il s'était totalement trompé et qu'il avait entraîné quantité d'innocents dans la mort. A cause d'un dieu qui l'avait abandonné. Peut-être parce qu'il n'existait même pas. Une effroyable sensation de vacuité se fit en lui. La douleur qui lui déchirait les entrailles devenait insoutenable. Alors, le regard vert revint sur lui. Il vit la main de Ly-Rah saisir le manche du poignard pour retirer la lame d'un coup sec. Une souffrance intolérable lui vrilla la poitrine. Il la vit encore brandir le poignard ensanglanté. Puis la lame s'enfonça d'un coup sec en lui, lui transperçant le cœur. Il eut un haut-le-cœur, vomit un flot de sang, puis sombra dans le néant.

Ly-Rah arracha son poignard du corps de son adversaire et se releva. Il y eut un moment de flottement dans les rangs des assaillants, puis Bahr-Kynn s'avança vers elle. A la grande surprise de la jeune femme, il posa un genou à terre devant elle.

— Tu as vaincu, Ly-Rah. Honneur à toi. Je crois que… S'il existe une personne digne de recevoir le titre de roi des Montagnes de feu, ce ne peut être que toi. Les Aurochs vont retourner sur leur territoire en paix. Nous ne sommes plus vos ennemis.

Kohrl, le successeur de Mohn-Kaï, s'avança et s'agenouilla à son tour.

— Cet homme nous a tous trompés. Mais je partage l'avis de Bahr-Kynn, il n'y a plus d'ennemis au pays des dieux volcans.

— Détrompez-vous. Il reste un autre ennemi, répondit Ly-Rah.

— Lequel ?

— L'hiver qui vient.

— Mais nous avons l'habitude de combattre l'hiver.

— Celui-là sera particulièrement terrible. Vous avez abandonné le travail de la terre pour prendre les armes. Où sont vos récoltes ? Où sont vos réserves ? Ne comptez pas sur ceux que vous avez vaincus pour vous nourrir. Ils auront à peine de quoi subsister eux-mêmes. Voilà où mènent les désirs de conquête.

Bahr-Kynn baissa le nez. Il avait été l'un des plus ambitieux. Il se rendait compte qu'il avait négligé l'autre partie de la prophétie, qui annonçait un long hiver et la famine. L'ennemi auquel il allait devoir faire face à présent était bien plus sournois et bien plus implacable qu'un humain. Car c'était un ennemi qu'on ne pouvait frapper de ses armes.

— Pouvons-nous récupérer nos morts afin de leur offrir une sépulture ? demanda-t-il.

— Venez sans armes. Il ne vous sera fait aucun mal.

— Il n'y a plus besoin d'armes.

Lentement, les Aurochs, les Aigles et leurs alliés, volontaires ou involontaires, abandonnèrent lances, arcs, boucliers et poignards et se dirigèrent vers le fossé. Les Trohms les imitèrent, indécis. Ils n'avaient plus de chef, et personne dans leurs rangs ne semblait décidé à prendre sa succession. On avait tellement eu l'habitude d'obéir aux ordres de Pahn-Trohm sans discuter que l'on ne savait plus ce que commander voulait dire. Alors, on suivit les autres pour arracher les cadavres empalés sur les pieux. L'opération dura jusqu'au soir.

Le lendemain, les assiégeants avaient quitté la vallée, emportant leurs morts.

50

Ly-Rah avait vaincu. Son acte de courage avait sauvé le peuple de Noï-Rah de la guerre, mais, comme elle l'avait annoncé, l'ennemi le plus rude restait à combattre.

Lorsqu'elle était revenue à l'intérieur de l'enceinte, les Renards et leurs alliés l'avaient longuement ovationnée. Elle s'était fait aussi longuement sermonner par son frère, qui avait cru vingt fois la voir morte, criblée de flèches par les Trohms. Il l'avait serrée dans ses bras, riant et pleurant à la fois.

La victoire était complète. Grâce à la stratégie mise au point par la jeune femme, et qu'elle avait puisée dans les récits de bataille contenus dans les livres, les Renards ne déploraient qu'une dizaine de morts et une trentaine de blessés. La vieille muraille édifiée par Noï-Rah plusieurs siècles auparavant avait rempli son office. Mais chacun s'accordait à dire qu'elle n'aurait sans doute pas résisté à un assaut prolongé. L'ennemi était trois fois plus nombreux et s'il était parvenu à prendre pied à l'intérieur, No'Si'Ann aurait été anéanti.

On ne fut soulagé que lorsque les derniers assaillants eurent disparu au-delà des collines. Les éclaireurs qui les suivirent par précaution rapportèrent que les Aigles avaient repris le chemin du nord par la vallée des Loups noirs. Les Trohms leur avaient emboîté le pas, mais les deux armées marchaient séparément. Visiblement, l'alliance était rompue. Quant aux Aurochs, ils étaient repartis vers le sud-ouest, vers le territoire des Ours gris. Sans doute regagneraient-ils leur propre domaine, puisque Last'Ann n'existait plus.

A présent que la tension était retombée, Ly-Rah se demandait comment elle avait pu accomplir un tel exploit. Où avait-elle trouvé l'audace insensée de s'aventurer hors des murs de No'Si'Ann ? Elle se souvenait d'avoir obéi à son intuition, qui lui commandait de se rendre seule auprès des troupes ennemies afin d'abattre le monstre qui les menait. Après coup, elle estimait qu'elle avait bénéficié d'une chance extraordinaire. Il aurait suffi d'une fléchette empoisonnée lancée par un Trohm vindicatif pour couper court à son acte téméraire. Elle n'avait pourtant éprouvé aucune frayeur. Elle se sentait protégée, comme si un esprit supérieur marchait à ses côtés, sans doute celui de Noï-Rah. Mais était-ce bien le cas ? Ou bien avait-elle été soutenue par la seule foi qu'elle avait en cette présence ? N'accomplissait-on pas des actes extraordinaires que parce que l'on y croyait de toute la force de son âme ? Ainsi Haar-Thus avait-il trouvé la force de survivre, parce qu'il désirait plus que tout revoir sa femme et le fils qu'elle portait.

Après avoir affronté Pahn-Trohm, elle comprenait mieux comment il avait pu plier les reines capturées à sa volonté. Il utilisait sur elles la même technique hypnotique que lui avait enseignée Heh-Ming. La potion qu'il leur faisait absorber était sans doute destinée à prolonger les effets de l'hypnose. Si elle n'avait pas insisté auprès de Heh-Ming pour qu'il lui apprenne cette technique mystérieuse, elle serait tombée dans le piège. Pahn-Trohm possédait une force mentale impressionnante, à laquelle elle avait failli succomber un instant. Par chance, elle avait immédiatement compris comment la contrer. C'était pour lui la seule chance de triompher d'elle. Mais il avait échoué, et, au cours du bref échange mental qui les avait reliés, elle était parvenue sans le vouloir à pénétrer sa mémoire, où elle avait découvert l'origine profonde de sa haine envers les femmes. Le fait qu'elle ait réussi à le percer à jour avait achevé d'exacerber sa fureur. Elle s'était révélée mentalement plus puissante que lui. Il n'avait pu le supporter et en avait perdu ses moyens.

Plus étonnante était la réaction des chefs de guerre Bahr-Kynn et Kohrl, qui avaient pris sa défense en empêchant Pahn-Trohm d'utiliser sa hache et sa lance alors qu'elle ne disposait que de son seul poignard. Son acte de courage avait forcé l'admiration, à tel point qu'ils avaient menacé l'autre de le cribler de flèches s'il n'acceptait pas de se battre loyalement. Lorsque les deux chefs s'étaient agenouillés devant elle, elle avait compris qu'elle avait remporté la victoire. Bahr-Kynn et Kohrl étaient sans doute de sombres brutes sans scrupules, mais ils respectaient le courage. Et, au-delà d'elle-même, c'était l'esprit de la Bienveillante qu'ils avaient salué. C'était devant elle qu'ils s'étaient inclinés.

Le lendemain de la victoire, Loo-Nah ouvrit les yeux. Si elle était encore faible, les potions des reines lui avaient permis de reconstituer le sang perdu et la cicatrice était saine. Khrent était allongé près d'elle sur un vaste lit de fougères recouvert de peaux d'ours. Son visage anxieux s'illumina d'un sourire. Mais ses traits restaient tirés. Elle se souvint qu'il avait été grièvement blessé lui aussi.

— Mais nous sommes vivants, dit-il, comme s'il avait lu dans ses pensées.

Leurs enfants entrèrent dans la demeure et vinrent s'agenouiller près d'eux. Ly-Rah sentit à peine les larmes de joie qui coulaient sur ses joues. Elle avait cru après sa vision que ses parents allaient mourir. Pourtant, ils étaient là, bien vivants, quoique diminués. Et ils allaient se remettre.

Reprenant pied dans la réalité, Loo-Nah demanda :

— L'ennemi est-il là ?

Ly-Rah secoua la tête.

— C'est fini, maman. Nous avons vaincu. L'ennemi est reparti. No'Si'Ann a tenu bon.

— Mais… il risque de revenir.

— Il ne reviendra pas. Pahn-Trohm est mort.

Brahn-Hir lui prit la main.

— C'est Ly-Rah qui l'a tué, maman. Elle a affronté l'ennemi à elle seule. J'ai cru que j'allais mourir de peur. Elle est sortie toute seule hors de l'enceinte et elle a combattu ce maudit prophète.

— Toute seule ? Il a accepté de la rencontrer en duel ? s'étonna Loo-Nah.

— Pas exactement, rectifia Ly-Rah.

— Ta fille a accompli un exploit plus grand encore que celui d'Atham-Kahr, intervint Khrent.

Et le père comme le fils commencèrent à lui narrer l'aventure avec un grand luxe de détail. Ly-Rah éclata de rire. A les en croire, elle avait terrassé l'armée ennemie à elle seule. Après avoir embrassé sa mère, elle préféra sortir. Il y avait beaucoup mieux à faire que d'écouter le récit de sa victoire.

A l'extérieur, elle contempla la bibliothèque, dont les bâtiments jouxtaient leur maison. Elle était la seule à être intacte. Là encore, ils avaient eu de la chance. Ils avaient cru préserver les manuscrits en les abritant dans la caverne secrète, mais Korus-Kahn avait fini par apprendre où elle se situait et y avait mis le feu. Heureusement, les livres que les reines avaient réussi à emporter avec elles lors de leur fuite n'y avaient pas encore été entreposés. Ils avaient ainsi échappé à la destruction. On les avait rapportés à No'Si'Ann. Mais la bibliothèque était pleine à craquer. On allait devoir l'agrandir. Cela ne serait pas facile. Avec tous les réfugiés qu'il avait accueillis, le village était surpeuplé. Et surtout, il fallait faire face aux fléaux annoncés par la prophétie.

On se mit immédiatement au travail. Des arbres furent abattus et débités, des pierres collectées, du chaume récolté en abondance. De nouvelles demeures furent construites pour remplacer celles qui avaient été incendiées hors des murs. On édifia de nouveaux silos. Il n'était que temps. A peine avaient-ils terminé qu'une vague de froid s'abattit sur le pays. Cela commença par un ouragan d'une violence exceptionnelle qui souffla sans discontinuer pendant plus de quatre jours. Puis la température chuta et l'eau se mit à geler dans le lac et les torrents. Une neige épaisse tomba. Très vite, les pistes devinrent impossibles à pratiquer. Ly-Rah convia les alliés des Renards à demeurer sur place. Les villages des Ours gris et des Tigres avaient été détruits et il leur serait désormais impossible de les reconstruire. Les vivres seraient mis en commun et partagés équitablement entre tous. Ainsi avait agi Noï-Rah autrefois lorsqu'elle avait recueilli les membres de différentes tribus fuyant la tyrannie de leurs chefs.

Un long hiver s'installa sur les Montagnes de feu. Il dura deux années. Un hiver plus terrible encore que la pire des saisons blanches jamais décrites dans les livres. Les provisions engrangées permirent de résister. Mais il fallut se rationner d'une manière draconienne. On n'avait jamais connu de telles conditions climatiques.

Pendant deux lunes, le ciel disparut sous une couche nuageuse si épaisse que même au cœur de la journée on avait l'impression d'être au crépuscule. Lorsque enfin le ciel se dégagea, le froid redoubla encore, malgré le soleil éblouissant qui inondait le paysage de neige. Il gelait jusqu'à l'intérieur des chaumières, malgré les foyers régulièrement entretenus. Des vieillards et des enfants en bas âge périrent en nombre, dans toutes les tribus, ainsi que les personnes affaiblies, incapables de résister au froid mordant. Il y eut cependant des exceptions. Grâce à leur robuste constitution, et aux soins prodigués par les reines, Loo-Nah et Khrent se remirent très vite sur pied, de même que Haar-Thus. Le fils qu'il avait eu de Nessah naquit au début de ce qui aurait dû être le milieu de la saison verte de l'année suivante.

Grâce à la volonté de Ly-Rah, tous les hommes et les femmes abrités dans No'Si'Ann avaient le sentiment d'appartenir à un même peuple. Les Tigres et les autres réfugiés, qui n'avaient pas eu le temps d'emporter beaucoup de vivres, furent traités de la même manière que les Renards. On devait partager et on partagea. Ce ne fut pas toujours facile. La faim tenaillait les ventres et certains affamés tentèrent de voler de la nourriture. Ly-Rah eut beaucoup à faire pour maintenir l'ordre. Elle dut sévir afin d'ôter l'envie aux voleurs de récidiver. Un vent de révolte se levait parfois, mais elle sut se montrer inflexible. Elle rappelait les valeurs de la solidarité et de l'entraide. On l'écoutait, parce qu'elle était présente partout, aux côtés des mourants, des malades, des bâtisseurs qui bravaient le froid pour réparer et consolider les maisons malmenées par les éléments, auprès des enfants qui pleuraient d'avoir le ventre vide.

Au plus fort de l'hiver, on pouvait à peine sortir dehors tant le blizzard soufflait avec violence. Au printemps, la neige recouvrait encore le pays et ne fondit que partiellement au cours de l'été. Les récoltes furent quasi inexistantes, et l'on dut les compléter avec des racines. La viande ne manquait pas grâce au troupeau d'aurochs vivant sur l'autre rive du lac. On profita du léger redoux de l'été pour pêcher du poisson en abondance. Ly-Rah fit fabriquer des radeaux à l'imitation de ceux des Palkawans, et l'on posa des nasses jusqu'au milieu du lac. Le poisson était ensuite mis à fumer afin de le conserver. Le froid revenu présentait tout de même un avantage : la nourriture stockée se conservait plus longtemps.

Mais les fruits et les légumes faisaient cruellement défaut. Leur manque provoquait des maladies chez les plus faibles et faisait saigner les gencives. On dut également lutter contre les loups et les ours mourant de faim qui avaient commencé à rôder autour du village dès le début de la seconde saison blanche.

On ignorait ce qui se passait ailleurs. Même au cœur de l'été, les colporteurs et les voyageurs n'avaient pas osé se lancer sur les pistes. Les Renards et leurs alliés s'étaient résignés à vivre en autarcie. Ly-Rah avait envisagé d'envoyer une délégation chez les Serpents, mais elle dut renoncer. Le froid fut de retour avant la fin de la saison chaude... qui ne l'avait guère été. Un deuxième hiver revint, plus rigoureux encore que le premier.

On n'eut des nouvelles qu'au début de l'été suivant, quand une délégation des Serpents, profitant d'une trêve des intempéries, parvint à traverser les montagnes pour rejoindre No'Si'Ann. On apprit alors que les Trohms avaient regagné leur lointaine contrée. Auparavant, ils avaient lancé, sans aide aucune, une attaque contre les territoires des Serpents. Heureusement, le réseau de guetteurs avait parfaitement fonctionné et les trois tribus des Serpents, des Blaireaux et des Loutres avaient trouvé refuge dans la forteresse édifiée sur les hauteurs dominant Cirgh'Ann. La bataille avait été rude et de nombreux guerriers avaient péri. Mais, comme chez les Renards, la solidarité et l'entraide avaient porté leurs fruits. Rassemblés contre l'ennemi, Serpents, Blaireaux et Loutres avaient tenu bon et l'avaient repoussé. Ayant subi de lourdes pertes, les Trohms avaient fini par abandonner, sans avoir pu piller les réserves des Serpents et de leurs alliés.

La plupart étaient repartis vers l'est, mais une bonne centaine étaient restés et avaient écumé les villages du centre du pays, où les survivants de différentes nations étaient revenus s'installer. A la recherche de nourriture, ils s'étaient livrés au pillage et avaient massacré les habitants pour s'approprier leurs maigres richesses. Le froid et la faim les avaient transformés en bêtes furieuses. Mais l'hiver terrifiant avait fini par avoir raison d'eux. Tous avaient péri. Les Serpents avaient découvert plusieurs cadavres dans les ruines des villages qu'ils avaient traversés pour venir.

Chez les Aigles et les Aurochs, de petits chefs de guerre s'étaient obstinés à vouloir unir le pays sous l'égide d'un roi. Bahr-Kynn avait été assassiné par l'un de ses cousins qui lui reprochait d'avoir abandonné son rêve de conquête. Le cousin en question, un dénommé Tess-Mehr, avait rassemblé un groupe de guerriers qui avait écumé toute la région du sud. Dans le nord, Kohrl avait lui aussi repris à son compte la volonté de domination de Mohn-Kaï et avait levé une petite armée. Mais la plupart des tribus avaient refusé de le suivre. Il en était résulté quantité de combats sporadiques et de pillages qui avaient entraîné la destruction de plusieurs villages. Dans certains lieux, on avait même retrouvé des ossements humains dans des foyers éteints. Poussés par la faim, les pillards s'étaient adonnés au cannibalisme.

Après avoir épuisé les maigres ressources du nord et du sud, les deux chefs de guerre avaient décidé presque en même temps d'aller porter leurs armes les uns contre les autres, chacun ignorant que l'autre avait eu la même idée. Sans doute les dieux des volcans s'étaient-ils joués d'eux. Ils s'étaient retrouvés face à face dans les ruines du village des Ours noirs, Chamb'Ann, dont les habitants avaient été exterminés par les Aigles et les Trohms. Les deux chefs s'étaient combattus, chacun d'eux étant persuadé d'être le seul digne de devenir le roi des Montagnes de feu. Les deux armées étaient à peu près de la même force, composées de quelques dizaines d'hommes décharnés par le froid et la faim. Tess-Mehr et Kohrl s'étaient entre-tués. Le chef des Serpents, Sryn-Khan, qui avait découvert les cadavres gelés, l'un près de l'autre, à demi dévorés par les charognards, pensait qu'ils avaient plus sûrement été tués par le froid, après s'être mutuellement blessés. Autour d'eux gisaient les corps des hommes qu'ils avaient entraînés dans leur folie, et qui s'étaient entre-tués jusqu'au dernier. Ils avaient péri mêlés les uns aux autres, dans la terrible fraternité de la mort.

Ainsi s'étaient achevés leurs désirs de conquête.

Après avoir procédé à quelques trocs parcimonieux avec les Fils du Serpent, ceux-ci repartirent vers leurs montagnes et l'on s'apprêta à affronter un troisième hiver, qui se révéla encore plus rude que les deux précédents. On fabriqua de la farine avec l'écorce des arbres, on abattit d'autres aurochs, on s'aventura très loin du village pour se livrer à une activité pratiquée bien longtemps auparavant : la cueillette. Sous la protection de guerriers fortement armés, on écuma les montagnes et les collines alentour pour récolter le maximum de fruits sauvages et de racines. Plusieurs hommes trouvèrent la mort au cours de ces expéditions hasardeuses, tués par les grands fauves hurlant famine.

Les derniers tigres à dents de sabre ne survécurent pas. Kehrry-Lann avait tenté de les relâcher pour qu'ils puissent se nourrir eux-mêmes, mais toujours ils revenaient vers les hommes, n'ayant jamais connu la liberté. Ils s'éteignirent un à un, épuisés par leur combat contre le froid et la faim.

Au plus fort de l'hiver, on restait calfeutrés dans les maisons, serrés autour du foyer. On laissait les enfants au chaud sous les fourrures d'ours en leur distribuant une nourriture qui était bien loin de les rassasier. Mais il fallait tenir, économiser pour survivre. Les plus faibles ne résistaient pas et s'endormaient d'un sommeil dont ils ne se réveillaient pas.

Au sortir du troisième hiver, près d'un habitant sur cinq de No'Si'Ann avait succombé, surtout parmi les plus âgés. Et soudain, comme si les dieux volcans avaient estimé que leurs enfants avaient assez souffert, le froid s'estompa et la température remonta, amenant un printemps précoce. Alors, la nature qui s'était endormie depuis plus de deux années se réveilla et les fleurs commencèrent à percer les plaques de neige fondante.

La vie retrouvait ses droits. Baï-Rahm, qui avait épousé Noh-Ly juste après la fin des combats, se retrouva papa au moment même où le soleil et la chaleur faisaient leur réapparition.

Malgré l'épuisement, on se remit à travailler la terre, à creuser, à tailler, à labourer, à semer, à planter, à rebâtir. La fatigue se faisait sentir, mais on refusait de lui céder. La lumière et la chaleur étaient de retour. Ly-Rah se souvint des paroles du vieil Heh-Ming, qui lui avait assuré, avec son optimisme inaltérable, que tout finissait toujours par s'arranger. La nature venait une fois de plus de lui donner raison. Elle eut une pensée émue pour lui. C'était grâce à lui, à son enseignement, qu'elle avait triomphé du prophète maudit. Elle se demanda s'il avait réussi à traverser l'épreuve de ce long hiver.

Elle eut la réponse quelques jours plus tard.

Par un beau matin de ce printemps, une rumeur se fit entendre du côté des collines de l'ouest. Puis une troupe apparut. Méfiants, les Renards se saisirent de leurs armes. Mais Ly-Rah poussa un cri de joie.

— Posez vos arcs et vos lances, tous ! Ce n'est pas un ennemi. Ce sont les gens de Pehr-Goor.

A leur tête, elle avait reconnu avant tous la silhouette élancée de Ken-Loh. Alors, elle courut vers lui et la foule des Renards la suivit.

ÉPILOGUE

Si les hivers s'étaient révélés moins rudes au pays de Pehr-Goor, les sept tribus avaient tout de même souffert de la faim et du froid. Heureusement, ils avaient réussi à semer en grande quantité à la fin de l'année précédente et les récoltes s'étaient révélées abondantes. Ken-Loh, inquiet pour Ly-Rah, avait obtenu de son père d'organiser une expédition aussitôt que possible, pour apporter aux Renards des grains et de la nourriture.

Après avoir longuement serré Ly-Rah dans ses bras, il lui dit :

— Depuis que tu es repartie, il ne s'est pas passé une journée sans que je pense à toi. Mon père voulait que je prenne une épouse, mais j'ai refusé. Il s'est fâché, mais je lui ai expliqué que je ne voudrais jamais prendre une autre épouse que toi. Il a réfléchi. Il a compris que je ne ferais pas un bon chef dans ces conditions. Il a décidé de confier ce rôle à mon frère cadet, Jahn. Il est aussi capable que moi de diriger la tribu, et sans doute même mieux, puisqu'il a déjà une épouse. Puis mon père m'a proposé de mener une nouvelle expédition jusqu'à No'Si'Ann. Il a ajouté : « Je serais très heureux que tu épouses Ly-Rah. C'est une très belle fille et ce mariage consoliderait encore les liens qui existent entre nos deux pays. Mais ne te fais pas trop d'illusions. Tu ne l'as pas vue depuis bientôt trois ans. Elle est probablement déjà mariée, comme les reines de ce pays doivent l'être. »

« Je n'ai pas voulu le croire. Et puis, il fallait que je sache.

Pour toute réponse, Ly-Rah noua ses bras autour de son cou et l'embrassa.

Soudain, la jeune femme remarqua, derrière lui, une silhouette aussi squelettique que familière, au regard pétillant de malice.

— Heh-Ming !

Elle s'écarta de Ken-Loh et serra le vieil homme dans ses bras. En près de trois années, il n'avait pas changé.

— Loués soient les dieux, qui t'ont conservé la vie, mon ami, dit-elle, les yeux emplis de larmes de joie.

— Le froid m'a conservé, ma belle. Et j'avais envie de revoir ton gracieux minois. Alors, quand Ken-Loh a parlé de te rendre visite, je me suis dit que les voyages forment la jeunesse !

Ly-Rah éclata de rire. Feignant la jalousie, Ken-Loh prit la jeune femme par la taille.

— Dis-moi, Heh-Ming, aurais-tu l'intention de m'enlever ma fiancée ?

— Aussi souvent que je pourrai, répliqua le vieil homme avec espièglerie. J'ai beaucoup de choses à partager avec elle.

Autour d'eux, on fraternisait, on s'étreignait, on parlait d'abondance, on se demandait des nouvelles des uns et des autres. Mais, à la vue de leur reine et du jeune Palkawan enlacés, on s'interrogea et on les entoura.

Lorsqu'elle s'écarta de Ken-Loh, Ly-Rah lui dit :

— Tu vois, aucun mari jaloux n'est venu nous séparer.

Les yeux du jeune homme se mirent à briller.

— Alors, si je reste à No'Si'Ann, est-ce que tu accepterais de m'épouser ?

Elle regarda la foule rassemblée.

— Moi, je veux bien. Mais il faut demander l'avis de mes Renards. Depuis plus de deux soleils, je suis à la fois leur reine et leur chef. Ils ont leur mot à dire.

Elle se tourna vers les siens.

— Alors, acceptez-vous que je prenne Ken-Loh le Pal-kawan pour époux ?

Une clameur enthousiaste lui répondit.

Le mariage eut lieu quelques jours plus tard, célébré par Thol-Rok. Après les privations et les souffrances, on eut à cœur d'organiser des festivités inoubliables, qui durèrent plusieurs jours. On n'avait pas fait la fête pendant bientôt trois ans et il était temps de rattraper tout ça.

Ken-Loh et Ly-Rah réussirent à se retrouver seuls pendant une courte nuit au cours de laquelle ils renouèrent avec la complicité amoureuse qui les avait rapprochés trop brièvement trois ans plus tôt, sur les rives du grand fleuve salé. Après des ébats aussi torrides qu'impudiques, leurs sens calmés laissèrent la place à la tendresse. Ils restèrent longtemps enlacés, mêlés l'un à l'autre. Cette fois, il n'y aurait plus de séparation.

— Désormais, tu es le mari de la reine, dit soudain Ly-Rah. Il va falloir me faire une fille, afin qu'elle puisse me succéder un jour et transmettre le sang de Noï-Rah la Bienveillante.

— Une fille, deux filles, trois filles, autant que tu en voudras. Mais aussi des garçons, pour que les Renards aient un chef.

— Je ne vais pas rester chef des Renards.

— Pourquoi ?

— J'ai déjà bien assez à faire en tant que reine. J'avais prévenu les Renards que j'abandonnerais ce titre lorsque les épreuves seraient passées. Mais j'ai une petite idée de la personne que je vais leur proposer.

Le lendemain, alors que l'ensemble de la population se remettait tant bien que mal des agapes, Ly-Rah réunit tout le monde sur la place centrale du village et monta sur le tronc d'arbre des orateurs. Elle attendit que le silence se fasse, puis déclara :

411

— Je voulais tous vous remercier du courage dont vous avez fait preuve durant ce long hiver. Beaucoup d'entre nous ont rejoint les étoiles, mais leur esprit demeure encore parmi nous, car jamais nous ne les oublierons. Leurs noms sont gravés dans les livres ainsi que le veut notre coutume, mais c'est dans nos cœurs qu'ils survivront le mieux. Durant cette longue épreuve, nous n'avons pas été seuls. Nos amis et alliés, les Ours gris, les Tigres et ceux de toutes les nations des volcans qui ont trouvé refuge à No'Si'Ann ont été à nos côtés, et ils ont partagé nos souffrances et nos deuils, mais aussi nos espoirs. Pendant ces deux années imposées par les dieux, nous avons résisté tous ensemble et nous n'avons formé qu'un seul peuple. Qu'il en soit encore ainsi dans l'avenir. Les Ours gris et les autres seront toujours chez eux à No'Si'Ann. Les chefs des différentes nations m'ont fait part de leur désir de rejoindre leurs territoires. Nous les aiderons dans leur retour.

« Mais l'une de ces tribus a choisi de demeurer parmi nous. Les Tigres, avec lesquels nous avons entretenu des rapports amicaux et fraternels depuis l'époque de Noï-Rah, ont perdu la moitié de leur population. Il y a ici assez de place pour accueillir ceux qui restent, d'autant plus que nous avons célébré plusieurs mariages au cours de ces deux ans entre des hommes et des femmes de nos deux nations. Les Tigres et les Renards ne vont donc plus former qu'un seul peuple. Je vous avais dit que, tout comme Noï-Rah, je ne conserverais pas le titre de chef lorsque les épreuves seraient terminées. Elles le sont aujourd'hui et c'est pourquoi je souhaite que l'on élise un nouveau chef. Bien entendu, chacun est libre de proposer sa candidature puisque notre bien-aimé Mahl-Kahr n'avait pas de fils. Mais il a eu une fille. Et c'est elle que je voudrais vous proposer comme chef.

Il y eut des murmures d'étonnement dans l'assistance. Elle fit alors signe de la rejoindre à Kehrry-Lann, qui l'écoutait au premier rang. La jeune femme se hissa sur le tronc d'arbre à côté de Ly-Rah.

— Cette fille, vous la connaissez tous. Elle a déjà fait preuve de courage et de sagesse en tant que chef des Tigres depuis qu'elle a succédé à Gohl-Bahr. Mais celui-ci, ainsi que beaucoup le savent, préférait les hommes. Il n'a jamais donné d'enfants à son épouse Lynn-Lann. Kehrry-Lann n'est pas la fille de Gohl-Bahr, mais de Mahl-Kahr. C'est Gohl-Bahr lui-même qui lui a demandé de faire un fils à son épouse. Les dieux voulurent que ce fût une fille ; elle lui a succédé quand il est mort, il y a une dizaine d'années. Ce qui explique pourquoi Mahl-Kahr se rendait souvent à Fahr'Ann. Kehrry-Lann est donc à moitié tigre par sa mère et à moitié renard par son père. C'est pourquoi je vous propose qu'elle devienne le chef de nos deux peuples réunis en un seul.

Il y eut un moment de flottement, dû à la révélation que Ly-Rah venait de faire. On observa mieux Kehrry-Lann, que l'on connaissait pourtant très bien depuis qu'elle était venue vivre à No'Si'Ann. On lui découvrit très vite des traits de ressemblance avec Mahl-Kahr. On gardait aussi le souvenir de son dévouement aux mourants, de son courage dans les parties de chasse au cœur des terribles hivers que l'on venait de traverser. On avait aussi en mémoire sa tristesse lorsqu'elle avait perdu son compagnon tigre, qu'elle avait élevé depuis toujours. On appréciait son autorité souple et sa disponibilité, sa gentillesse, son humeur toujours égale. C'était aussi une très belle femme. Et l'on se rendait compte à présent que l'on n'avait guère envie de la voir repartir.

— Alors, que pensez-vous de ma proposition ? demanda Ly-Rah.

Une ovation formidable lui répondit.

Ainsi Kehrry-Lann devint-elle le nouveau chef des Renards et des Tigres.

Quelques jours plus tard, les deux jeunes femmes et Ken-Loh se retrouvèrent devant la bibliothèque, dont beaucoup de manuscrits avaient été endommagés par les grands froids. Compte tenu de leur nombre, on n'avait pas pu tous les recopier et certains étaient en grande partie retombés en poussière. Les rudes hivers n'avaient pas facilité la récolte des écorces de bouleau et le travail des scribes. Ly-Rah soupira :

— Une grande partie de notre savoir est perdue. Si nous avions eu plus de temps, nous aurions pu mieux le protéger. Les livres auraient moins souffert dans la caverne. Mais tout a été perdu à cause de cet imbécile de Korus-Kahn et de la guerre.

— Nous reconstituerons ces livres, dit Kehrry-Lann. Je te le promets.

— Je sais. Mais d'autres sont perdus à jamais, dans toutes les tribus où des écervelés ont brûlé les bibliothèques par bêtise, par stupide ignorance, ou par goût du pouvoir, parce qu'ils n'ont jamais su voir la richesse extraordinaire qu'elles représentaient. Mais nous aiderons chaque tribu qui le souhaitera à rebâtir sa bibliothèque.

Elle marqua un silence, puis elle ajouta :

— Il est probable que, dans l'avenir, d'autres chamans et d'autres chefs tenteront à nouveau d'interdire la connaissance. Ils s'opposeront à l'écriture et aux livres, car ils permettent à l'homme de s'instruire et de connaître une vérité qu'ils veulent rester les seuls à détenir afin de mieux asseoir leur autorité. Peut-être détruiront-ils ce que nous allons reconstruire à présent. Mais toujours l'écriture renaîtra et grâce à elle, le savoir se transmettra, et il permettra aux hommes de progresser, de s'enrichir. Ils comprendront mieux le monde sur lequel ils vivent. Il nous reste tellement à apprendre. En reconstituant nos livres, nous ne ferons qu'entretenir la flamme, la préserver pour nos descendants. Et je crois que dans un avenir très lointain, tous les hommes et toutes les femmes sauront lire et écrire. Et ce savoir les rendra libres et forts, car l'écriture et la lecture apportent la liberté.

Connaissait-on l'écriture
à la Préhistoire ?

Tout comme *Les Enfants du volcan*, *La Guerre des volcans* est une œuvre de fiction, destinée à s'évader au cœur de notre belle Auvergne à une époque où certains de ses volcans étaient encore en activité. L'invention de l'écriture par Noï-Rah dans le premier volume tout comme son développement dans le deuxième sont purement imaginaires. Le but de ce roman me permet avant tout d'opposer l'obscurantisme religieux, allié à la soif de pouvoir, à la liberté apportée par l'écriture, vecteur indispensable de la transmission du savoir des peuples. Sans l'écriture, nous ne saurions aujourd'hui plus rien de Socrate, de Platon, d'Aristote, de Pline l'Ancien, de Ronsard, de Du Bellay, de Rabelais, de Montaigne, de Victor Hugo (sans oublier Alfred de Vigny, mon poète romantique préféré !) et de tous les autres. Sans l'écriture, l'homme n'aurait jamais évolué et nous en serions encore à l'âge de pierre.

Imaginer qu'elle ait pu exister à l'époque préhistorique relève d'une spéculation que rien ne vient étayer sauf… le site de Glozel, situé – comme par hasard – dans la région de Clermont-Ferrand. J'ai développé cette histoire dans *La Prophétie des glaces*. Mais pour les curieux, voici son résumé.

En mars 1924, Emile Fradin découvre dans son champ, par accident, des ossements humains et des objets anciens, ainsi que des tablettes gravées d'une écriture incompréhensible. A l'été suivant, des archéologues amateurs du Bourbonnais, ayant entendu parler de l'histoire, se font confier certains objets et les envoient au musée des Eyzies. Après étude, les préhistoriens de l'époque déclarent avoir affaire à des objets très anciens.

Plus tard, il s'ensuit une polémique provoquée par l'orgueil, la susceptibilité et la mauvaise foi de certains de ces préhistoriens, ce qui vaudra beaucoup d'ennuis à Emile Fradin. Lorsque les esprits seront calmés, certaines estimations feront remonter les tablettes gravées de Glozel à sept ou huit mille ans, ce qui les situerait bien avant les cunéiformes et les hiéroglyphes. En 1972, grâce à la méthode du carbone 14 et à d'autres progrès scientifiques, on put effectuer une datation sérieuse du site de Glozel. De ces travaux, il ressortit qu'il était réellement très ancien. Les ossements avaient entre quinze et dix-sept mille ans, les céramiques cinq mille ans et les tablettes deux mille cinq cents ans. Certaines inscriptions apparaissaient sur des ossements datant de dix à onze mille ans.

En 1975, l'Etat reconnut l'authenticité du site de Glozel. Malgré cela, les historiens continuèrent de douter et le ministère des Beaux-Arts refusa de classer le site. Une équipe du Centre de recherche nucléaire de Grenoble ayant déterminé qu'il existait encore des objets enfouis, de nouvelles fouilles furent menées, en d'autres endroits. Curieusement, aucun résultat ne fut publié. Comme dit le professeur Rémy Chauvin : « S'ils ne publient pas, c'est qu'ils ont probablement trouvé des choses qui les ennuient, alors pourquoi ? »

Le 16 juin 1990, Emile Fradin reçut les palmes académiques.

Il semble donc que le site de Glozel renferme des objets marqués d'une forme d'écriture très ancienne. Il n'est donc pas complètement farfelu d'imaginer qu'il y a sept à huit mille ans, nos lointains ancêtres aient pu imaginer des signes destinés à transmettre la Connaissance. Que ce soit en Auvergne, en Mésopotamie, en Egypte ou ailleurs, il est probable que l'écriture n'est pas apparue spontanément. Il a sans doute existé depuis bien longtemps des formes d'écriture embryonnaires qui, peu à peu, ont évolué pour aboutir à des systèmes beaucoup plus élaborés. Et l'on commettrait une grave erreur en pensant que nos ancêtres n'avaient pas l'intelligence suffisante pour les imaginer. Leur potentiel intellectuel était exactement le même que le nôtre.

Note de l'auteur

La Guerre des volcans comporte nombre de noms de personnages et de lieux différents, à la consonance inhabituelle, et il n'est pas forcément facile de s'y reconnaître. C'est pourquoi, afin de vous aider, j'ai adjoint ci-dessous une liste plus complète des personnages importants du roman.

Une petite précision : les noms des personnages comportent des tirets (-) ; les noms des lieux des apostrophes ('). La terminaison « Ann » signifie village. Seule exception : Pehr-Goor, le pays des Roches pâles.

Nations des Montagnes de feu

Ces vingt-quatre tribus sont organisées suivant un système féodal. Les tribus les plus puissantes exercent une suzeraineté sur des tribus vassales qui leur payent un tribut annuel. Elles sont toutes organisées suivant le même principe. Le pouvoir est exercé par trois personnes. Le chef, appelé « rheun », dirige la tribu et prend les décisions. Le sorcier, ou chaman, est l'intermédiaire entre les dieux et les hommes. Il possède aussi des connaissances médicales, qu'il partage avec la reine. La reine est la gardienne du savoir apporté quatre siècles plus tôt par Noï-Rah la Bienveillante.

Noï-Rah est l'ancêtre de toutes les reines. La reine pratique la médecine, transmet et développe l'écriture imaginée par Noï-Rah, rend la justice avec le chef et le sorcier. Elle dirige les scribes qui entretiennent les livres de la bibliothèque. Elle préside aussi le conseil des mères, qui traite plus particulièrement des problèmes des femmes. Ce conseil intervient dans les grandes décisions de la tribu. Cette organisation créée par Noï-Rah assure une véritable égalité entre les hommes et les femmes. Une loi prévoit que la reine et le rheun d'une tribu ne doivent jamais être mariés.

LES RENARDS – Village : No'Si'Ann
Rheun : Mahl-Kahr
Reine : Loo-Nah
Chaman : Thol-Rok
Khrent, conseiller proche du Rheun
Chef des scribes : Ham-Khal
Kher-Hogan : bras droit de Khrent
    Tribu vassale :
    LES FILS DU TIGRE – Village : Fahr'Ann
    Rheun : Kehrry-Lann (particularité : Kehrry-Lann est une femme)
    Reine : Lyz-Bel
    Chaman : Thol-Maar

LES GRANDS CERFS – Village : Ghy'Ann
Rheun : Haar-Thus
Chaman : Man-Khar
Reine : My-Nah
Noh-Ly : fille de My-Nah
Chef des scribes : Ther-Man
    Tribus vassales :
    LES OURS BRUNS – Village : Pirok'Ann
    Reine : Ynn-Grenn
    LES LOUPS NOIRS – Village : Kehr'Ann
    Rheun : Mo-Syhr
    Reine : Nay-Lah

Roh-Bahr : mari de la reine
Chaman : Khi-Maï
Scribe : Lys-Thor

LES AIGLES – Village : Ayd'Ann
Rheun : Mohn-Kaï
Reine : Lynn
Chaman : Nhis-Try, gagné à la religion de Trohm
Nor-Gül : conseiller de Mohn-Kaï
Chef des scribes : Graff
    Tribus vassales :
    LES LYNX – Village : Prad'Ann
    Rheun : Gahr-Hil
    Reine : Derynn
    LES FAUCONS – Village : Loz'Ann
    Rheun : Mahn-Ry
    Reine : Shi-Nah
    Mari de Shi-Nah : Paï-Kahn
    Chaman : Lo-Khi
    LES HERMINES – Village : Day'Ann
    Rheun : Drehn
    Reine : Xyan
    LES BELETTES – Village : Fehr'Ann
    Reine : Vrohn

LES AUROCHS – Village : Trex'Ann
Rheun : Bahr-Kynn
Conseiller : Hon-Taï
Chaman : Ferh-Had. Gagné à la religion de Trohm
Reine : Veh-Rah
Chef des scribes : Dihm-Mehr
    Tribus vassales :
    LES OURS GRIS – Village : Last'Ann
    Rheun : Mohr-Lahn
    Reine : Vy-Niah
    LES CHOUETTES – Village : Khom'Ann
    Rheun : Haar-Skonn

Reine : Pah-Lys
LES CHEVREUILS – Village : Bogh'Ann
Rheun : Kahr-Hom
Reine : Marah
Scribe : Jon-Tah

LES FILS DE LA NUIT – Village : Haly'Ann
Rheun : Hokh-Thar
Chaman : Nahk-Thal
Reine : Na-Pahl
Chef des scribes : Kah-Nor
    Tribus vassales :
    LES ÉCUREUILS – Village : Khor'Ann
Rheun : Bah-Khor
Reine : Tah-Nyah
LES CHAUVES-SOURIS – Village : Shav'Ann
Rheun : Huhl-Drak
Reine : So-Ohn
Sorcier : Feidre

LES FILS DE L'EAU – Village : Dohr'Ann
Rheun : Wakh-Har
Chaman : Sorgh
Reine : Lyo
    Tribus vassales :
    LES OURS NOIRS – Village : Chamb'Ann
Rheun : Khal
Chaman : Trohan
Reine : La-Nah
LES FOUINES – Village : Saul'Ann
Rheun : Prit-Han
LES AIGLES BRUNS – Village : Righ'Ann
Rheun : Drahn-Koh

LES FILS DU SERPENT – Village : Cirgh'Ann
Rheun : Sryn-Khan
Chaman : Kaïnh

Reine : Myh-La
Tribus vassales :
LES LOUTRES – Village : Dhoz'Ann
LES BLAIREAUX – Village : Klem'Ann

Nations de Pehr-Goor,
ou pays des Roches pâles

Elles sont au nombre de sept. Chacune d'elles porte le nom d'un dieu censé être leur ancêtre. Il s'agit probablement du nom du fondateur de leur tribu, divinisé dans la mémoire de chaque tribu.

Les Palkawans vivent dans un village appelé Lymo, au confluent du fleuve Dor'Ohn et de la rivière Viz'Ara (actuellement la Dordogne et la Vézère).
Chef : Gristan
Chaman : Dranos
Ken-Loh est le fils de Gristan
Les Mohondos
Chef : Krigs
Village : Eyz'Tay (village troglodytique)
Les Dagons
Chef : Frahno
Les Syrhons
Chef : Pahar-Dol
Les Vorhans
Chef : Gahlber
Heh-Ming : vieux sage, ami de Ly-Rah
Les Droahnes
Chef : Sylvaar
Les Lacauns
Chef : Bahal-Kohr

DU MÊME AUTEUR (suite)

ROMANS

La Porte de Bronze, 1994, Prix Julia Verlanger 1994
La Lande maudite, 1996
Antilia, 1999
La Fille du Diable, 2000
Le Roman de la Belle et la Bête, 2000
Le Secret interdit, 2001
Moïse le pharaon rebelle, 2002
La Légende de la Toison d'or, 2005

Pour en savoir plus,
vous pouvez consulter le site officiel
de Bernard SIMONAY :

www.bernardsimonay.fr

Composé par Nord Compo Multimédia
7, rue de Fives, 59650 Villeneuve-d'Ascq

Cet ouvrage a été achevé d'imprimer en décembre 2013
dans les ateliers de Normandie Roto Impression s.a.s.
61250 Lonrai (Orne)
N° d'impression : 134689
Dépôt légal : novembre 2013

Imprimé en France